JN062484

燃エガラからの思考

記憶の交差路としての広島へ

柿木伸之
Nobuyuki KAKIGI

インパクト出版会

ギラギラノ破片ヤ
灰白色ノ燃エガラガ
ヒロビロトシタ　パノラマノヤウニ
アカクヤケタダレタ　ニンゲンノ死体ノキメウナリズム
スベテアツタコトカ　アリエタコトナノカ
パツト剝ギトツテシマツタ　アトノセカイ
テンプクシタ電車ノワキノ
馬ノ胴ナンカノ　フクラミカタハ
プスプストケムル電線ノニホヒ

原民喜「原爆小景」より

文月に思う広島
――はしがきに代えて――

夏が近づくと、広島市内の公共の場所に「原爆供養塔納骨者名簿」が貼り出されているのが目に入る。平和公園の西側にある原爆供養塔に納められている、氏名が判明しながら引き取り手のない遺骨に関し、広島市は名簿を毎年公開している。もしかすると、そこに名前が載った人々にしても、氏名が確認されることなく遺骨が供養塔のなかに納められている人々にしても、死ぬことができないまま、骨を盛り土の下の納骨堂に残しているのかもしれない。

近しい人々が名を呼びながら死を受け止め、その人を知る人々が死の報せに心を動かすときに初めて、固有名を持った人の死が世界の出来事になるとすれば、納骨堂のなかの骨となった人々は、広島に原子爆弾が投下されてから七十六年を経た今もなお、みずからの死を死ねないでいることになろう。そして、そのような原爆の犠牲者は、納骨堂の外にもいる。このことを含めて、原爆とは人が人として死ぬことをも奪う出来事だと指摘したのは、詩人の栗原貞子だった。

そうしたことを思いながら、ある公共施設に貼り出された「納骨者名簿」に見入っていた。そこを訪れたのは、広島出身の作曲家細川俊夫のホルン協奏曲《開花の時》の演奏を聴くためだった。この作品については、二〇一一年二月にベルリンで、シュテファン・ドーアのホルン独奏とベルリン・フィルハーモニー管弦楽団による初演を聴いている。独奏ホルンが、客席に配されたホルンをはじめとする金管楽器と応え合いながら高揚を続け、オーケストラとともに演奏会場のフィルハーモニー全体を、蓮の花が咲く池へ鮮やかに変化させた演奏は、今も忘れられない。

　それから十年を経た二〇二一年の七月二十二日に、福川伸暢（ふかわのぶあき）のホルンと広島交響楽団が響かせた《開花の時》は、ベルリンで聴いた演奏とは趣を異にしていたように思う。小さい会場で演奏されたからかもしれないが、このオーケストラの音楽総監督を務める下野竜也の指揮の下、オーケストラ、独奏ホルン、そして客席の金管楽器が、緊密なアンサンブルを繰り広げていたのがとくに印象的だった。そのためもあって、蓮の開花よりもその生命の脈動が強く伝わってきた。水面へ向かう命のうごめきが、会場の底から身体に染み透るように響いた。

　蓮は、水底の泥土のなかから茎を伸ばし、花を咲かせる。この日、ホールの空間に咲いた蓮は、もしかすると、荼毘に付されて埋葬された、あるいは川に流された広島の死者の魂も、地の底から吸い上げていたのかもしれない。だとすると、その花は、原爆によって生命を奪われた人々に手向けられていたのではないだろうか。この非命の死者の魂は、生き残った者のなかに生き続けていたり、あるいは、その死を確かめてくれる人を見いだせないまま、広島の街に漂い続けていたりする。

　このことを顧みて死者に思いを馳せるとき、原爆以後に生き存えていることへの問いを受け取らざるをえない。そして、それに答えようと試みるとき、広島と長崎の被爆に結びついた歴史が、今なお続いていることにも向き合わされる。細川の《開花の時》の演奏を聴いたちょうど半年前にあたる一月二十二日には、核兵器禁止条約が発効したが、日本政府はそれに参加することなく、アメリカ合州国の「核の傘」の下、この国との軍事的な協力関係を強めようとしている。それが核兵器を保有する国どうしの対立に巻き込まれることを意味するにもかかわらず。

あるいは、その素案が公開されている政府のエネルギー基本計画は、二酸化炭素の排出量削減へ向け、再生可能エネルギーへの依存度を高める一方で、依然として総電力量の二割程度は原子力発電に依存する方針を示している。福島第一原子力発電所の過酷事故から十年を経て、今もその廃墟が環境汚染を続けているにもかかわらず、日本は核開発の一翼を担い続けようとしているのだ。さらに、原発と原爆が表裏一体であることは言うまでもない。政府は、現在に至るまで核兵器の開発に結びつきうる原子力を手放そうとしていない。

その意味でも核の歴史は今なお続いているわけだが、二〇二一年の七月には、広島の原爆そのものが現在も続いていることをあらためて考えさせる出来事もあった。それは「黒い雨訴訟」をめぐる一連の動きである。原爆が広島の市街の上空で炸裂し、爆風と火炎が街を覆ってほどなく降った、高濃度の放射性物質を含んだ「黒い雨」を浴びた人々は、そのことが要因と見られるさまざまな病に苦しんできた。そのような人々の苦悩のなかで、原爆はけっして過ぎ去っていない。

にもかかわらず、「黒い雨」による健康被害に苦しむ人々のなかには、当時、国が定めた援護対象区域の外に住んでいたために、被爆者健康手帳の交付を受けられずにいた人々が少なからずいる。そのような人々は、手帳の交付業務を請け負う広島県と広島市を相手に、「被爆者」と認定することを求める訴えを起こしていた。それに関する広島高等裁判所の判決が二〇二一年七月十四日に下されたが、それは原告の訴えを認めた一審の判決を支持するのみならず、さらに踏み込んで「黒い雨に遭った人は被爆者」と規定するものだった。

この二審の判決でもう一つ重要なのは、これまで繰り返し抑圧されてきた、内部被曝による健康への影響の可能性を指摘したことである。そのような画期的とも言える内容を含む広島高裁の判決に関して政府は、当局内部では最高裁への上告を求める声が強かったにもかかわらず、再度上級審に訴えない方針を固めた。上告を断念したこと自体は歓迎されるべきであり、それによって被害者に救済への道が開かれたと言える。しかし、このような方針の裏にある政府の姿勢は、判決の趣旨を受け容れるものとは言いがたい。

上告の断念を正式に表明する際に発表された首相の談話は、今回の広島高裁の判決が、内部被曝の影響に踏み込んだことは容認できないと明言している。原発事故の被害者に関しても指摘されている内部被曝を否定しようとする政府の姿勢からは、補償の対象を限定したいという思惑のみならず、放射能被害をできるだけ低く見積もって、核開発を続けようという目論見も見え隠れする。そのような姿勢は、新型コロナウイルス感染症に対する政府の姿勢とも通底するだろう。

誰もがすぐに受けられる検査の体制を整えることも、感染症に対するワクチンを全世代に行き渡らせることもできないまま、東京オリンピックが七月の四連休とともに始まった。それとともに引き起こされたのは、予想されたとおり、未曾有の感染の拡大だった。本来であれば、五輪など早々に返上を決め、政府と自治体が全力を挙げて感染症対策に取り組まなければならなかったはずである。しかし、開催が自己目的になってしまったオリンピックとパラリンピックが、そのための資源も財源も、さらには人々の力をも奪い続けた。感染の爆発によって、列島に生きる人々の生命が深刻な危機に瀕している以上、五輪は即刻打ち切られなければならなかったはずだ。

東京都と日本政府を、あらゆる理念も原則もなし崩しにした「開催」へ導いた権力が、国際オリンピック委員会であることも、すでに広く知られている。そのトーマス・バッハ会長が、五輪開幕を約一週間後に控えた七月十六日に広島を訪問した。IOCが提唱する「オリンピック休戦」の期間の始まりをアピールする目的だったとのことだが、そのために広島を訪れること自体、独善的なパフォーマンスのために、被爆地のイメージを利用しようとするもので、到底容認することはできない。しかも、バッハ会長のスピーチは、この日の歴史的意味をまったく踏まえていなかったという。

二〇二一年七月十六日は、七十六年前にアメリカ合州国のニュー・メキシコ州に設けられたトリニティ・サイトで、人類最初の核実験が行なわれた日に当たる。風下の住民を被曝させ、周囲の深刻な環境汚染をもたらしたこの実験の「成功」が、広島と長崎への原爆投下を可能にした。そのことに何ら思いを致すことなく、みずからの「実績」作りのために平和記念公園を一時的にであれ独占することは、被爆地と原爆の犠牲者に対する冒瀆である。そして、莫大な放映権料などの収入を得るために、アスリートのそれを含めたあらゆる富とエネルギーを絞り取ろうとするIOCのやり方が、平和の追究と対極にあることは言うまでもない。

IOCとその会長の姿勢に関して、これらを指摘したうえで糺さなければならないのは、広島県と市の首長がこの人物を「歓迎」したことである。両者は、バッハ会長のような「影響力」のある人物が広島を訪れ、平和を呼びかけることには意義があると述べたという。そのように言い募って結局「ヒロシマ」を利用することを許す態度は、この人物がこれまでに積み重ねてきた罪業と独善を顧みるならば、広島の地が掲げる「平和」を裏切るものと言わざるをえない。そして、バッハ会長のような人にすら期待するところには、広島の「平和行政」の根本的な問題が露呈している。

権威ある人物の「影響力」に依存し、言わばそれに「平和」を代弁してもらおうとする態度は、みずからが伝えるべき被爆地からの平和の内実を絶えず希薄化させてしまう。さらに、そのような姿勢は、国家が「唯一の戦争被爆国」として自己を演出する場として広島を利用する余地を与えることにも結びついている。むしろその戦争責任を問うことに、被爆者援護の精神があるにもかかわらず。もし広島から、今平和とは何かと問いかけることがありうるとすれば、それは「平和行政」が絶えず露呈させてきた大勢順応主義（コンフォーミズム）を越えて、世界各地の核の歴史の犠牲者の声に、あるいは今も続く戦争の犠牲者の声に耳を開くことをつうじてであろう。

それによってあらためて「原爆に遭う」とはどういうことかを振り返り、被爆の記憶を更新する過程で、原爆の犠牲者のなかに、さまざまな背景を持った一人ひとりがいることにも気づくはずだ。堀川惠子の『原爆供養塔』（文春文庫、二〇一五年）は、先に触れた、供養塔に遺骨が納められている人々にも、複数の背景を持った人々がいることとともに、被爆までの広島が、植民地を巻き込んだ総力戦の拠点としての軍都であったことを伝えている。また、これらに向き合うなかで、原爆に遭った人々のなかで被害と加害が複雑に絡み合っていることも考えざるをえないだろう。

このような「ヒロシマ」の神話化に抗う想起をつうじて、広島という軍都にして被爆地である街のなかに、被爆と被曝の記憶、そして今も続く内戦を含む戦争と、植民地主義的な暴力——それは現在の社会の内部に幾重にも構造化されて、いくつもの差別を引き起こしている——の記憶が交差する場を切り開くこと。それは、沖縄の人々の生活環境を根本的に破壊しながら日米の軍事的協力関係を拡張する基地建設の強行とも結びついている「核の傘」への依存や、日本政府の核開発への関与を顧みるならば、生存そのものに関わる喫緊の課題ですらある。

そのように神話を解体しながら細やかに想起することによって、また想起が発掘した記憶を、他の場所の記憶と照らし合わせることによって、非命の死者を含む、さまざまな背景を持った人々の交差を構想できるはずである。そして芸術は、記憶の交差を、その物語の連結を、可能性として表現することができる。旧陸軍の広島被服支廠倉庫に関しては、ようやく耐震工事を施して保存する方向性が固まりつつあるが、その建物の活用法として一昨年の末から主張してきたのは、それが軍都の象徴であると同時に、被爆の記憶が刻まれた場所でもあることを伝えながら、内部の広大な空間を、芸術作品の滞在型の制作と発表の場として生かすことである。

日清戦争後の広島市が、アジア侵略の拠点をなす帝国の軍都であったと同時に、明治以後の広島県が「日本最大の移民県」であった歴史を踏まえながら、広島をさまざまな歴史の傷を負った人々が「交差する」場所として構想したのは、社会学者の鄭暎惠(チョン・ヨンヘ)の仕事(「交差するヒロシマ」、『〈民が代〉斉唱——アイデンティティ・国民国家・ジェンダー』岩波書店、二〇〇三年)だった。死者の一人ひとりを想起しながら、過去の記憶に潜むありえた交差を、いくつもの物語の呼応をつうじて表現するならば、今も続く戦争と核の歴史に抗う生命の波打つような脈動が、広島の地の底から響いてくるにちがいない。この街に鳴り響いた細川俊夫の《開花の時》は、このような、供養塔の盛り土の下に骨を残している死者の記憶をも、他の場所の非命の死者の記憶との照応のなかに響かせうる芸術の潜在力を考えさせた。

＊

ここに掲げた小文〔筆者ウェブサイト『Flaschenpost――柿木伸之からの投壜通信』二〇二一年七月三十一日掲載〕を草したのは、列島に生きる人々の生命が、「コロナ禍」と「オリパラ禍」の二重の災禍に晒されているさなかのことだった。そこには、本書に収録された論考を貫く問題意識が表われている。いや、「黒い雨訴訟」に対する政府の姿勢や、被爆地を利用しようとするＩＯＣ会長を「歓迎」するような広島の「平和行政」を前に、命が犠牲にされ続ける歴史の連続と、それに抗しえない「平和」の空疎さに対する積年の思いが噴き出たというのが正確かもしれない。

本書に収められているのは主に、二〇一五年七月に上梓した『パット剝ギトッテシマッタ後の世界へ――ヒロシマを想起する思考』（インパクト出版会）以後の思考の展開を示す論考であるが、当初の原稿が二〇〇九年から翌年にかけて書き下ろされた論考も含まれている。当時の広島市長が「オバマジョリティー」なるスローガンを掲げ、「平和の祭典」オリンピックとパラリンピックの招致を目指していた時期に当たる。そのような動きを貫く大勢順応主義も、五輪が「平和の祭典」だと謳うことの欺瞞もまったく糺されないまま、その約十一年後、ＩＯＣ会長が広島の行政に「歓迎」されるに至った。

この間、戦後七十年にあたる二〇一五年の夏には、「集団的自衛権」が認められるとの重大な憲法解釈の変更を伴うかたちで「安保法案」が国会を通過した。また、その翌年には、当時アメリカの大統領だったバラク・オバマが、岩国の米軍基地で将兵を激励した後で広島を訪れ、物々しい「歓迎」の下、「核なき世界」を目指すという観点からすればプラハでの演説から著しく後退したスピーチを平和公園で行なった。その様子の中継映像を、研究のために滞在していたベルリンで目の当たりにしたことは、核分裂反応が見いだされたこの地を起点の一つとして今も続く核の歴史を、人類の普遍史として見通すことへの問題意識を深める契機となった。

目下の思考の課題の一つは、この核の普遍史を断ち切ることへ向けてその神話を逆なでしながら、非命の死者とともに生き延びる道筋を地上に切り開く、もう一つの歴史の構想である。この歴史は、近代の広島におけるいくつもの暴力——植民地主義と民族差別の暴力、総力戦の暴力、核兵器の暴力、「復興」の名の下での暴力、性差別の暴力など——の交差を掘り起こしながら、暴力に晒され、その犠牲にされた者たちの記憶が呼応し合う回路を開くことに通じているはずだ。そして、ヒロシマ以後の芸術作品のなかには、複数の記憶の照応の予兆を閃かせるものがあるにちがいない。

このような問題意識の下で編まれた本書は、序と四部に分かれている。冒頭に置いた「ベルリン－ヒロシマ通信」は、二〇一六年にベルリンに研究滞在していた期間に書かれたエッセイだが、そこには本書を貫く思考の姿勢が示されている。第一部には、被爆の記憶をはじめ、歴史の残余として犠牲者の心身や出来事の場所に残存する記憶——原民喜の言う「燃エガラ」としての記憶——を今に甦らせ、美的な造形を媒介に伝達する可能性を追究した論考を集めた。二〇二二年に生誕八十年と没後三十年を迎える美術作家、殿敷侃（一九四二〜九二年）の芸術をめぐる議論が、焦点の一つをなしている。第二部には、言語を絶するとされる出来事の記憶を、広義の詩と音楽によって鳴り響かせる道筋を探る論考を集めた。

第三部には批評的な短文を集めた。書評と時評に加え、映画評が含まれている。第四部の中心をなすのは、一時は解体が危ぶまれた旧陸軍の被服支廠倉庫の歴史的意義を踏まえながら、その建物の再活用の方向性を探るという問題意識の下で書かれた論考ではあるが、近代の広島に生きた人々の身体における暴力の交差を見据えながら、これまで広島の人々が出会うことのなかった記憶を含む、さまざまな記憶が交差する可能性において広島という場所を捉え直そうとする思考の方向性を示すものでもある。ここに書き下ろしの小論を加えた。本書に収録されたそれぞれの論考の末尾には、最初に発表された時と場所をその文脈とともに記し、必要に応じて事後的な考察を加える付記が添えられている。

柿木伸之

二〇二二年三月十日、福岡にて

燃エガラからの思考——記憶の交差路としての広島へ

目次

カバー作品・殿敷侃《川岸》一九六五年　広島県立美術館所蔵

序

ベルリン―ヒロシマ通信

ポツダム市ヒロシマ=ナガサキ広場に置かれている原爆犠牲者を追悼するモニュメント

I

ベルリンには七つの川が流れる広島の街を思い出させるところがある。シュプレー川が流れ、それに通じるいくつもの運河が走るベルリンの街角には、お好み焼きと同じく、街の戦後の歴史を色濃く映し出した食べ物——復興期に生まれたカリーヴルストやトルコからの移民が始めたデナー・ケバブ——の店が立ち並んでいる。そのようなベルリンの街で、生存の場をドイツに求めた難民を含め、実にさまざまな背景を持つ人々がともに暮らしている。

ベルリンと広島は、このように外面的に似通っているだけではない。両者のあいだには歴史的な結びつきがある。一九四五年八月六日に広島の上空で原子爆弾を炸裂させたウランの核分裂の現象は、一九三八年の末にベルリンのダーレムにあるカイザー・ヴィルヘルム化学研究所で発見されている。普段研究に使っているベルリン自由大学の文献学図書館が、かつてこの研究所があった場所の目と鼻の先にあることをベルリンに来てから知ったが、これには因縁めいたものを感じないではいられない。

現在（二〇一六年）、在外研究の機会を得てベルリンに滞在している。その目的の一つは、この地に生まれ、二十世紀の前半に文筆家として活動したヴァルター・ベンヤミンの思想の研究を深めることである。とくに彼が晩年に進歩史観への根本的な批判とともに繰り広げた、歴史についての思考を検討することは、ベルリンと広島を結びつけて今も続く核の歴史に立ち向かいながら、この歴史に晒された者たちとともに生き残る場を開く、もう一つの歴史を構想することに結びつきうると考えている。

II

ベルリンの中心部から南西の方角へ向かう電車に乗ると、半時間足らずでポツダムの市域に入る。ポツダム宣言に結びついた連合国首脳の会談の場となったこの古い街は、当時アメリカ合州国の大統領だったハリー・S・トルーマンが原子爆弾の実験成功の知らせを受け、投下に至らしめた場所でもある。彼が滞在していたグリーブニッツ湖畔の邸宅の前の小さな広場には今、広島と長崎の原爆犠牲者を追悼するモニュメントが置かれている。その設置に心血を注いだ日本の科学者がいる。

その科学者とは、ベルリン工科大学などで高分子物理化学を講じていた外林秀人（そとばやしひでと）。彼は広島で被爆した後、フンボルト財団の奨学生として渡独し、核の歴史の原点とも言うべきダーレムにあるマックス・プランク協会のフリッツ・ハーバー研究所で研鑽を重ねた。広島出身で現在世界的に活躍している作曲家の細川俊夫がベルリンに留学していた頃、彼を支えた人物でもある。外林は教職を退いた後、自身の被爆体験を証言する講演活動を始め、先に触れたモニュメントの設置に力を尽くした。

そのような外林の意志も込められたグリーブニッツ湖畔のモニュメントの造形は、彫刻家の藤原信（ふじわらまこと）の手による。水平方向へぐっと延びる大きな石を用いた造形は、広島と長崎の被爆以来、人々の苦悩を無数に積み重ねながら、核の歴史が今なお続いていることを象徴しているように見えた。それを前にして、生きとし生けるものが核の脅威に晒されている現在を見据えながら、生きること自体をその可能性へ向けて問う哲学の課題を顧みないわけにはいかなかった。

III

ポツダム郊外のグリーブニッツ湖畔に置かれた原爆犠牲者を追悼するモニュメントに立ち寄ったのは、バラク・オバマが広島を訪れてから四日後のことだった。現職のアメリカ大統領が初めて広島を訪問する様子は、インターネット上に配信されていたので、ベルリンでもその経過をリアル・タイムで辿ることができた。とはいえ、その中継映像には、言いようのない虚しさを覚えずにはいられなかった。核の歴史を担う人物と相対する緊張感は、少なくとも映像からは伝わってこなかった。

オバマの広島訪問はドイツでも盛んに報じられていたが、新聞などの論調は、日本のそれとはかなり異なっていた。例えば、週刊新聞ディ・ツァイトの記事は、「歓迎ムード」が戦争の記憶の忘却の上に醸成されていることを指摘していた。あるいは南ドイツ新聞の論説は、原爆投下という戦争犯罪に対する大統領の謝罪を怖れているのは、被爆に至る侵略戦争の歴史に向き合おうとしない日本の現政権の側ではないのか、という問いを提起していた。

これらの議論は、原爆を問うことが戦争の歴史を問うことと表裏一体である点に、あらためて光を当てるものと言えよう。そのことの忘却の上に作られた「和解」への安易な共感が、今まさに沖縄の人々がその暴力に晒されている、「安保法制」の下での日米の軍事的な協力としての「友好関係」の演出に利用されることが危惧される。その先にあるのは、生きることが死者の記憶もろとも権力者の道具として使い尽くされることでしかないことを、ベルリン生まれのベンヤミンは洞察していた。

IV

哲学するとは、今どのような時代に、またどのような世界に生きているのかを見据えながら、生きること自体を徹底的に掘り下げる思考の営為である。日常生活の前提をも問うた先に初めて、生き直す見通しが徐々に開けてくるのではないか。このように考えながら研究を進める際に、ベンヤミンの影響下で思想形成を遂げた哲学者テーオドア・W・アドルノが投げかけた問いを忘れることはできない。

彼は戦後の著作で、アウシュヴィッツの後に生きることは許されるか、という問いを提起している。皮膚や毛髪に至るまで人体を使い尽くし、死をサンプルの消滅として処理するシステムを、人間はみずからの手で作り出してしまった。その後でそもそも生きることができるのか。この問いを引き受けることのない哲学は、おめでたい夢想だろう。アドルノは、人間性の実現過程として構想された人類史は、石斧から核兵器に至る歴史として具現したとも述べている。

こうして、生きることと根本的に両立しえないものに人間が自分自身を晒すに至った「進歩」がこのまま続くことに抗いながら、生きる道を探るところにある歴史への問いこそ、ベンヤミンの思考から受け継がれるべきだろう。彼は歴史の概念を追究する著作のなかに、破局に破局を積み重ねていく「進歩」の暴風に煽られながらも、瓦礫を継ぎ合わせようとする「歴史の天使」の姿を浮かび上がらせている。破局の歴史の残滓を拾い上げ、そこに沈澱した死者の記憶を呼び覚ますところに始まるもう一つの歴史。その探究にとって、ベルリンは刺激に満ちた記憶の場所である。

V

ベルリンの石畳の歩道を歩いていると、敷石のあいだに埋め込まれた真鍮のプレートに行き当たることがある。プレートには、かつてこの場所に住んでいたが、ナチスの迫害によってそこから収容所へ移送されたり、移送先で虐殺されたりした人々——ユダヤ人、シンティ・ロマ、同性愛者、政治犯など——の名前が、生年、移送先、没年、そして亡くなった場所とともに刻まれている。これは「躓き(つまず)の石」と呼ばれるもので、ベルリン出身の芸術家グンター・デムニヒが設置し続けている。

ベルリンには、一九九六年に最初の「躓きの石」が置かれている。以来設置の日にはささやかなセレモニーが催され、集まった人々は迫害の犠牲者に思いを馳せるという。こうして、かつてそこに人が生きていたことを、ナチスの暴虐の歴史とともに振り返らせられる場が、街路の一角に開かれるのだ。「躓きの石」の前に佇みながら、昨夏に見た一枚の「原爆の絵」を思い出した。ペンと鉛筆で描かれたその絵には、被爆した「チョーセン〔朝鮮〕ノ老人」が橋の上に倒れ、「南方留学生」が川縁にいた様子が描かれていた。

この絵を思い描きながら、原爆によって命を奪われたさまざまな人々がどこで暮らしていたのか、またそれはどのような経緯によるのかを、「軍都」と呼ばれていた街の歴史とともに振り返られる場が、広島の街角に設けられたらと思った。そうすれば、原爆に遭うということを、一人ひとりの経験として、かつ近代日本の戦争の歴史と照らし合わせながら想起する契機が生まれるのではないだろうか。「躓きの石」は、そのために芸術がささやかながらも重要な力を発揮しうることを示している。

VI

街路に埋め込まれた「躓きの石」は、その真鍮のプレートに名が刻まれている人が、ナチス・ドイツの暴虐のためにその場所に住み続けられなかったことを示している。同様に、消失を示すことでその歴史に向き合わせる芸術作品は、ベルリンの街のところどころに見られる。例えば、現在州立歌劇場の改修工事が行なわれているベーベル広場では、地下に見える本のない図書館が、この場所でユダヤ人などが著わした書物の焚書が行なわれたことを想起させている。

これらの芸術作品は、ある何かの喪失を感知させるが、喪失そのものを身体的に感じさせる作品もある。二〇〇一年のヒロシマ賞を受賞した建築家ダニエル・リベスキンドがベルリンのユダヤ博物館に設けた「ヴォイド」は、その代表的な例と言えよう。博物館に展示されているユダヤ人の生きざまとその文化が、いやそれ以上の何かが、ナチスによる絶滅の企てによって取り返しのつかないかたちで失われた。巨大な「空所（ヴォイド）」に立つと、このことが戦慄を覚えるほどの重みをもって迫ってくる。

こうした断絶を突きつける作品が歴史のドキュメントを展示した博物館の内部にあることには、重要な意味があると思われる。それは展示を深く受け止めることへ人を導くだけではない。それは記録されていないもの、歴史からこぼれ落ちていくものを想起する場を開きながら、歴史そのものを問うている。このような作品と向き合った体験を胸に展示――ベルリンの博物館の展示は、どれも半日では見きれないほど膨大だ――を辿り、これまで学んだ「歴史」を問いただす思考は、自分が今どのような時代に生きているかを見つめ直す認識に結びつくにちがいない。

VII

イスラエルの芸術家ミハ・ウルマンがベーベル広場の地下に、ナチスの焚書を記憶するために造った《空っぽの図書館》のような作品は、都市空間の現在に介入するかたちで、ナチス・ドイツの歴史を、ナチスが抹殺しようとした記憶とともに振り返る場を開いている。そのように、芸術作品がベルリンの街のなかで人を立ち止まらせる力を発揮しうる背景に、芸術を生かし続ける都市の日常があることも忘れてはならないだろう。

ベルリンでは、九月から翌年七月までのシーズンのあいだ、毎日さまざまな会場で演奏会、オペラや演劇の上演などが催されている。書店やカフェでの作家による文学作品の朗読も盛んである。これらにおいて特徴的なのは、同時代の作品が積極的に取り上げられていること――オーケストラの演奏会でも現代曲はしばしば演奏される――と、古典的な作品を取り上げるにしても、なぜ今その作品なのか、という問いに答えようとしていることである。

このことが端的に表われているのが、オペラや演劇の舞台上演ではないだろうか。今もモーツァルトのオペラやシラーの戯曲は繰り返し上演されているが、その際の時に「過激」とも評される踏み込んだ演出は、古典的な作品の内実を現代の問題と対話させる試みにほかならない。そこにある作品の新生こそ、芸術作品の生命なのだ。歌劇場やフィルハーモニーのような素晴らしい演奏会場があるだけでは、芸術は生きない。これらの空間を酷使するほどの試みが繰り返され、それが人々の関心を呼び続けていることが、ベルリンの街のなかに芸術が息づく場を開いている。

VIII

先日ハンブルク駅現代美術館で、「資本」をテーマに掲げた展覧会を見た。それは、資本の概念を創造の潜在力から捉え返す構想を立体的に示すヨーゼフ・ボイスの《資本・空間1970―1977》を軸に据えつつ、資本主義的な経済活動の内実やそれにまつわる欲望を浮き彫りする古今東西の芸術作品が、資本とは何かという問いをめぐって対話を繰り広げる場を出現させるものだった。

その展示空間を歩き回りながら、そこにベルリンの縮図があるように思えてきた。過去と現在が交差するなかに、さまざまな歴史を背負った人々が行き交い、欲望が渦巻く――そのせいか、中心街の空気は少し埃っぽい――街ベルリン。それはもちろん深刻な問題も抱えている。排外主義的で差別を助長する主張のデモンストレーションが行なわれることもある。しかし、ベルリンの人々は、これらの問題に公の場で立ち向かっている。対抗デモを張り、難民の社会参加の場を創るところにある技を含んだアートが、共存の文化をこの街に根づかせていくだろう。

今や捩れを生きるほかなくなった街ベルリン。その街路に顔をのぞかせる過去に躓きながら、ベルリン子ベンヤミンの歴史への問いを今に受け継いでいきたい。それをつうじて、難民も含めたこの街に暮らす人々が抱える、歴史からこぼれ落ちた記憶が過去を照らし合う場を開く歴史を構想すること。それは広島を、さまざまな苦難の記憶に開かれた街に変えることに通じていよう。ベルリンと広島を結びつけて今も生そのものを脅かしている核の歴史を、人々が交差し、複数の記憶が呼応する歴史に反転させる回路を探ることが、目下の思考の課題である。

付記

二〇一六年四月から翌年二月にかけて、当時勤めていた広島市立大学の学外長期研修制度を利用してベルリンに研究滞在した。本稿はその期間に、広島に本社を置く中國新聞の朝刊の連載コラム「緑地帯」のために書かれたものである。掲載は八月三十日に始まり、九月八日まで続いた。本書に収録するに際し、一部の表記と措辞に変更を加えた。声をかけてくださった中國新聞社の道面雅量（どうめんまさかず）さんに心から感謝申し上げる。道面さんには、第三部に収録した「七月二十六日を記憶に刻む」の執筆の機会も作っていただいた。

本稿で触れたカリーヴルストとは、焼いたソーセージにケチャップをベースにしたスパイシーなソースと各店が工夫を凝らしたカレー粉をかけたもので、小さなパンかフライドポテトとともに食されることが多いファスト・フードである。デナー・ケバブは、日本では一般にドネル・ケバブの名前で売られている、炙った肉を薄く削ぎ、野菜とともにピタパンに挟み込んだファスト・フード。

十か月間という短い期間とはいえ、ベルリンで在外研究を行なったことは、ベンヤミンの思想の研究を進めるうえで非常に有意義だった。本稿で言及したベルリン自由大学の図書館とベルリン芸術アカデミーのヴァルター・ベンヤミン・アルヒーフが所蔵する資料に向き合うことがなければ、ベンヤミンについての二冊の著書、『ヴァルター・ベンヤミン――闇を歩く批評』(岩波新書、二〇一九年)と『断絶からの歴史――ベンヤミンの歴史哲学』(月曜社、二〇二一年)を上梓することはできなかっただろう。

ベルリンが核の歴史の原点であることに、被爆を体験した科学者の足跡をつうじて思い至ったことは、この歴史に抗しうるものとして「残余からの歴史」を構想するという研究の方向性に結びついた。この課題をめぐる思考の一端は、本書の第一部に収録した「そこに歴史はない」と『断絶からの歴史』の最終章などで繰り広げられているが、この思考をさらに深化させたいと考えている。

ここに記したとおり、ベルリンで生活するなかで、歴史の積み重なった現在において芸術が重要な力を発揮しうることをたびたび実感させられた。その経験を、今ここに生きる芸術の姿を問うことに結びつけることも、思考の重要な課題である。

第一部

記憶とその造形

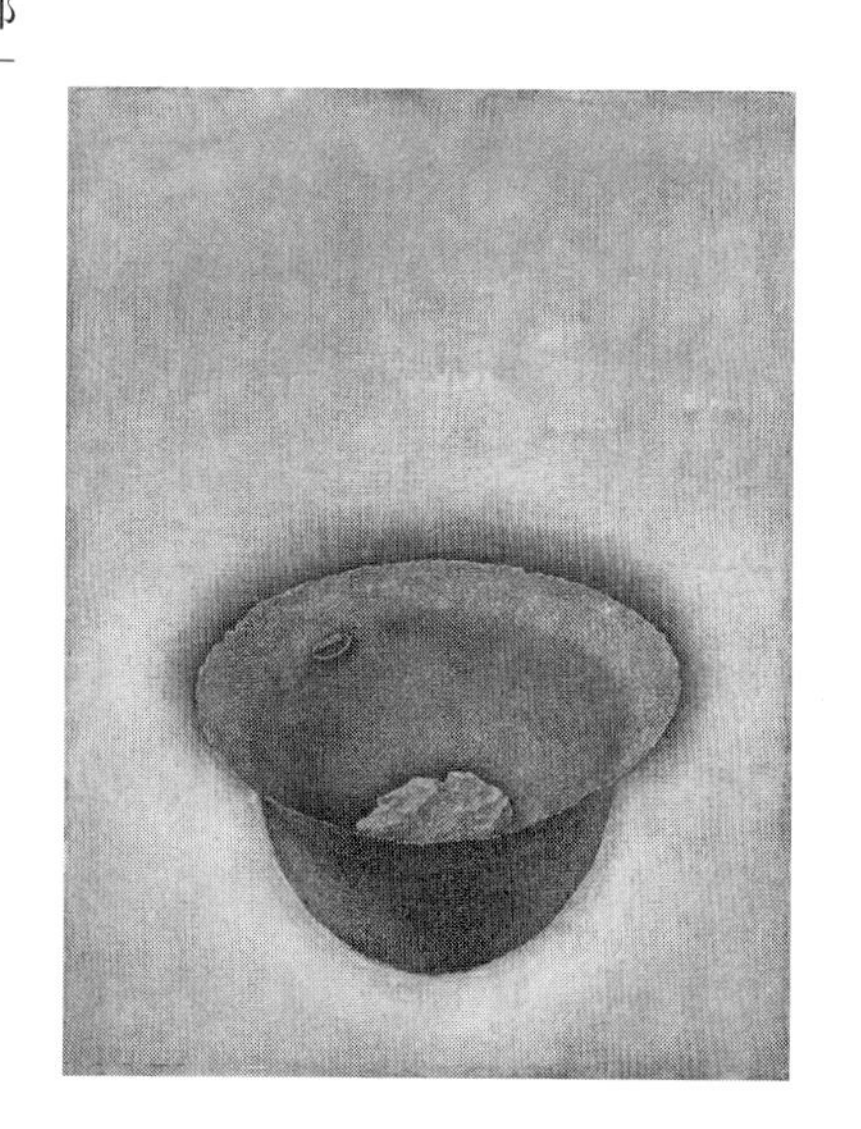

殿敷侃《釋寛量信士（鉄かぶと）》1977 年

殿敷侃の点描

足袋に残された皺は、持ち主の足の形のみならず、その身のこなしや佇まいをも物語っているにちがいない。その内側には、持ち主の汗や垢とともに、床と土を踏みしめた記憶も沈着しているはずだ。そのような足袋が、漆黒の闇のなかから、異様な存在感をもって浮かび上がってくる。広島県の廿日市市役所の隣に設けられている、はつかいち美術ギャラリーで開催されていた展覧会「殿敷侃——現代社会への警鐘(メッセージ)」(二〇一三年八月一日~九月一日)で目にした《釋明昭信女》(一九七八年)と題された殿敷侃(一九四二~九二年)の絵画は、この戒名を授かることになった母親への哀惜に捧げられた作品と言えようが、それは足袋の右片方だけを、その皺のみならず、染みや色のくすみに至るまで、恐ろしいまでに緻密に描くことによって、この足袋を履いて生きていた者の存在を、その生きざまとともに伝えながら、その不在を突きつけてもいる。

殿敷の母親は、郵便局に勤務していた夫を探すため、当時三歳だった殿敷を負ぶって、原子爆弾が投下された直後の広島の市街を歩き回った。足袋の肌理には、原爆症と経済的な困窮に苦しみながら息子を育てた母親の苛酷な生の記憶が染みついていよう。《釋明昭信女》の画面は、張りつめた静けさに貫かれたなかに、時間を積み重ねて生じた足袋そのものの質量を、ただならぬ気配をもって浮かび上がらせているが、それによって殿敷は、母親がもういないことを噛みしめているように見える。もう一つ、細密な点描で母親が身に着けていたものを描いて母親を哀悼する作品に、母親の襦袢を描いた《釋明昭信女A（じゅばん）》（一九七八年）があるが、この作品は、無造作に広げられた襦袢を浮かび上がらせながら、かつてそれが蝕まれた身体を包んでいたことを痛切に感じさせる。

母親の足袋も襦袢も、点描で描かれている。無数の点によって、履き込まれた足袋が、着込まれた襦袢が浮き彫りにされているのだ。一つひとつの点を打ち込む筆の尖端には、母親に寄せる思いが、その生命を蝕み、奪った原子爆弾への怨念などとともに凝集していたにちがいない。殿敷の点描は、自身の記憶と思いを研ぎ澄まし、一つひとつの点に凝縮させながら、一つの形象を浮き彫りにする技法として見いだされたのではないだろうか。そのように、点描の打ち込みが第一次的には自身へ向かうことを示しつつ、爆心地に佇む自己の像を描き出したのが、《自画像の風景》（一九七五年）と言えよう。

この作品は、細密であると同時に異化されている――右眼だけが別人の眼のように大きく開いている――画面に、死骸のような殿敷自身の姿を出現させている。それも、不穏な背景の前に浮かび上がった広島の廃墟の上に。それが屹立する様子は、何かに、おそらくは忘却に抗うようでもある。もしかすると、敗戦から三十年後の年――それは「復帰」した沖縄で「海洋博」が催された年でもある――に描かれた殿敷の自画像においても、靉光らの自画像と通底する抵抗が貫かれているのかもしれない。

この《自画像の風景》は、自画像の周りにシュルレアリスム的とも見えるモティーフを配して、どこか寓意的でもある。そのなかでとくに印象的なのが、前景に置かれた箱のなかから、原子爆弾のキノコ雲が立ち上っている様子である。原爆投下の記憶は、けっして封じ込められることなく噴き出てくることを暗示しているのだろうか。その傍らには、殿敷の頭部が白骨化していくのが描かれている。この作品は、一つの出来事が過ぎ去ることなく記憶に甦ってくる動きと、原爆によって蝕まれた自分の身体——それは想起の媒体でもある——が朽ちていく動きという、相反する動向を一つの画面のなかで対峙させているのかもしれない。この作品における殿敷の自画像は、両者がせめぎ合うなかに立っているようだ。そして、画面全体は、この作品の殿敷に直接の影響を与えたであろうシュルレアリスムの絵画のみならず、アウシュヴィッツで惨殺されたユダヤ人画家フェリックス・ヌスバウムの、自嘲的とも言える寓意性を示す作品を思わせるところもある。

ところで、後に銅版画でも突き詰められることになる殿敷の点描は、モティーフを細密に描き出すのみならず、無機的な物が持つ、人の手を拒むかのようなざらざらとした質感を表現するものでもあろう。被爆死した父親の唯一の遺品である鉄兜と、それが発見された場所の煉瓦とを描いた《釋寛量信士》(一九七七年)や、原爆ドームの下に散乱する瓦礫の一つを拾い上げた《ドームのレンガ》(一九七七年)では、殿敷の点描のそうした特徴が強く表われているように見える。いや、生き物も、《カニ》(一九七七年)などが示すように、人が知るのとは別の相貌を帯びながらこちらへ迫ってくる。こうした、言わば物自体に迫ろうとするアプローチも、靉光に通じる。靉光は、きわめて緻密な筆遣いによって、殿敷は、研ぎ澄まされた点描によって、物を内側から解き放とうとしたのではないだろうか。

廃物の集積を自然の空間に解放しようとしたり、自然の力を食い込ませることで建築物を廃墟の相において出現させようとしたりする、殿敷の早すぎた晩年の美術館をはみ出していく方向性は、一九八二年にカッセルの「ドクメンタ7」でヨーゼフ・ボイスの《七千本の樫の木》に接したことをきっかけに始まったと語られることが多い。たしかに直接のきっかけはそこにあるとしても、潜在的にはすでに点描のなかで、こうしたインスタレーションやパフォーマンスにおいて実現されるべきことが試されてきたのではないだろうか。点描で描かれた《クシ》や《ノコ》が密やかに何かを語り始めるように、自然の樹木の上に、あたかもそこから生えてきたかのように置かれた古タイヤも、そのひび割れから、それが経てきた歳月を物語り始めるにちがいない。その声をいつか聴いてみたい。

二〇一三年八月三十一日

付記

本稿の初出は、筆者のウェブサイト『Flaschenpost——柿木伸之からの投壜通信』。二〇一三年の晩夏にこうして殿敷侃の芸術と出会ったことには、今から振り返ると運命的なものすら感じられる。その後、青山のギャラリーときの忘れものでの展覧会を含め、殿敷の作品が展示される場に取り憑かれたかのように足を運んだ。

その経験を背景に殿敷の芸術の意義に迫ろうと試みたのが、この後に収録した広島市現代美術館での講演「逆流の芸術——ヒロシマ以後のアートとしての殿敷侃の芸術」である。本稿で提示した論点のいくつかは、そこで詳論されている。

そこに歴史はない
――ベルリンからグラウンド・ゼロとしての広島を思う――

I　ベルリンから広島へ

ベルリンと広島は、一つの歴史によって結びつけられている。その歴史とは、今や地球上の生あるもののすべてを、顕在的にも潜在的にも生命の根幹から危険に晒すに至った歴史である。一九八九年六月に、ベルリンの中心街の日本大使館がある通りは「ヒロシマ通り」と、またその通りの南端からラントヴェーア運河に架かる橋は「ヒロシマ橋」と改名されているが、そのことはベルリンから「ヒロシマ」に至った歴史を顧みることにもとづいている。この歴史とは、広島への原子爆弾の投下に至り、その後理論的には地球上の生命を何度でも根絶やしにできるまでに至った核開発の歴史にほかならない。一九四五年八月六日の八時十五分に広島の上空で原子爆弾を爆発させた原子核分裂の現象は、一九三八年末にベルリン南西部のダーレムにあったカイザー・ヴィルヘルム化学研究所で発見されている[1]。それゆえこの歴史は、より正確にはダーレムから広島に至った核の歴史と呼ぶべきかもしれない。

ダーレムから広島に至った核の歴史は、テーオドア・W・アドルノが『否定弁証法』のなかで石斧から核爆弾に至ると表現した「普遍史」の一時代を画し、地球上の生命すべてを根本的な危険に晒す方向へこの歴史の進路を決定づけた。[2] その意味でベルリンと広島の歴史的な結びつきは、石斧の時代に始まった歴史を、現実の破局と来たるべき破滅への恐怖に満ちた「普遍史」にしてしまったと言えよう。ただし、ここで忘れてはならないのは、両者を実質的に結びつけたのが、当時日本を含む枢軸国との戦争を遂行していたアメリカ合州国の政策だったことである。ダーレムの研究所で発見された核分裂反応の途方もない力を軍事技術に応用しうることは、ロスアラモスで見いだされ、そこで原子爆弾が開発された。この原爆が、遂行中の戦争以後を見据えたアメリカの軍事政策の一環として広島に投下されたことが、ベルリンと広島を結びつけ、現在に至る世界史を決定的に方向づけたのである。

ベルリンでの核分裂の発見は、アメリカでの軍事的な核開発に結びつき、広島への原爆投下によって一つの都市の壊滅という帰結を示すに至った。このことはさらに、長崎の被爆以後、今も無数の人々を被爆させ続けている歴史をも決定した。核の力によって、啓蒙の時代に「普遍史」を構想した人々にとっては皮肉なかたちで普遍的なものとなってしまった歴史。この連続に向き合うことが、歴史を生きることを考える――それは、歴史を生きることを誰ひとり避けることができないなかで、生存へ向けた歴史そのものの可能性を問うことであろう――うえできわめて重要な課題であることを、ポツダム郊外のグリーブニツ湖畔の広場に設けられている、広島と長崎の原爆犠牲者を追悼するモニュメントの前で噛みしめざるをえなかった。それは、ポツダム会談の際にハリー・S・トルーマンが滞在した邸宅に向き合うかたちで設置されているが、この「トルーマン・ハウス」で、彼は合州国大統領として、原爆を人の住む街に投下させるに至った。

グリーブニッツ湖畔のヒロシマ・ナガサキ広場に原爆の犠牲者を追悼するモニュメントを設置するのに中心的な役割を果たしたのが、序でも紹介した外林秀人である。長崎に生まれた彼は、広島高等師範学校在学中に原爆に遭い、母親を亡くしている。一九五七年にフンボルト財団の奨学生としてドイツへ渡った外林は、ベルリンのダーレムにあるマックス・プランク協会のフリッツ・ハーバー研究所で高分子物理化学の研究を積んだ。カイザー・ヴィルヘルム研究所の後身に当たる研究所で、しかも自身が広島でその凄まじい力に晒された核分裂が見いだされた場所の傍らで研究に取り組むという巡り合わせを、外林は日々どのように感じていたのだろう。彼はベルリン工科大学などでの教職を退いた後、自身の被爆体験を証言し、核の危険性を伝える講演活動――被爆後半世紀以上を経てからのことである――を開始するとともに、ヒロシマ・ナガサキ広場の原爆の犠牲者を追悼するモニュメントを建立するのに並々ならぬ情熱を注いだ。

このモニュメントは、二〇一〇年の七月二十五日、原爆投下の命令が下されてから六十五年目の日に除幕されている。モニュメントそのものは、彫刻家の藤原信の設計による二つの石のオブジェから成るが、その一つには銘が刻まれ、広島と長崎で被爆した石が一つずつ埋め込まれている。その奥には、水平方向に長く延びるかなり大きな石のオブジェが置かれている。それは核がもたらす人々の癒しがたい苦しみを身体的に感じさせる重さを具えると同時に、苦悩を無数に積み重ねながら、核の歴史が今なお続いていることを象徴する造形も示しているように見える。五月の末の晴れた日にヒロシマ・ナガサキ広場を訪れたとき、こうした核の歴史の連続を一つの力として伝えるモニュメントが、トルーマンが原爆を投下させた場所と対峙するかたちで置かれていること自体に、静かな意志を感じないわけにはいかなかった。そこには、被爆しながらあえて核の歴史の原点に踏みとどまった外林の意志も込められているのかもしれない。

　グリーブニッツ湖畔のモニュメントから一つの歴史に立ち向かおうとする意志を感じ取ったのには、そこを訪れる四日前（二〇一六年五月二十七日）に、バラク・オバマが合州国大統領として広島を訪問する様子をインターネット上の中継映像で見たことも影響している。コンピューターのディスプレイにリアル・タイムに映し出されるその光景のあまりの空々しさに、慄然とせざるをえなかった。ベルリンでの発見を軍事利用して原子爆弾を開発し、広島に投下した国家の政治的な指導者であるのみならず、今なお核の歴史を担い続けてもいる――そのことは、広島でもいわゆる「核のボタン」の入ったトランクが始終オバマに随伴していたことが如実に示していよう――人物に相対するという緊張感は、映像を見るかぎり、その日の広島の平和公園からは伝わってこなかった。そこにあったのは、被爆に至った歴史と、この地の「グラウンド・ゼロ」から今に至るまで続いている歴史とをすっかり忘れ去ってしまったかに見える広島の風景だった。

　そのような風景のなかで、オバマが平和記念資料館の十分ほどの儀式的な見学の後、約十七分にわたるスピーチを行なったことに、もはや深く立ち入る必要はないだろう。ただし、あらためて確認しておかなければならないと思われるのは、彼のスピーチがどこから語られていたか、という点である。それは、アメリカという国家が原爆を投下したことを巧みに避ける文学的かつ哲学的——彼のスピーチライターは、アドルノとマックス・ホルクハイマーの『啓蒙の弁証法』を読んだことがあるにちがいない——修辞によって、「道徳的」な崇高さを演出していたが、まさにそのことによって、原爆を投下した立場を問うどころか、むしろ粉飾しながら強化するものだった。彼の言葉は、原爆を投下した上空から語られていたのだ。しかも、その視点は、文明史を語りうる立場と同一視されていた。スピーチのなかで広島の被爆は、戦争の歴史でもある科学技術文明の歴史のなかの、その道徳的発展へ向けて教訓にするべき一エピソードにされてしまっていた。

合州国の大統領選挙を控えた政治日程などを考慮するなら、オバマ自身が何を望もうと、彼がそのような内容のスピーチしかできないことは、ある程度予想できたことでもあろう。受け容れがたいのはむしろ、彼が易々と「歓迎」され、原爆投下という戦争犯罪に対する責任にも、その責任にもとづく核兵器の廃絶へ向けた実質的な取り組みにも一切触れることのないスピーチが、「歴史的」なものと称讃される状況のほうである。その空気が、平和公園の風景を空々しいものにしていたにちがいない。オバマの広島でのスピーチを「歴史的」と評価する者は、アメリカと日本の「友好関係」の「未来」——それは「戦争法」施行後の現在にあっては、両者の軍事的な一体化にしか通じていないはずだ——を言祝ぐ言辞に同調しながら、結局は原爆を投下する立場に自己を同一化させることになろう。広島でも一部の人々が呈してきたこの順応主義的かつ翼賛主義的な姿勢こそが、広島の街を国家の自己正当化のためのセレモニーに利用させてきたのではないだろうか。

Ⅱ　そこに歴史はない

現在、ベルリンに滞在しながら、この地で生まれ育ったヴァルター・ベンヤミンの歴史への問いを受け継ぐことによって、歴史を生きる可能性を追究する思考の糸口を模索している。その手始めに、彼の思想の最後の結晶と呼ぶべき「歴史の概念について」の批判版のテクストに取り組んでいるところであるが、広島の被爆を一つの画期としながら現在まで陸続している歴史に対峙する意志どころか、この歴史そのものをも忘れ去ってしまったかのように演出されたオバマ来訪の日の広島の光景を前にしては、このテクストのよく知られた一節をあらためて思い起こさざるをえない。「危機は、伝統の存立とその継承者の双方を脅かしている。両者にとって危機とは一にして同じものであり、それは支配階級の道具にされてしまう危機にほかならない。いつの時代にも試みられなければならないのは、まさに伝統を制圧しようとしている大勢順応主義から、伝統を新たに奪い返すことである」[3]。

ここでベンヤミンが語る「伝統」とは、連続的な歴史に還元されえない「抑圧された者たちの伝統」のことであり、その意味でこれは原爆の犠牲者たちのけっしてひと続きに物語りえない記憶を受け継ぐ営みとも重なるにちがいない[4]。それが大勢順応主義（コンフォーミズム）のために、支配の道具にされようとしているのではないか。ただし、それは今に始まったことではない。むしろオバマ来訪を機に、その危機がいよいよ深刻なものとして顕在化したと見るべきだろう。体制翼賛型少数者（モデル・マイノリティ）の求愛の身ぶりとして表われる広島の大勢順応主義――六、七年前には「オバマジョリティー」なる語までいわゆる「平和行政」の側から発せられていたが、それは図らずも、支配的多数者（マジョリティ）の側に身を置きたい「少数者」の欲望を露呈させるものだった――は、広島をとうとう日本とアメリカの「友好関係」の「新たな一歩」が記される場に供して、原爆の犠牲者たちとともに核の歴史に抗いながら生きること自体を、みずから危険に晒してしまったのではないだろうか。[5]

オバマの広島でのスピーチに「歴史」を見る者は、核の普遍史と成り果てた科学技術文明の歴史の西洋中心主義的な物語のなかに自身を組み込むことになろう。そのように「文明」を語る立場に自己を同一化させようとする態度それ自体は、近代国家としての日本の起源からその国民性を形成していたわけだが、広島においてそれは、広島という近代都市の起源から、体制翼賛型少数者の身ぶりとして、つねに濃縮されたかたちで現われてきたと見ることができよう。このことが、日清戦争以来広島を「軍都」にしてきただけでなく、原爆によるその壊滅後にも、「原子力平和利用」の「未来」を華々しく描く展覧会の場や、「核の傘」の下にある「唯一の戦争被爆国」の国際的な自己演出の会合――オバマの来訪に先立っては、広島で「G7外相会合」が開催されている――の場に供してきたと考えられる。[6]その延長線上で演出されたのが、オバマの訪問が「歴史的」なものとして歓迎される一連の光景だったにちがいない。

インターネットの回線を通してベルリンに映し出されたその日の広島の「公的」な外観は、国家と資本――これらは今や、核開発を止めないどころか、新たな戦争にまで手を出そうとさえしている――の使い勝手のよい道具としてみずからの地位を確保しようとする、「軍都」の時代以来の大勢順応主義に染められていた。ただし、被爆後の広島においてその身ぶりは、国民であろうとする欲望と、「人類」を構成する「人間」でありたいという欲望とを重ね合わせながら、普遍主義的な装いを纏って現われてきた。だからこそ広島は、国家と国際関係が「崇高」に映る場として使えるのだろう。だが、オバマの物語に「人類」の「歴史」を見ようとするような普遍主義は、実はきわめて国民主義的であり、まさにそのことによって人種主義をも含んでいることは、ここで指摘しておく必要があろう。[7]「人類」の「崇高な真理」を追求する「人間」であろうとすることは、「人間」ならざる者をみずから作りながら、「歴史」から排除し、忘却することを含んでしまっている。

そのことを象徴するのが、広島が帝国の「軍都」だったことの忘却である。そして、軍都の忘却は今、「人間」としての基本的な権利を保障する日本国憲法よりも日米地位協定が実質的に上位にあるという、その意味でまさに非人道的と呼ぶほかはない暴力にじかに晒された、米軍基地の近くで生きる人々、とりわけ沖縄の人々を忘れ去ることと表裏一体になっている。まさにそのことが、オバマ来訪の日に、その直前に起きた元海兵隊員で軍属のアメリカ人男性による沖縄の女性の暴行惨殺事件を隠蔽する演出を可能にしたのではないだろうか。広島が帝国日本の「軍都」だったこと、すなわち日清戦争から原爆による壊滅に至るまで、広島が日本のアジア侵略の拠点として機能してきたことを振り返り、このことを貫く日本の戦争の歴史と植民地主義の歴史を、人種差別的な言動が横行し、沖縄の人々をはじめ米軍基地がある地域の人々が軍隊の暴力に晒されている日本の現在を照らし出すものとして捉え返す回路は、今の広島ではほぼ閉ざされてしまっている。

あるいはむしろ、侵略戦争の記憶は、広島が軍都であることを支えてきたのとまったく同型の国民主義的な心性——これを軍都根性と呼ぶことができよう——によって、今も抑圧され続けていると言うべきかもしれない[8]。まさにこのことがアジア侵略と植民地支配の責任を回避したい国家の志向と癒着しているだけでなく、アジアを、すなわち明治期以来、帝国日本が広島を拠点に支配を広げていった「関東」から「南方」に至る地域を、歴史的な想像の外へ追いやっている。だが、その一帯で、そして広島でも繰り返された、帝国日本の支配下に置かれた人々の性暴力を含んだ迫害、そして虐殺を、国家とその国民の歴史を貫く、「人間」ならざる者たちを作り、虐げ、歴史から抹殺してきた暴力として問い、「国民」であることに今も含まれている人種差別と性差別をみずから問いただすことは現在の課題であるはずだ。それができなければ、第二次世界大戦のあいだにベルリンと広島を結びつけて今も続く核の歴史に、それを貫く暴力に、立ち向かうことはできないのではないだろうか。

オバマの広島訪問とそこでのスピーチを「歴史的」と称える者は、原爆を投下する高みからの西洋中心主義的な物語に自身を組み込み、その「崇高さ」を「日米関係」の装飾に利用しようとする国家の目論見に同調することによって、原爆が投下されるに至った戦争の責任を問う回路も、原爆を投下した戦争犯罪の責任を問う回路も、みずから封殺してしまう。そのような国民主義的な大勢順応主義と表裏一体になっているのが、アジア侵略の拠点としての「軍都」広島の歴史の抑圧であり、かつ今まさに国家の暴力に晒されている沖縄の人々の歴史的な視野からの排除である。その帰結は、みずから日米の軍事的な「同盟関係」のツールと化し、現在も続いている暴力の歴史の客体と成り果てることでしかない。こうして「支配階級の道具にされてしまう」ことが、結局は自身の生命を国家の犠牲に供することに行き着く。このことを、二十世紀の総力戦としての戦争の歴史はまざまざと示しているではないか。

しかも、そのことは核の歴史が続いている今、生命を根幹から危険に晒すことにほかならない。広島の原爆被害は、この認識を現在も生々しく伝えているはずだ。それゆえ、オバマのスピーチに「歴史」を見る者に対しては、それこそヒロシマを忘れたのか、という問いが突きつけられるべきであろう。今はむしろ、オバマの訪問にも、彼のスピーチにも、そしてその光景にも、歴史はないとあえて言い切ることが必要ではないだろうか。そこに歴史はない。こう述べるとは、ベンヤミンが「歴史の概念について」のなかで、戦勝者が戦利品をひけらかす凱旋行進――「原子力平和利用」の展示はそれ以外の何だろうか――に象徴される、「野蛮」を含まざるをえない「文化財」の「伝承過程」と特徴づけた歴史、すなわち支配的な権力の側から物語られる、その自己正当化と美化の歴史から「一線を画する」ことでもあろう[9]。つまり、そのような歴史を物語る立場からの宣撫を拒絶しながら、広島の死者たちの許に踏みとどまることである。

死者たちを内に抱えながら、「唯一の戦争被爆国」の物語を拒む姿勢は、原爆の惨禍のなかで肉親を亡くしながら、かろうじて生き残った人々の一部がつとに示してきたのかもしれない。八月六日の「公的」な式典に背を向けるかたちで、その儀式が始まる前に墓参を済ませるといったこの原爆被害者たちの行動は、そのような姿勢を物語っていよう。ただし、こうして死者の許に留まろうとする態度は、逆説的ながら死者から引き裂かれることにもとづいている。[10] 自分だけが生き残ってしまったことに対する罪障感に加え、肉親の死に対する悲しみ、大切な人を死に追いやった暴力に対する怨念などが割り切れないままわだかまっているなかに、死者の記憶が抱え込まれているのではないだろうか。しかも、そのことはけっして恣意的な操作ではない。原爆によって死者から引き裂かれてしまったことの傷は、生者を死者の傍ら——そこにあるのは、無限の遠さを孕んだ近さである——に絶えず引き戻すかたちで、今も疼いているはずだ。

それゆえ、もしこのような原爆被害者がみずからの被爆体験を語ることがあるとするならば、その証言は、死者から引き裂かれることによる傷のなかから、死者に応えるかたちで語られていると見ることができよう。ジョルジョ・アガンベンがアウシュヴィッツを生き延びたプリーモ・レーヴィのうちに見た「生き残り（スーペルステス）」としての証人は、彼にとって「真の証人」である生き残ることができなかった者に代わって、またその尊厳のために、この死者を呑み込んでしまった出来事の記憶を語り始める。[11] そして、その手前にある沈黙のなかには、生き残りの心身の傷を開くようにして、死者の記憶が時系列に反する（アナクロニック）かたちで回帰しているのだ。この沈黙が破られるきわめて稀と言うべき瞬間に立ち会う者は、沈黙と言葉の閾（しきい）にこそ耳を澄ます必要があるのではないか。この閾は、他に代わる者のいない証人の存在をその唯一性において伝えながら、今ここでかつての惨禍を想起しつつ、一人ひとりの死者に思いを馳せる回路を開いているのではないだろうか。

ただし、沈黙と言葉の閾に耳を澄ましながら、「想像を絶する」と形容される出来事の証言に耳を傾けるとは、過去と現在のあいだに穿たれた深淵に直面することでもある。それでもなお証言を受け止めていくとき、それまで自己同一性（アイデンティティ）を依拠させてきた歴史――例えば「唯一の戦争被爆国」の物語――は、その前提から震撼させられ、言葉そのものがいったん崩壊させられるにちがいない。だが、それを潜り抜けて、言葉の破片のうちに証言を反響させるところにこそ、被爆の記憶があるのではないか。そして、その響きのなかに死者たちが想起されるのではないだろうか。このようにして想起そのものを表出する言葉の可能性へ向けて、原爆の生き残りのうちに刻まれた「残傷」とも言うべき傷を分有しようと試み、一人の生き残りとしてのみずからの位置を顧みることに、「被爆国」の自己正当化の物語を拒絶しながら、広島の死者たちの許に踏みとどまる姿勢が示されていよう。[12] そこにあるのは、死者とともに生き延びることへ向けた抵抗である。

「歴史の概念について」を書くベンヤミンは、このような想起の経験のうちに、「抑圧された者たちの伝統」を継承する可能性を見ていたにちがいない。彼にとっては、この非連続的であらざるをえない「伝統」を、想起のうちに構成するところに歴史がある。[13] とはいえ、先に引いた「歴史の概念について」の一節で述べられていたように、その「伝統」とは同時に、「まさに伝統を制圧しようとしている大勢順応主義」の手から奪い返されなければならないものでもある。オバマの広島訪問とともに露呈したのは、この地で体制翼賛型少数者の求愛の身ぶりとして表われる大勢順応主義が、今や原爆を投下する立場に自己を同一化させながら、「抑圧された者たちの伝統」を圧殺しつつあることである。これに対する抵抗の回路を探ることは、今や生そのものに関わる喫緊の課題だろう。そして、この回路にこそ、「支配階級の道具」として使い捨てられることなく生きることへ向けた歴史がありうると考えられる。

ベンヤミンの歴史哲学が追求していた歴史は、根本的には、もはや手段として操作されることのないかたちで、死者とともにある生の出来事としての想起がおのずと表出される——この点でベンヤミンが構想する歴史は、彼が考える言語と同様に、直接的（ウンミッテルバール）で手段となりえない——とともに構成される。[14] 現在、このような歴史に対する彼の問いを受け継ぎながら、残余からの歴史とも呼ぶべき歴史の概念を構想する理路を、核の歴史の原点の一つとも言うべきここベルリンで探っている。それは何よりもまず、広島の原爆をはじめ、前世紀以来の「言語を絶する」としばしば形容される惨禍の残滓を、それでもなお言葉のうちに拾い上げることにもとづく歴史である。言うまでもなく、この残余からの歴史は、普遍性を僭称する高み——それを、広島を見下ろす上空と呼んでもよいだろう——から俯瞰的かつ連続的に物語られる神話としての「歴史」から峻別されなければならない。

むしろ、そのような「歴史」の物語によって正当化される過程によって抑圧されてきた破局の記憶を、すなわちそれとともに抹殺されてきた死者の記憶を、神話に抗って呼び覚ますところに、従来の「歴史」の残余からの歴史があると言えよう。ただしその際、惨禍の生き残りたちのうちに刻まれた「残傷」とも呼ぶべき傷を、想起とともに言葉のうちに抱え込まざるをえない。先に述べたように、そのことが意味するのはまず、言葉を発する自分自身の震撼である。しかし、この「残傷」を分有する想起の経験によってこそ、連続的ではありえない「抑圧された者たちの伝統」――被抑圧者は、歴史を連続的に物りうる高みには立ちえない――を受け継ぐことのできる位置に身を置くことができる。神話としての「歴史」からも、それを成り立たせる国民主義的な共感からも引き剝がされたところに、一人の生き残りとしての自分を見いだすのだ。その場所は、「原子雲の下」にある。

したがって、残余からの歴史とは、生き残りであることを分有する地点から、同時に国民の残余の位置から語り出される歴史である。[15]神話的な「歴史」に依拠する立場からすれば周縁的であるほかはないこの位置で、生者は死者と遭遇し、現在は過去に、深淵によって隔てられながら直面させられる。そのような瞬間における想起を、それ自体一つの破片であるような言葉――それは、証言の意義を汲みながら捉え直された歴史叙述でも、あるいは芸術の概念を更新していく美的表現でもありうるだろう――に凝縮させ、さらにこの破片としての言葉を継ぎ合わせていくことによって、残余からの歴史は紡がれるだろう。それによって、「抑圧された者たち」の破局が世界中で続いている現在を見通しながら、今ここに生き残っていることを掘り下げる視野とともに、死者たちの魂が新たな生を繰り広げる場が、神話としての「歴史」によって作られた現在に、この「歴史」の連続に抗するかたちで開かれるにちがいない。ここにこそ歴史があるはずだ。

このような残余からの歴史を、原民喜の言葉を借りて「燃エガラ」からの歴史と呼ぶことができるかもしれない。[16] この歴史は、ベルリンと広島を結んで今も続く核の普遍史に誰もが巻き込まれざるをえないなかで、死者とともに生き残っていくことを、想起という生の深みにある出来事から肯定する道筋である。原爆の「グラウンド・ゼロ」にされた広島を、今その概念を探っているこの残余からの歴史のグラウンド・ゼロ——この不穏で禍々しさをも帯びた言葉をあえて用いるのは、広島では被爆と被爆死者の想起を言葉に凝縮させる際に、「軍都」の記憶を抑圧し、アメリカとの和解を捏造する神話を破砕せざるをえないからである——に変えること。[17] 近代日本の国民性が最も色濃く表われている場所を、国民の残余の空間に変えること。それが世界中の「抑圧された者たち」からの「ヒロシマ」という呼びかけに応えることではないだろうか。そのために、歴史そのものを問う思考にはまだ仕事が残っている。

二〇一六年七月三日、かつてナチス・ドイツの核開発のための研究施設が置かれていた

ベルリンのリヒターフェルデにて

註

1　Cf. Peter Auer, *Von Dahlem nach Hiroshima: Die Geschichte der Atombombe*, Berlin: Aufbau, 1995, S. 15ff. 本書は、カイザー・ヴィルヘルム化学研究所でのオットー・ハーンとフリッツ・シュトラースマンによる原子核分裂現象の観測ならびに、当時ストックホルムに亡命していたリーゼ・マイトナーの解釈により、原子核分裂が発見されるに至る経緯と、その後アメリカ合州国で原子爆弾が開発され、広島に投下されるに至る経緯とを詳述するとともに、その後の核開発の経過を、その問題点を含めて描き出すことによって、科学技術史的な観点から核を捉え返す視野を開くものと言える。ただし、ダーレムの科学者たちの精神が核の「安全」な「平和利用」の道を開くのを期待する著者の基本的な姿勢は、そのような道が断じてありえないこと、にもかかわらず「原子力」を保持しようとする政策が、核兵器への欲望と不可分であることが、とりわけ福島第一原子力発電所の過酷事故以後あらためて露呈した現在においては、当然ながら問題視されざるをえない。本書の日本語訳に、手記や参考資料などを付け加えることによって成ったのが、以下の書物である。ペーター・アウアー原著、外林秀人、外山茂樹訳編著『ドイツの原子力物語——幕開けから世紀をこえて（改訂版）』総合工学出版会、二〇〇四年。本書は、編訳者の一人である外林秀人が広島で被爆した際の手記が加わることによって、原書とは異なった性格を呈していると思われる。

2　Cf. Theodor W. Adorno, *Negative Dialektik*, Frankfurt am Main: Suhrkamp, 1966, S. 314. 日本語訳は、テオドール・W・アドルノ『否定弁証法』木田元他訳、作品社、一九九六年、三八八頁。原文は「石斧から巨大爆弾(Megabombe)に至る普遍史」となっているが、アドルノが『否定弁証法』を執筆した一九六〇年代半ばの状況を考えると、彼の念頭にあったのは水素爆弾と原子爆弾の両方を含む核爆弾であったと解釈できよう。

3　Walter Benjamin, »Über den Begriff der Geschichte« Das Hannah-Arendt-Manuskript, in: *Walter Benjamin Werke und Nachlaß: Kritische Gesamtausgabe* Bd. 19: *Über den Begriff der Geschichte*, Herausgegeben von Gérard Raulet, Berlin: Suhrkamp, 2010, S. 18. この批判版全集の「歴史の概念について」のための一巻には、一連のテー

ゼの六種類の異稿とその草稿が並列されるとともに、成立史と公刊史にまつわる書簡を中心としたドキュメントなども収録されている。そこに初めて全文が掲載された、ベンヤミンが「手沢本」の表題を付したタイプ稿――これは、ジョルジョ・アガンベンがジョルジュ・バタイユの妻からバタイユの死後に譲り受けたものである――を底本として、「歴史の概念について」の一連のテーゼを新たに訳出し、それに詳細な評注を付したのが、以下の労作である。ヴァルター・ベンヤミン『[新訳・評注]歴史の概念について』鹿島徹訳・評注、未來社、二〇一五年。

4 W. Benjamin, *op. cit.*, S. 19. ベンヤミンは「歴史の概念について」のテーゼの草稿の一つで、「抑圧された者たちの歴史は非連続体である」と述べている。Manuskripte: Entwürfe und Fassungen zu den Thesen »Über den Begriff der Geschichte«, in: *Werke und Nachlaß* Bd. 19, S. 123.

5 英語の model minority の語の訳語としての「体制翼賛型少数者」の概念については、以下の論考を参照。酒井直樹『希望と憲法――日本国憲法の発話主体と応答』以文社、二〇〇八年。この「体制翼賛型少数者」の概念を援用しつつ、広島における「軍都」の歴史の現在に至る連続性の問題に論及したのが、以下の拙論である。「広島の鎮まることなき魂のために」、『パット剝ギトッテシマッタ後の世界へ――ヒロシマを想起する思考』インパクト出版会、二〇一五年、一〇頁以下。

6 広島の平和記念資料館を会場とする一九五六年の「原子力平和利用博覧会」の開催および一九五八年の「復興大博覧会」における「原子力科学館」の開設の背景と経緯については、以下の記述を参照。田中利幸、ピーター・カズニック『原発とヒロシマ――「原子力平和利用」の真相』岩波書店、二〇一一年。

7 この点に論及したものに以下の論考がある。Lisa Yoneyama, *Hiroshima Traces: Time, Space, and the Dialectics of Memory*, Berkeley: University of California Press, 1999, esp. p. 170. 日本語訳は、米山リサ『広島　記憶のポリティクス』小沢弘明他訳、岩波書店、二〇〇五年、二三二頁。韓国人犠牲者慰霊碑をめぐる問題に対する広島市の当時の関係当局ないし委員会の対応が、人道といった言葉の裏に隠れているナショナリズムと人種主義を露呈させたことを指摘する議論はとくに重要であろう。

8　この点についても、前掲の拙論「広島の鎮まることなき魂のために」を参照されたい。

9　W. Benjamin, »Über den Begriff der Geschichte« Benjamins Handexemplar, in: *Werke und Nachlaß* Bd. 19, S. 33. 日本語訳は、前掲『［新訳・評注］歴史の概念について』、五二頁。

10　この点については、原爆被害者に寄り添い、その声を細やかに掘り起こし続けてきた研究にもとづく以下の論考を参照。直野章子『原爆体験と戦後日本——記憶の形成と継承』岩波書店、二〇一五年、一七一頁以下。

11　「証人」を指すラテン語の言葉に、testis 以外に superstes があることを指摘し、後者の姿をプリーモ・レーヴィのうちに見る論考として、以下を参照。ジョルジョ・アガンベン『アウシュヴィッツの残りのもの——アルシーヴと証人』上村忠男、廣石正和訳、月曜社、一九九九年、一七頁以下。

12　このような問題意識の下、被爆の記憶の継承を「残傷の分有」として論じたのが、以下の拙論である。「残傷の分有としての継承——今ここで被爆の記憶を受け継ぐために」、前掲『パット剝ギトッテシマッタ後の世界へ』、一二三〇頁以下。なお、「残傷」の語そのものについては、以下の論集から着想を得た。李静和編『残傷の音——アジア・政治・アートの未来へ』岩波書店、二〇〇九年。

13　ベンヤミンは、「歴史の概念について」の早期の異稿で、ここに「死せる同志との連帯」を見ているが、このことは、彼の想起の概念が死者とともにあることへ向けて構想されてきたことを示唆していよう。また、草稿の一つで彼は、「歴史の課題は、抑圧された者たちの伝統を手中に収めることである」とも述べている。W. Benjamin, »Über den Begriff der Geschichte« Das Hannah-Arendt-Manuskript, S. 23; Manuskripte: Entwürfe und Fassungen zu den Thesen »Über den Begriff der Geschichte«, S. 123.

14　ベンヤミンの言語哲学と歴史哲学を貫く思考については、以下の拙著を参照。『ベンヤミンの言語哲学——

翻訳としての言語、想起からの歴史』平凡社、二〇一四年。言語の「直接的かつ手段となりえない un-*mittel-bar*」本質をめぐる思考は、以下の一九一六年七月十七日付のマルティン・ブーバー宛の書簡で、それに対するベンヤミンの当時の問題意識も含めて端的に表明されている。W. Benjamin, Brief an Martin Buber, München, 17.7.1916, in: *Gesammelte Briefe* Bd. I: 1910–1918, Frankfurt am Main: Suhrkamp, 1995. S. 326. 日本語訳は、W・ベンヤミン「〔言語について〕」、浅井健二郎編訳『ベンヤミン・コレクション5——思考のスペクトル』筑摩書房、二〇一〇年、一二二頁。

15 「国民の残余」の概念に関しても、前掲の酒井直樹の『希望と憲法』を参照。

16 原民喜「燃エガラ」、『新編原民喜詩集』土曜美術社、二〇〇九年、八二頁。

17 このように述べる際に念頭にあるのは、ベンヤミンの「歴史の概念について」のハンナ・アーレントに託された自筆稿に見られる以下の一節である。「歴史とは構成の対象であり、その媒体を形成するのは、均質で空虚な時間ではなく、『今という時』が充満した時間である。過去にこの爆薬が充塡されているとき、唯物論的研究は、均質で空虚な歴史の連続に導火線を敷設するのだ」。W. Benjamin, »Über den Begriff der Geschichte«: Das Hannah-Arendt-Manuskript, S. 25.

付記

本稿の初出は、「〈広島〉の思想——いくつもの戦後史」という特集が組まれた青土社の『現代思想』の二〇一六年八月号である。序と内容が重なる部分があるが、こちらで外林秀人の経歴をやや詳しく紹介しているので、記述を調整したうえでほぼそのまま残した。それ以外に細かい文言を修正したり、ベルリンで執筆したために参照できなかった日本語の文献の情報を追加したりした。

本稿の執筆の機会を作ってくださった、当時『現代思想』誌の編集長だった栗原一樹さんに心より感謝申し上げる。あらためて『現代思想』の「〈広島〉の思想」特集には、ＩＯＣのトーマス・バッハ会長を「歓迎」するに至った「被爆地」広島の歴史的現在を見つめるうえで重要な論考が収められていると思われる。本稿で引用したベンヤミンの「歴史の概念について」のテーゼの「ハンナ・アーレント手稿」は、拙著『断絶からの歴史――ベンヤミンの歴史哲学』に訳出されている。

ミュンヒェンの芸術の家に掲げられた《原爆の図》

――Haus der Kunst の Postwar 展における第二部「火」と第六部「原子野」の展示について――

ミュンヒェンのイギリス庭園の南に位置する美術館 Haus der Kunst（芸術の家）では現在、「Postwar（戦後）――太平洋と大西洋のあいだの美術、一九四五年〜六五年 Postwar: Kunst zwischen Pazifik und Atlantik, 1945–1965」というテーマの大規模な展覧会が開催されている（会期は二〇一七年三月二十六日まで）。第二次世界大戦終結後の二十年間の美術の展開を、グローバルな視野の下で捉えようとするこの展覧会には、丸木位里と丸木俊の《原爆の図》より、第二部「火」と第六部「原子野」が出品されている。

ここでPostwarという語には、戦後という意味のみならず、植民地支配体制の崩壊後という意味も込められており、《原爆の図》を含むアジアおよびアフリカの芸術家の作品が数多く出品されていることは、今回の展覧会の特徴と言える。とはいえ、Postwarというテーマの下での展覧会の焦点となっているのはやはり、生命を根幹から破壊し、世界を崩壊させるに至った戦争の衝撃が、美術そのものをどのように変えたか、という問題であろう。

この変貌を証し立てる作品として、《原爆の図》からの二作も選ばれたにちがいない。それは展覧会

Postwar 展における《原爆の図》の展示風景。手前にヘンリー・ムーアの《アトム・ピース》(1964–65年) が見える。写真提供：Haus der Kunst

の最初の章のテーマ「余波——零時と核の時代」を凝縮した作品、すなわちPostwarの歴史の原点をなす衝撃を、芸術によってこそ可能な仕方で刻印した作品として、展覧会において重要な位置を占めていた。会場のエントランスから第一室に入ると、まずこの二作が目に飛び込んでくる。

むろん、広くかつ天井も高い展示室の壁面の上部に第二部「火」が、その下に第六部「原子野」が完全な平面の姿で架かっている様子は、従来の《原爆の図》の展示を知る者には異様に映るかもしれない。たしかにそれによって、作品が屏風に表装されていることは見えなくなってしまう。しかし、独特のタブローとして展示されることによって、「火」における人物群像が示す、崩れ落ちそうなまでの立体性と動きが強調されていた。また「原子野」では、吸い込まれそうなほどの闇の深さと、そのなかに浮かび上がる人物像の異様な透明さのコントラストが際立っていた。

《原爆の図》が掲げられた一室には、被爆直後の長崎の写真やイサム・ノグチの作品などが並べられていたが、その展示は第二次世界大戦後の美術史を、原爆以後今も続く核の時代に対峙する美術の軌跡として捉え返す、展覧会の基本的な視座の一つを示すものと言えよう。そして、被爆すること自体に西洋的な美術の概念を越えた仕方で迫ろうとする《原爆の図》なしには、その視座が存立しえないことも、展示におけるこの作品の位置は物語っていた。

このような重要性を帯びてその二作が掲げられたことは、日本の戦後美術の展開を織り込んだかたちで戦後の世界的な美術の展開を見つめ直す契機になりうるにちがいない。さらに、このようなPostwar展における《原爆の図》の重みとともに忘れられてはならないのは、それが、ナチスの時代に「頽廃芸術展」と並行して開催された「大ドイツ芸術展」の会場となった建物に掲げられたことであろう。それによって《原爆の図》には、世界史的な文脈における意義と使命が加わったのかもしれない。

付記

本稿の初出は、原爆の図丸木美術館が発行する『原爆の図丸木美術館ニュース』(二〇一七年一月十日発行)。同館の学芸員である岡村幸宣さんからの依頼にもとづいて、ベルリンでの研究滞在中に書かれた。岡村さんが、ミュンヒェンでのPostwar展において《原爆の図》の二作の展示に携わったときのことは、『未来へ——原爆の図丸木美術館学芸員作業日誌2011—2016』(新宿書房、二〇二〇年)に詳しく書かれている。その書評も本書第三部に収められている。

ベルリンからミュンヒェンへ出かけて観たPostwar展についてもう一つ特筆されるべきは、これが当時ハウス・デア・クンストの館長だったオクウィ・エンヴェゾーの七年越しの企画だったことだろう。展示の印象については別途記した(筆者ウェブサイト『Flaschenpost』所載「Haus der KunstにおけるPostwar展を見て」)が、この展覧会において、生命を根幹から破壊し、世界を崩壊させた戦争の衝撃が波及した歴史が、美術そのものをどのように変えたか、また美術の変貌のうちに世界の崩壊と再構築が、さらには人間像の変化がどのように刻印されているかが、非西洋の美術の展開から浮き彫りにされていた点は強調しておきたい。

逆流の芸術

——ヒロシマ以後のアートとしての殿敷侃の芸術——

はじめに

みなさま、こんにちは。ご紹介いただきましたように二十世紀のドイツ語圏の哲学と美学を専門領域として研究と教育に携わっております。このたび、広島市現代美術館の特別展「殿敷侃——逆流の生まれるところ」に関連して、殿敷侃の芸術をめぐってお話する機会をいただいたことを、身に余る光栄と感じております。まずは今回の講演の場をご用意くださった学芸員の松岡剛さんはじめ、広島市現代美術館のみなさまに、心より感謝申し上げます。たくさんの方にお越しいただいたことにも感謝申し上げます。

殿敷侃という、広島が生んだ現代の最もラディカルなアーティストの一人について語るには、私はいささか役不足かもしれません。私は、殿敷の生前の活動に接したことがないどころか、しばらくしてから触れますように、彼の作品には、亡くなって二十年以上が経った後に出会っております。しかしながら、遅ればせながらの彼の作品との出会いは、広島からのアートを、そしてヒロシマ以後のアートを、その可能性において考えていくうえで決定的な経験の一つとなりました。それゆえ、松岡さんから今回の講演へお声を掛けていただいたとき、美術の専門家でもなければ、生前の殿敷の活動にも通じていない私だからこそお話できることが何かあるかもしれないと思い、慎んでお引き受けした次第です。

今日は、「逆流の芸術――ヒロシマ以後のアートとしての殿敷侃の芸術」というテーマの下、時期ごとに作風が大きく変わる殿敷侃の芸術を、一貫した逆流の芸術として捉えることを試みたいと考えています。それとともに、同時代の芸術などと照らし合わせることによって、彼の芸術をヒロシマ以後のアートとして見直す可能性を探るという趣旨のお話をさせていただきたいと思います。それをつうじて、殿敷の仕事をこれまでよりいくらか広い文脈で見直し、原爆の記憶が深く刻まれた彼の芸術を、今に語りかけるものとして受け止めていく可能性の一端をお示しできればと願っております。お付き合いのほどよろしくお願いいたします。

殿敷侃の作品との出会い

殿敷侃の作品を初めてまとまったかたちで見たのは、彼が亡くなって二十一年後の二〇一三年のことでした。私が二〇〇二年に広島へ赴任してからほどなく、何人かの美術関係者から、広島の現代の作家で凄いのはこの人と、殿敷の名前を聞いたことはありました。たしか『逆流する現実』（SOS Plan 刊、一九九〇年）だったと思いますが、作品集を見せてもらったこともあります。しかしながら、そのときにはまだ、彼の作品の力を肌で感じてはいませんでした。それ以来、殿敷の名前はずっと気になってい

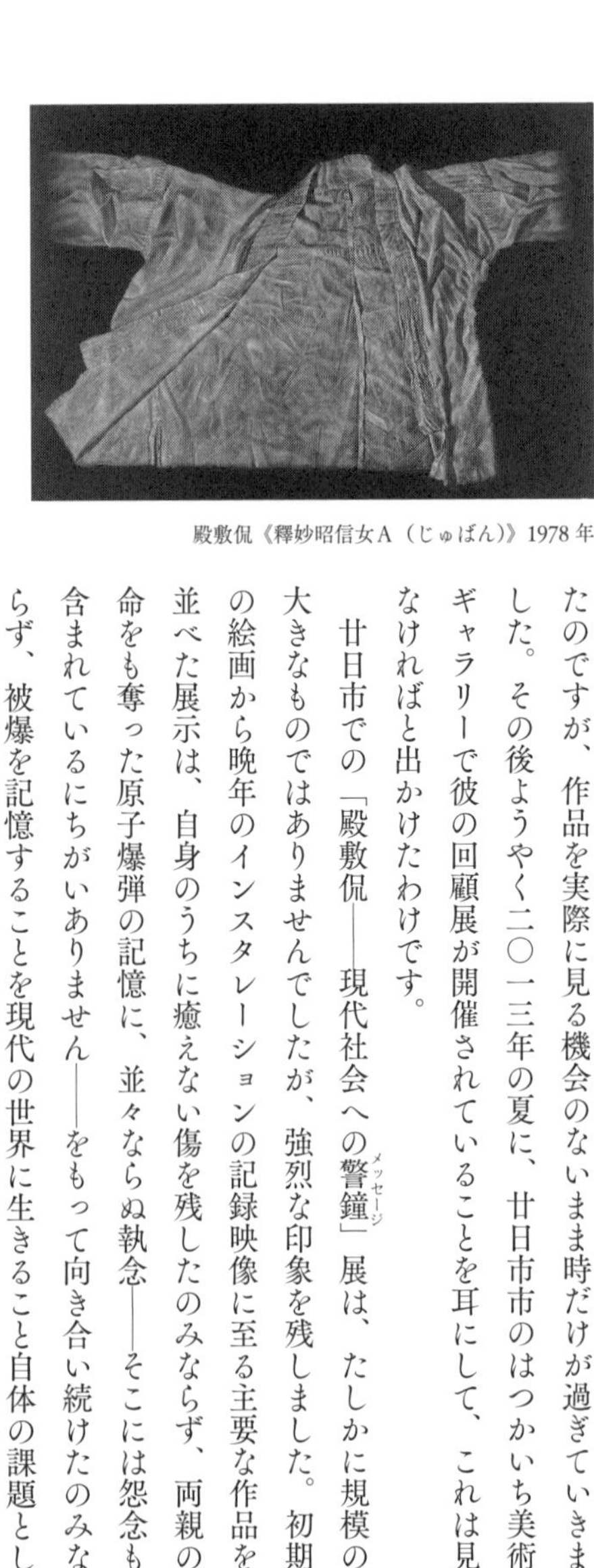

殿敷侃《釋妙昭信女Ａ（じゅばん）》1978年

たのですが、作品を実際に見る機会のないまま時だけが過ぎていきました。その後ようやく二〇一三年の夏に、廿日市市のはつかいち美術ギャラリーで彼の回顧展が開催されていることを耳にして、これは見なければと出かけたわけです。

　廿日市での「殿敷侃――現代社会への警鐘（メッセージ）」展は、たしかに規模の大きなものではありませんでしたが、強烈な印象を残しました。初期の絵画から晩年のインスタレーションの記録映像に至る主要な作品を並べた展示は、自身のうちに癒えない傷を残したのみならず、両親の命をも奪った原子爆弾の記憶に、並々ならぬ執念――そこには怨念も含まれているにちがいありません――をもって向き合い続けたのみならず、被爆を記憶することを現代の世界に生きること自体の課題として、美術をつうじて掘り下げ続けた作家がいたことを、重い衝撃として伝えるものでした。その衝撃は、広島の戦後の美術に対する見方を根底から揺さぶるものでした。

　廿日市での回顧展を見た際には、記憶を抉るように打たれた無数の点が、原爆によって命を奪われた殿敷の父母の遺品などを浮かび上がらせる点描作品に、とくに惹きつけられました。そのとき、恐ろしいまでの点の稠密さによって、例えば一九七八年に描かれた《釋妙昭信女Ａ（じゅばん）》のような作品には、蝕まれた身体に刻まれた苛酷な生の記憶が滲み出ているように見えました。また、これには後で立ち返ることになりますが、一九七五年の《自画像の風景》の画面を貫く緊張にも射貫かれる思いでした。これらの印象を含めて、何かに決定的なかたちで出会ってしまったという感触を、この回顧展から得たわけです。

変転する作風を貫くものへ

さて、今回の広島市現代美術館の回顧展「殿敷侃——逆流の生まれるところ」は、おそらくはこれまでで最も大きな規模でこの作家の全貌に迫った展覧会と言えるでしょう。それを見るならば、殿敷という作家が、何を創り、何を試みたのかを、創作の軌跡とともに見通す視野が開かれるのではないでしょうか。展示を実際に見ますと、ギャラリーや個人宅を含めた各地から集められた膨大な作品もさることながら、殿敷の苦闘と苦悶を、さらにはそこから滲み出る美術に対する熱い思いを伝える書簡などのドキュメントもとても興味深く思われました。それを辿りながら、殿敷は美術の人であったと同時に言葉の人でもあった、という思いを新たにしたところです。

その一方で、今回の回顧展において際立つのは、初期の具象的な作品から晩年のインスタレーションに至る、目まぐるしいほどの作風の変転でしょう。それをつうじて何が試みられているのかは、今後の美術史研究をつうじて徐々に明らかになるはずです。ここではあえて、作風の変転を貫く何かから殿敷の芸術を見直すことができないかという問いを立ててみたいと思います。そして、この変転を貫くものを探るうえで注目に値するのが、殿敷が晩年に自作に対して用いた「逆流」という言葉でしょう。

今回の展覧会全体にも、「逆流の生まれるところ」という副題が付けられていますが、ここではそこに示される視点を、私なりに掘り下げてみることにします。つまり、〈逆流〉という視点から、殿敷の芸術をヒロシマ以後のアートの試みの一つとして見直すことを試みようと思うのです。そこで、まずヒロシマ以後のアートという言葉について、ドイツのミュンヒェンで見たPostwarというテーマの展覧会を例に、少し説明を加えておくことにいたします。そのなかで、広島の被爆が「Postwar」、すなわち戦後ないしは美術の戦後を問う際の焦点の一つになっていたのです。

ミュンヒェンでのPostwar展より

昨年（二〇一六年）の四月から今年の二月上旬まで、在外研究の機会を得てベルリンに滞在しておりました。そのあいだにこの街で目にしたこと、研究のテーマの一つである歴史という概念をめぐって考えたこと、ナチスによるユダヤ人の迫害を記憶する試みに接して思ったことなどは、中國新聞文化面の連載コラム「緑地帯」に「ベルリン－ヒロシマ通信」〔本書序〕と題して記しましたので、ご覧になった方もおられることでしょう。昨年の夏にミュンヒェンのHaus der Kunst〔芸術の家〕という美術館で、Postwarというテーマの展覧会が開催されていて、そこに丸木夫妻の《原爆の図》の二作品が出品されていることを耳にしました。そこで、これは研究のためにも一度見ておきたいと、十月の下旬にミュンヒェンへ出かけました。

「Postwar――太平洋と大西洋のあいだの芸術、一九四五～六五年」展は、戦後の二十年に焦点を絞って、第二次世界大戦がもたらした人間性と生命の破壊、一つの世界の崩壊を美術がどのように受け止めたかを、全世界的な視野の下、多角的に映し出す展覧会でした。展覧会の主催者によると、「六十五か国からの二一八名の芸術家による、総計三五〇点の作品を展観するもので、そこには絵画、彫刻（立体作品）、インスタレーション、コラージュ、パフォーマンス、映画、芸術家の著書、ドキュメントおよび写真が含まれる」（展覧会ウェブサイトより）そうです。この一文からも、いかに大規模な展覧会だったか、お分かりいただけるのではないでしょうか。

また、欧米のみならず、日本を含めたアジアとアフリカ、そしてラテン・アメリカからも数多くの作品が集められていたのは、Postwar 展の際立った特徴と言えるでしょう。それによって、美術において見られた第二次世界大戦の後の世界を、さらには美術が再構築した世界を、グローバルな視野の下で浮き彫りにする試みが繰り広げられていました。その場所が、ナチスの時代に、あの頽廃芸術展と並行するかたちで「大ドイツ芸術展」が開催されていた Haus der Kunst ——当時はドイツ芸術の家、Haus der deutschen Kunst と呼ばれていました——であったことも、銘記されるべきことと思われます。

ヒロシマ以後のアートへ

ところで、ミュンヒェンでの Postwar 展において、丸木位里と俊の夫妻による《原爆の図》の第三部「火」と第六部「原子野」は、「核時代」の芸術を焦点とした一室で重要な位置を占めておりました。展覧会の最初の章は、「余波——零時と核時代」と題されておりまして、その部屋に入りますと、《原爆の図》の二作品がまず目に飛び込んできます。これとともにその部屋には、ヘンリー・ムーアの《アトム・ピース》やイサム・ノグチの作品、山端庸介（やまはたようすけ）による被爆後の長崎の写真などが展示されていました。そのようななかで、《原爆の図》の存在感は際立っておりました。

展覧会場の一室の壁に、いささか異様にも見えるかたちで掲げられた――と申しますのも、《原爆の図》は屏風に表装されていますから――《原爆の図》を眺めながら、この作品が原爆の衝撃を受け止めるなかから、従来の作品概念を踏み越えるかたちで生み出されていることを、あらためて省みないわけにはいきませんでした。ご存知のようにこの作品は、人物画を中心とする西洋絵画から出発した俊と、革新的な日本画家として活躍していた位里の芸術が、おそらくは各部ごとにニュアンスの異なる緊張関係を結ぶことによって、芸術史の上でも特異な表現を呈しています。まさにそれによって、この作品は、原爆に遭うことの核心に迫っていると言えるでしょう。

さらに、移動が容易な紙の媒体に描かれることによって、《原爆の図》は、展示価値を高めながら、従来の芸術作品とは異なった文脈と形態で受容されてきました。現在、こうしたことが、埼玉県の原爆の図丸木美術館で、またそれに連なる作品を所蔵するここ広島市現代美術館でも、検証されているところでしょう。そのような《原爆の図》は、ヒロシマ以後のアートの一つの姿を示すものと思われます。ここでヒロシマ以後のアートを、広島の被爆の後、この途方もない出来事の衝撃を受け止めることが、従来の芸術の枠組みをも踏み越える作品創造に結びついたアート、と暫定的に定義しておきます。このようなヒロシマ以後のアートの一つとして、今は殿敷侃の芸術を考えてみたいのです。

「逆流する現実」

先ほど申しましたように、ここでは殿敷の芸術を検討するにあたり、彼が早すぎた晩年に自作について用いた「逆流」という言葉に着目してみたいと思います。彼は、一九八三年から一九八九年までの作品を集めてみずから編んだ作品集に、「逆流する現実」というタイトルを付けています。今回の展覧会のカタログによると、この言葉は基本的には、打ち捨てられたものが現在の意識に侵入する事態を指します。この作品集に集められているのが、空間を廃物で埋め尽くしたインスタレーションや、廃物を焼き固めた立体作品などであることを顧みるなら、たしかに「逆流する現実」という表題は、廃棄されたものを暴力的に現在の空間に突きつける八〇年代の殿敷の芸術を、象徴的に表わしていると言えるでしょう。

しかし、「逆流する現実」という言葉が当てはまるのは、一九八〇年代の一時期の作品だけには限られないと思われます。原爆のキノコ雲やケロイドを負った背中をシルクスクリーンで反復させた作品群にも、「霊地」と題された一連の作品にも、さらには事物の痕跡を焼き付けるかのような銅版画にも、現実が逆流して来ているのではないでしょうか。殿敷の芸術は、そのような出来事の現場を開く行為であり続けたという感触を、今回の展覧会を見て得ました。彼の作品は、技術的かつ経済的な合理性によって支配された、すでに記号化された意識の構造と、それにもとづく世界の発展過程のただなかに、過去に実在していたものが新たな生命を得て侵入する場を切り開いていると見えるのです。

そうして殿敷の芸術は、一種の象徴体系としての現在の世界を攪乱する出来事を招き寄せるのでしょうが、そのとき、彼のなかでも時間が逆流しているのかもしれません。彼の作品を見ていると、遺品や遺物を、そして廃棄されたものを執拗に拾い上げ、描き出していく営みのなかで、忘れたくとも忘れられない過去が、殿敷のなかに深い傷を残した原爆の記憶が、時系列を掻き乱しながら回帰しているように思えてならないのです。ここからは、時間の「逆流」を生きながら、真に現実的なものを今へ逆流させるというモティーフが、殿敷の芸術を初期から、オスティナート、すなわち変化していく旋律の下で繰り返される執拗低音のように貫いていることを、作品にそくして見ていきたいと思います。

現在へ介入する絵画

今回の展覧会は、おそらく今まで顧みられる機会の少なかった殿敷の最初期の作品から展示が始まっていますが、そのなかで印象的だったものの一つに、一九六五年に描かれた《川岸》という油絵があります。厚塗りの暗い色彩を基調としながら、そのなかに人の息遣いを感じさせる光が微かに閃く作品です。私は、ここに「原爆スラム」とも呼ばれていた当時の基町のバラックの連なりが描かれていると思いますが、いかがでしょう。この凝縮された色彩が特徴的な作品において、殿敷は、時の流れに抗う力を込めて形態を浮き彫りにしているように見えます。そこに重い質感で塊のように描かれた家々は、わだかまる記憶や押し殺された苦悩を抱えながら、こちらを見つめているのではないでしょうか。

この《川岸》において、家々の幾何学的な形態のうちに塗り込められていた苦悩が、形態や空間の秩

殿敷侃《川岸》1965 年

序を突破するかたちで噴出しているのが、《否定の叫び》と題された一連の作品と思われます。地の底から空間そのものを壊すかのように不定形の塊が湧き出るこれらの作品の表現は、多次元的なオリジナリティを持つと同時に、未だ生硬であるようにも見えます。ただしそこからは、過去を忘却しながら前へ進む現在を否定することへの強い意志が感じられるのです。ここにあるのは、忘れられたものの「逆流」の直接的な表現と言えるかもしれません。

一九六〇年代末になると、おそらくは同時代の美術の影響の下で、数字などの記号を多用した抽象的な作品が数多く創られています。そのなかで、記号が水泡のように集まったり、幾種類もの記号が空間のなかで、あるいは空間どうしのせめぎ合いのなかで不穏な運動性を示したりしているあたりからは、データを処理して前へ進む世界を、独特の美的形式によって攪乱しようという殿敷の意志が感じられます。ちなみに、《8時15分》と題された、彼の個展の目録にも掲げられた歪んだ時計の絵を見たとき、パウル・クレーが、ゲーテの形態学において永遠の植物性を象徴する、やや神話的な「原植物」の概念に対するアイロニーも込めて描いたと思われる《時計草》（一九二四年）を思い出しました。

過ぎ去らない瞬間の侵入

　このように、初期の殿敷は、心身に被爆の傷を抱え、それとともにトラウマを残した、現実としての過去の「逆流」を体験するなかで、みずからの形式を模索していました。そのことが初めて真に独特な表現に結実したのが、一九七〇年に始まる《は》と題された連作でしょう。連作のうち《は2》は、『朝日ジャーナル』という雑誌の表紙に採用されています。その際殿敷は、この作品の開いた口

殿敷侃《は 2》1970 年

のモティーフについて、「口を開けたまま死んでいるのです」と述べています。さらにここにいる死者は、殿敷の言葉によると、「火葬もしてもらえず、悪臭を残し、口を開いたまま死んだ」のだそうです。
　そうすると、啓示ないし閃光のように今に口を開ける《は》という作品のうちにあるのは、自分の死を死ぬことすらできないまま消し去られた死者の絶命の瞬間ということになるでしょう。殿敷は、この瞬間を現在の時空間に侵入させ、その秩序を攪乱します。そのことを暗示しているのが、人物の影の二重化と見えます。殿敷にとって「ヒロシマはどうした」と説教がましいと同時に愛おしいこの死者は、原爆によって殺されたのでしょう。その死の瞬間は、殿敷にとっての原爆の記憶同様、けっして過ぎ去っていません。その瞬間が現在に侵入するのに触れるとき、生者の意識も、過去と現在に分極化し、深く揺さぶられることになります。そのことの表現も、《は》という作品のうちに見るべきではないでしょ

うか。

たしかに、《は》と題された一連の作品の画面にも、その一つに寄せられた作家自身の言葉にも、コミカルな軽やかさが感じられます。また、画面からは、写真などから採られたモティーフを反復させる同時代の美術の影響を見て取ることもできるでしょう。しかし、画面全体の凝縮度は高く、そこには見る者をまさに「はっ」とさせる強さがあります。そして、その強さの核心にあるのが、未だ過ぎ去っていないにもかかわらず、忘れ去られようとしている瞬間を回帰させて鋭く現在を問う、「逆流」の表現であると考えられます。

点描から滲み出るもの

ところで殿敷は、一九七〇年代に、彼と同様に国鉄の職員だった池田一憲の影響で、細密な点描を手がけるようになります。それは、ペン画、油彩画、そして広い意味では版画にわたって繰り広げられていますが、この点だけを取っても、彼の点描は、例えば印象派などに見られる点描の技法とは異なっています。まず指摘しておくべきは、殿敷の点描が、事物がそこに存在していること自体を抉り出す鋭さを具えていることでしょう。それは、一点一点を強く、かつ信じられないほど稠密に打つことによって、何かがそこに、独特の質感と陰翳をもって存在していることを浮き彫りにしています。

しかもそれによって、事物に沈澱している記憶も事物のなかに滲み出ているように見えます。《釋寛量信士（鉄かぶと）》という、被爆死した父親の遺品として殿敷が保存していた鉄かぶとを、レンガとともに描いた一九七七年の作品は、歳月の経過をかぶとの縁に刻むとともに、その内側に、誰かがそれをかぶっていた痕跡が染みついていることを浮かび上がらせています。《釋妙昭信女（母のたび）》という一九七八年の作品を見ると、足袋に残ったクセ、染み、ほつれに、被爆の影響によって亡くなった殿敷の母親の身体的な生の痕跡が表われています。

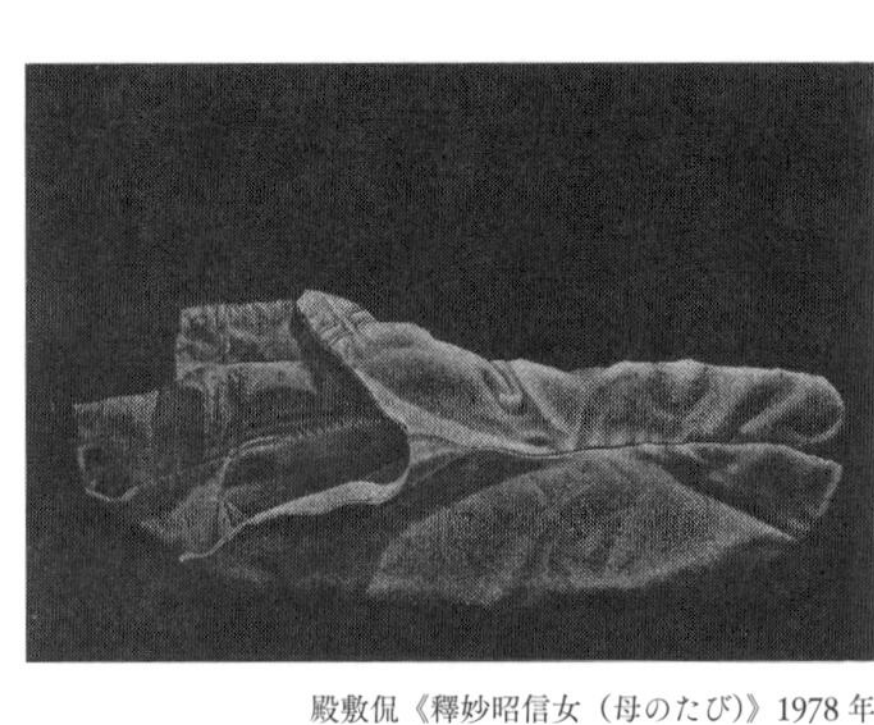

殿敷侃《釋妙昭信女（母のたび）》1978年

このような両親の「遺品」をモティーフとした点描において殿敷は、自分のなかに絶えず回帰してくる原爆の記憶を研ぎ澄まし、一点一点に凝縮させながら、事物の実在をそこに沈澱した記憶とともに醸し出しています。彼の点描は、そのための、単なる描写の技法を越えた独特の方法として見いだされたのではないでしょうか。それは見る者を現に存在する事物のみならず、過去にも出会わせます。殿敷の点描は、足袋や襦袢などの皺や染みに至るまで執念深く浮き彫りにすることで、それを身に着けていた者の身体的な存在の痕跡を伝えるとともに、存在の喪失をも突きつけているのです。

原現象としての遺物と遺品

両親の遺品の描写に最も凝縮されたかたちで表われる殿敷の点描に関して、もう一つ付け加えるべきは、彼にとって点描を方法として発見することが、自身のヒロシマを見いだすことと表裏一体になっていることです。つまり殿敷は、彼にとっての原爆を凝縮させた事物として、レンガのような遺物や両親の遺品を描き出しているのです。とくに彼が原爆ドームのレンガを、《ドームのレンガ》と題して繰り返し描いていることは注目に値します。それは、殿敷にとってヒロシマの原現象だったのではないでしょうか。実際彼は、レンガのような言葉を持たない事物と向き合うと、「八月六日のすべてのものと話をしているように思えるんです」と語っていたようです。

ここで、「原現象」という言葉に少々説明を加えておかなければならないでしょう。「原現象」は、もとはゲーテの術語で、先に触れた「原植物」の概念を包括するものです。彼は、例えば一枚の葉に植物界の豊饒さそのものが象徴的に現われると語っていますが、このときそのような葉を持つ植物が、「原植物」として現われています。そのような現象を、ゲーテは「原現象」と呼んでいるのです。この「原現象」の概念を、二十世紀前半に文筆家として活動した思想家ヴァルター・ベンヤミンは、みずからの歴史哲学に導入しています。ただし、その際に彼は、クレーが抱いていたようなゲーテに対する批判も込めながら、この「原現象」の概念を用いているのです。

殿敷侃《ドームのレンガ（1）》1977年

十九世紀末に生を享け、第一次世界大戦というヨーロッパ世界の崩壊を経験したクレーとベンヤミンは、もはや自然を永遠の調和において思い描くことはできませんでした。むしろ、自然は、人間のなかの自然を含めて、戦争をはじめとする破局が続く時間的で歴史的な過程との関係において捉えられます。この過程で破壊され、捨て去られたものが、自然の腐蝕を刻印された姿で突如として今に回帰するところに、ベンヤミンは「歴史の原現象」を見ます。つまり、今ここにある過去の痕跡には、破局の歴史の総体が凝縮されているのです。今、そのような「原現象」として《ドームのレンガ》を見直すことは、歴史として物語られていることを、一つの瓦礫から問い直すことに結びつくにちがいありません。

アナクロニズムの造形

さて、殿敷はその後、事物の存在の痕跡をそのまま刻み込む版画から、シルクスクリーンへ転じていきます。それによって一見作風が急激に変わっていくようにも見えますが、とくに「霊地」と題された一連のシルクスクリーンの作品は、点描作品と緊密に関連しています。なぜなら、そこで無数に穿たれ、「霊地」を形成しているのは、一九七八年に描かれた《釋寛量信士（父のつめ）》に描かれた父親の爪の形だからです。さらに、過去が地の底から湧き上がってくる出来事がそこにあると考えるなら、「霊地」シリーズは、初期の《否定の叫び》と通底するものをも含んでいることになるでしょう。

爪の密度だけによる《霊地》（一九八〇年）の造形には、魂を吸い込むような力があります。恐ろしいまでの静けさに貫かれた画面のなかに、爪の形に込められたものが音を立てずに噴き上がっているようにも見えます。父親の爪の形を無数に反復させた作品が示すのは、アナクロニズムの造形と言えるかもしれません。アナクロニズムというのは、ここでは時代錯誤という意味ではなくて、文字通りに、クロノロジー、すなわち時系列が掻き乱されるということです。「霊地」と題されているわけではありませんが、広告ポスターや新聞のような印刷物が「霊地」と化す一連の作品は、時の流れに、そこにある忘却に抗いながら、過去の痕跡が時系列に反して回帰する場を現在に切り開くものでしょう。

それにしても、「霊地」の造形に《釋寛量信士》に描かれた爪が用いられているのには、考えさせるものがあります。爪が被爆死した父の生の痕跡であるだけにとどまらない何かが、そこにはあることでしょう。思うに爪のモティーフは、それが何かを引っ掻くこととも関係がありそうです。ここで爪は、殿敷の父親の爪そのものであると同時に、彼の心を絶えず引っ掻き、時間の流れを掻き乱しながら、原爆の記憶を絶えず甦らせるものの寓意でもあるように思えてなりません。それを引き受けるところから、「霊地」の造形が行なわれていると考えられます。

痕跡のオーヴァーラップ

爪の形が印刷物を埋め尽くす殿敷のシルクスクリーンにおいて興味深いのは、「霊地」化の対象になる印刷物に、広告ポスターや新聞の広告欄が選ばれていることです。敢えて消費を促すメッセージを含んだメディアを埋め尽くすかたちで爪のモティーフを反復させることは、何よりもまず、原爆の記憶をはじめとする過去の記憶が定型化されて消費され、忘れ去られることに対する抵抗と言えるでしょう。

それと同時に、爪のモティーフの反復と集積は、現在に記憶の痕跡をオーヴァーラップさせることで、過去が現在に浸透していることを示しているのではないでしょうか。

このことは、たいていの場合忘れられています。しかし、禍々しい出来事を含めた過去の痕跡は、空間の至るところに、街の片隅にも、街で交わされる言葉の端々にも潜んでいるはずです。そのことを、爪という痕跡を今ここにオーヴァーラップさせることで暗示し、現在の空間を廃墟化する試みとして、広告メディアを「霊地」に変える作品群を見ることができるのではないでしょうか。とりわけこうした作品あたりから、殿敷の芸術は、物質文明に支配された現在に介入する行為としての性格を、明確に示し始めていると考えられます。そのアナクロニズムの造形は、消費社会がこのまま前に進むのに抵抗しているのです。

それからしばらくすると、ゴム印を使って数字を膨大に反復し、集積した作品が生まれます。《数字》（一九八四年）と題されたそのような一連の作品には、一方では初期の抽象的な作品——例えば、《春》と題された一九六九年の作品——における数字のモティーフの回帰を見ることができるでしょう。しかし、大きな画面における数字の密度と、それによって生まれる作品の圧倒的な求心力は、これまでには見られないものです。しかも、画面に執拗に反復された数字が凝集することによって、空間が歪み、記号自体の性格も変容し始めます。このことがもたらす数字という記号の自然化によって、殿敷は、すべてが数的なデータとして処理される世界の仕組みを、内側から食い破ろうとしたのかもしれません。

自然と歴史が相互浸透する空間

このような記号の反復と集積による表現は、やがて絵画の平面をはみ出し、アトリエをも飛び出して、塗料や鉄線、あるいは古タイヤのような廃物で空間を埋め尽くしていく、殿敷に独特のインスタレーションに結びついていきます。これを彼が「空間のドローイング」と呼んでいたのは興味深いことです。彼は、それによって空間そのものを描き直そうとしたのかもしれません。これに続く、廃物を焼き固める独特の手法によるインスタレーションを含めて彼は、打ち捨てられ、忘れられたものが、あたかも自生するかのように甦る風景を開こうと制作していたのは確かでしょう。

ここには、まさに殿敷が晩年の作品集のタイトルに込めた意味での「逆流」の表現があります。《夢装置》（一九九一年）という作品が示すように、廃棄されたものが、新たな生命を得て現在に、そして消費社会の現在中心主義に生きる意識に、突如として漂着するのです。それによって、歴史と自然が浸透し合いながら過去と現在が衝突する場が開かれます。歴史的な過程が前へ進み続けるなかに、自然が染み込んで腐蝕した歴史の遺物が入り込んで、今に生き始めると同時に、時間が逆流し始めるのです。そのような表現の強度は、例えば《カブト

殿敷侃《タイヤの生る木［Plan.7］》1991年

ガニ》（一九七六年）などに表われる、生きものたちへの殿敷の愛情に満ちた眼差しにもとづいていると
も考えられます。
晩年のインスタレーションにおいては、廃物を焼き固めることによって、新しい、そしてより現実性
の強いモノが生成していることが重要でしょう。すでに同時代に、そこに一つの「錬金術」を見る批
評も現われていますり。殿敷が行なった焼尽と生成は、再生へ向けたモノの火葬であると同時に、物質
文明の秩序を攪乱する儀式的な行為でもあるのではないでしょうか。彼に先立って松澤宥（一九二二～
二〇〇六年）が、作品の物質性を滅却することを芸術の域に高めることで、物質文明を根底から否定し
ようとしましたが、殿敷は、生まれ変わったモノを突きつけることによって、両親を奪い、自身を蝕む
原爆を造り、今も原発を動かして自己保存を図っている物質文明に復讐しようとしたのかもしれません。
その際彼は、廃物を焼き固める方法を、おそらくは被爆後の焦土の記憶も込めて《お好み焼き》と呼ん
でいます。そこには時間を、過去と現在を焼き合わせる行為を見て取ることができるでしょう。それは、
現在の世界の仕組みを揺さぶり、今ここに、死せるものを含めたモノたちが息づく余地を切り開く行為
と見ることもできるはずです。

〈逆流〉を生きる芸術

ここまで作品にそくして辿ってきたように、時期ごとに形を変えていく殿敷の表現を貫くオスティ
ナート、執拗低音として、彼が心身の癒えない傷とともに抱えてきた原爆の記憶の逆流を、逆流の芸術

をもって受け止めることがあると考えられます。作品集『逆流する現実』に収められたリン・ガンパートの批評（一九八九年）も、廃物を用いたインスタレーションに、幼い殿敷の記憶に焼き付いた焦土の影を感じると述べています。彼は初期から、それが執拗に回帰するのに向き合いながら、捨て去られたものの生命を今に逆流させる作品を創り続けてきたのではないでしょうか。そのことが最も凝縮された姿で表われているのが、両親の遺品や原爆の遺物を描いた一連の点描作品でしょう。

それらと同時期に描かれた一九七五年の《自画像の風景》は、記憶の逆流を生き抜きながら今ここに時間の逆流をもたらす殿敷の芸術の核心を、寓意的に表わしているように見えます。この作品が、沖縄で海洋博覧会が開催された年に生まれていること、そして同じ年に、先頃惜しくも世を去った林京子（一九三〇～二〇一七年）の小説『祭りの場』が出版されていることも銘記されるべきではないでしょうか。今はこの歴史的な符合に立ち入ることはできないのですが、この年に生まれた作品の言わば「へそ」に「忌」の文字が刻まれていることは、そこに込められた抵抗とともにあらためて想起されるに値するでしょう。

それにしても、この《自画像の風景》は、幾重もの時空間の緊張に貫かれています。そのことは、右目だけが別人の目のように大きく見開かれているところ

殿敷侃《自画像の風景》1975 年

に、寓意的に表わされているのかもしれません。あの日から三十年後に爆心地に佇む殿敷は、時間の二つのベクトルに引き裂かれているのでしょう。前景に置かれた段ボール箱からは、被爆の記憶がけっして抑えられないかたちで回帰してくること、それゆえ三十年前のあの日はけっして過ぎ去っていないことを象徴するかのように、キノコ雲が噴き上がっています。そして、その傍らでは殿敷の頭部が白骨化しているのです。被爆によって蝕まれた自分の未来を暗示するかのように。

例えばこのような緊張に漲る殿敷の《自画像の風景》は、彼の逆流の芸術を凝縮した作品であると同時に、現在を過去との緊張関係のなかに置いて覚醒させるものと言えるでしょう。それを見るとき、私はもう一つの自画像的な作品を思い出します。フェリックス・ヌスバウムという画家が第二次世界大戦中の一九四三年に、手回しのオルガンを奏でる流しの楽師として自身を描いた作品です。この作品では、白骨の散乱する死に覆われた廃墟の風景のなかで、画家の自画像が静かにこちらを見据えています。この《オルガン弾き》が描かれた当時、ユダヤ人のヌスバウムは、ベルギーのブリュッセルで地下生活を送っていました。

フェリックス・ヌスバウム《オルガン弾き》
1942年

ヌスバウムの《オルガン弾き》は、中世以来のヨーロッパの、時にユダヤ人迫害とも結びついた――「黒死病」と言われたペストが流行すると、ユダヤ人が井戸に毒を入れたといった類いのデマが流れることがありました――死のイメージをオーヴァーラップさせた廃墟の風景のなかに、自身の姿を浮かび上がらせるものです。そこからは、破壊と死によって埋め尽くされた今を、みずからの芸術をもって見通そうとする画家の矜恃が伝わってきます。その点でヌスバウムの《オルガン弾き》には、記憶の破壊が進む今に立ち向かおうとする殿敷の自画像と通底するものがあると感じられます。

ちなみにヌスバウムは、一九〇四年にドイツ北西部の街、オスナブリュックに生まれた画家で、ナチスの政権掌握以前は、ベルリンにアトリエを構えていました。ナチスが政権の座に就いた後は、ベルギーをはじめ各地を転々とする亡命生活を送っています。しかし、一九四四年にドイツ軍に捕らえられ、同じ年にアウシュヴィッツの収容所で虐

フェリックス・ヌスバウム《死の勝利》1944年

殺されています。生地のオスナブリュックには、二〇〇一年にヒロシマ賞を受賞した建築家ダニエル・リベスキンドの設計によるフェリックス・ヌスバウム美術館――リベスキンドはこれを「出口のない美術館」と呼んでいます――が建てられています。

この美術館に収められているヌスバウムの最晩年の絵の一つに、《死の勝利》と題された一九四四年の大規模な作品があります。その画面には、人類がとくにルネサンス以来文明を発展させてきたことを象徴するものたちが、破壊され、散乱しているのを踏みつけるかのように、死が凱歌を上げている様子が描かれています。そのありさまは、人間が文明の発展の果てに、自己自身を絶滅させかねない破局

を招き寄せていることを、寓意的に表わしています。同じ年に、先に紹介したベンヤミンの友人の哲学者テーオドア・W・アドルノが同僚のマックス・ホルクハイマーとともに、『啓蒙の弁証法』という、文明の発展そのもののうちに潜む野蛮への反転を根底から問うた書物を著わしていることも、偶然とは思えません。そして、物質文明の「進歩」による人間の自己破壊こそ、殿敷が「そのそれを求めて」というエッセイを書いた初期から問うてきたことではないでしょうか。

もちろん、問題意識の点で、また自画像の構図などでも符合するところの多いヌスバウムの芸術を、殿敷のそれと簡単に同列に置くことはできません。オットー・ディクス（一八九一～一九六九年）らとともに新即物主義の流れを汲み、シュルレアリスムの影響を示しながらも、具象画による表現を貫いたヌスバウムの芸術は、日本の作家で言えば、靉光や松本竣介の画風に通じるところが多いと思われますし、今後この点の美術史的な研究が深められるなら、戦時下の芸術の姿をその可能性において省みる視野が開かれるのではないでしょうか。今はこの点を指摘するにとどめ、時が逆流し、死せるものの生命が今に逆流する場を、自分のなかの記憶の逆流を潜り抜けて開く殿敷の芸術を、ヒロシマ以後のアートとして見直す方向性を示すという所期の課題に立ち返ることにいたします。

今一度ヒロシマ以後のアートとして

《自画像の風景》をはじめとする殿敷の作品を見ていたとき、原民喜が「鎮魂歌」という作品に書きつけた、「世界は割れていた」という言葉が何度も思い出されました。《自画像の風景》における大きさの異なる目が暗示するように、殿敷の芸術も原の詩作も、〈割れた世界〉を、過ぎ去らない記憶によって引き裂かれたその現在を生き抜くものだったにちがいありません。そして、ここまで殿敷の芸術の変貌を追うなかで開かれてきたのは、その歩みを世界戦争、そして原爆によって「人間的」な世界が崩壊した後――その後の世界を、原民喜は「パットト剝ギトッテシマッタ　アトノセカイ」と呼んだのでした――の美術の姿を、既存の美術の枠組みを越えて探る試みのそれとして辿り直す見通しであると考えられます。

その際に、殿敷の芸術を、例えばパウル・ツェランの詩作などが示すアウシュヴィッツ以後の芸術とも照らし合わせて、世界的な文脈のなかで見直すならば、殿敷の芸術の位置と意義がいっそう明瞭になるのではないでしょうか。ここで、パウル・ツェランという詩人をごく簡単にご紹介しておきますと、彼は一九二〇年に、当時ルーマニア領で今はウクライナの一部になっている、ドイツ語ではチェルノヴィッツ、ウクライナ語でチェルニウツィーと呼ばれる街に生まれています。両親はユダヤ人で、第二次世界大戦のさなかにナチスの手によって虐殺されています。かろうじて生き延びたツェランは、戦後はパリへ移り住んで詩作を続けました。しかし、彼は一九七〇年に、セーヌ川に身を投じてしまいます。

ツェランの詩を読むと、そこには原爆の記憶が殿敷の作品に刻印されているのと同様に、両親の死や自身の収容所体験が深く刻み込まれています。そのことを背景としながら、ユダヤ人の囚人が次々に抹殺されていくナチスの収容所のありさまを突きつける詩に「死のフーガ」があります。これはツェランの詩人としての出発点をなすと同時に、ドイツ語による詩の画期をなすものとされています。ちなみに彼は、一貫して両親を虐殺した人々の言語であるドイツ語で詩を書きました。中期の『言葉の格子』という詩集には、「帰郷 Heimkehr」(一九五五年)という、一面の雪景色のなかに点在する盛り土に死者の記憶がせり上がってくることを歌った詩が収められていますが、この詩を、広島出身の作曲家細川俊夫(一九五五年〜)は、《ヒロシマ・声なき声》という、原爆の記憶を主題とした声楽とオーケストラのための大規模な作品の一楽章に用いています。ちなみに、二〇〇一年にミュンヒェンで初演され、広島でも演奏されたことのあるこの作品は、原爆の記憶を戦争の記憶のなかに位置づけながら、原爆とは何か、その後に死者とともに生きるとはどういうことかを深く掘り下げた音楽作品と言えるでしょう。

ところで、ツェランには一九六三年に書かれた「糸の太陽」という詩があるのですが、それは、「まだ歌える歌がある。／人間の彼方に」という言葉で結ばれています。この詩は、先に触れたアドルノが「文化批判と社会」という論文のなかで、「アウシュヴィッツの後に詩を書くことは野蛮である」と述べたのに対する応答であると言われています。ツェランは、アドルノの言葉を受け止めながら、「アウシュヴィッツ」の名によって象徴される出来事を人間が起こしてしまった後の世界の詩の可能性を、従来の詩を乗り越えるかたちで追究していました。その方向性が「糸の太陽」という詩に凝縮されているわけですが、ツェランの詩作の足跡を、殿敷の芸術を含めたヒロシマ以後のアートの歩みと照らし合わせながら辿ることは、自分にも課しておきたいと思います。

ここでは、ツェランが自身のなかの時間の逆流に触れながら、それを引き受けて詩を書くことを歌った初期の「焼印」(一九四九年)という詩を、私の拙い訳で恐縮ですが、ご紹介しておきましょう。

わたしたちはもう眠らなかった。憂鬱の時計仕掛けに寝そべって、
時計の針を鞭のように撓(たわ)めたから。
そして、針は弾き返って、血が出るまで時を鞭打った。
するときみは、充満してくる夕暮れのことを語った。
そして、わたしはきみの言葉の夜へ、きみ、と十二回言った。
そうしたら夜が開いて、開いたままになった。
そこで、わたしは一方の眼を夜の懐に横たえ、もう一方の眼をきみの髪に絡めた。
さらに両の眼のあいだに導火線を、露わな血管を巻きつけた——。
すると、新たな閃光がこちらへ泳いできた。

収容所の囚人の肌に刻まれた囚人番号の刻印のように、焼き傷と化して過ぎ去らない、おぞましい記憶の回帰によって眠れない人々のあいだにあって、「わたし」は、時が鞭打つように逆流するなかに死者の声を聞きます。「きみ」とは、ここでは母親をはじめとする死者を指していて、死者のいる夜のなかに「わたし」は眼を結わえつけるのです。エロティックですらある死者との結びつきを求めて。すると閃光のように死者の記憶が甦ってきます。そこに詩が生まれることを、この詩は歌っているのです。

　そのようにして時間の逆流を生き抜こうとする詩人の姿勢には、原爆の記憶の逆流を引き受けること

を独特の表現に高めようと試み続けた殿敷のそれと通底するものがあります。原民喜、パウル・ツェランといった詩人たちと相通じるかたちで、殿敷はアナクロニズムを生き抜き、芸術そのものを定義し直すような、新たな表現を追究し続けました。その過程で生まれた、《自画像の風景》をはじめとする密度の高い作品のいくつかには、ベンヤミンが『ドイツ悲劇の根源』というバロック期の悲劇を論じた著作のなかで卓越した芸術作品について述べたことが当てはまります。彼はこう述べています。「一つの重要な作品――それはジャンルを創設するか、あるいは廃棄するかのいずれかである。完璧な作品では、その両方が一体となっている」。

まさにこの点において、殿敷の芸術は、ヒロシマ以後のアートの一つの姿を示すものといえるでしょう。それは、原民喜の言う「パット剝ギトッテシマッタ　アトノセカイ」を正視し、それに拮抗しうる逆流の表現を、芸術の概念を更新するかたちで創造しています。その表現は、これまで見てまいりましたように、平面をはみ出して、屋外へ飛び出していきました。こうして彼の芸術は、今ここに逆流の場を現出させ、世界の秩序を掻き乱すことによって忘却と消費の流れを食い止め、死せるものたちが息づく場を切り開こうとしたのです。逆流に貫かれた殿敷の芸術が、そのような、言葉の語源的な意味で革命――英語の revolution の語は、よく知られているように、反転ないし逆転することを意味するラテン語の言葉を語源に持っています――の行為であり続けたことは、けっして忘れられてはならないでしょう。もちろん、ここで言う革命は、現在の政治的な体制を暴力によって転覆させるようなものではありません。しかし、殿敷の芸術がその行為の強度において引き起こす文字通りの革命は、それに触れる者の精神の内奥に時間の逆流を引き起こすがゆえに、いっそうラディカルであると言えるでしょう。

　そのように殿敷の芸術が放つ、現在の状況に介入する行為の強度を受け止めることも、被爆を原点とするヒロシマの記憶の継承の重要な課題であると考えられます。そして、殿敷が示した逆流の表現は、福島第一原子力発電所から今なお放射能が漏れ出ているなか、人を使い捨てていく経済の「成長」のために、それ自体危険きわまりない原発が、福島の過酷事故の後もなお再稼働している今にこそ、強く語りかけているのではないでしょうか。東北地方の近海や福島第一原発の周囲の危険地域に、未だ誰にも見いだされないまま横たわっている死者を忘れ、避難地域に見捨てられて死んだ生きものたちの命を蔑ろにして、そして原発の過酷事故が起きるに至った歴史を忘れて、このまま前へ進んでよいのか、と殿敷の作品は問いかけているようにも見えます。

　このように今に語りかける殿敷の芸術の力を正当に評価するには、まずそれを、冒頭で触れたミュンヒェンでのPostwar展が示したような戦後の美術の動きのなかに置き直す必要があると考えられます。その際、殿敷の芸術を、彼の一九八〇年代の芸術の展開に強烈なインスピレーションを与えたヨーゼフ・ボイスの社会彫刻の展開や、ボイスの下で学んだアンゼルム・キーファーの芸術などと突き合わせなければならないことは言うまでもありませんが、それだけでなく、殿敷がその作風を変えていくなかで、同時代の、あるいは過去のどのような作品を見ていたのかを世界的な視野の下で検証しつつ、殿敷の芸術の歴史的位置を図ることも求められるはずです。その全貌に迫った今回の展覧会は、こうした研究の地平を開くものではないでしょうか。

さらに、今回の殿敷侃展が、彼の芸術を含めたヒロシマ以後のアートの力を掘り起こし、今に解き放つ営みのきっかけになることを願ってやみません。殿敷の作品も、冒頭で触れた丸木夫妻の一連の《原爆の図》も、原民喜の「鎮魂歌」のような作品も、あるいはパウル・ツェランの詩と関連してご紹介した、細川俊夫の《ヒロシマ・声なき声》をはじめとする作品も、芸術自体の概念を揺さぶりながら、その美的な強度において、被爆することを凝縮されたかたちで伝えています。このようなヒロシマ以後のアートの強度を受け止めるときに、私たちのなかにも、被爆という「想像を絶する」と言われる出来事を、それでもなお想像する回路が開かれるのではないでしょうか。そして、そのことを抜きにして、被爆の記憶を、「原子野」に這う者たちの記憶として継承していくことはできないと考えられます。

殿敷侃については、実はまだまだ語られなければならないことがあります。例えば、日本原水爆被害者団体協議会が全国各地での上演を進めた構成劇「原爆の非人道性と国の戦争責任を裁く国民法廷」に殿敷が作品を寄せ、みずから出演したことの意義もその一つでしょう。あるいは、長門での「かこう会」の活動も、戦後のサークル運動の系譜と照らし合わせて考察されうる側面を含んでいるのかもしれませんし、その活動が野外での集団的な制作を可能にした面もあるでしょう。こうした点については、今後の研究が待たれるところです。今は、殿敷侃が四半世紀ほどの活動期間に、原民喜やパウル・ツェランの詩作と通底するかたちで苦悩の記憶の逆流を生き抜き、そのことを独特の、芸術の概念を更新するような逆流の芸術に研ぎ澄ましていることをあらためて申し述べて、拙い講演を締めくくりたいと思います。長らくのご静聴まことにありがとうございます。

付記

本稿は、二〇一七年三月十八日から同年五月二十一日にかけて広島市現代美術館で開催された殿敷侃の回顧展「殿敷侃――逆流の生まれるところ」に関連して、四月二十九日に同美術館のミュージアムスタジオで行なった講演の基になった原稿である。必要最小限の修正のみを施した。

殿敷侃は、一九四二年一月二十二日に広島市の幟町に生まれ、三歳の時に被爆している。広島中央郵便局に勤務していて被爆死した父親を探し出そうと、小さい殿敷を背負って壊滅した広島市街の中心に入った母親も、五年後に原爆症のために亡くなった。その後親戚に預けられて育った殿敷は、国鉄職員として働きながら広島大学の夜間コースに通っていたが、二十九歳の時に画家を志す。そのきっかけになったのが、肝臓を患って入院した際に、病院内の絵画サークルで油絵を覚えたことだという。一九六五年から新制作展への出品を始め、一九七〇年からは川崎駅に勤務しながら絵画を続け、その後一九七二年には、国鉄を退職して山口県の長門市に移り住んで作品制作に打ち込んだ。一九八二年にカッセルでドクメンタ7を観て、ヨーゼフ・ボイスの作品に衝撃を受けたことが、その後のインスタレーションの展開の契機となった。一九九二年二月、肝臓癌のために死去。

殿敷の美術については、本稿で示した「ヒロシマ以後」の芸術の自己変革という視点から、またボイスを含む同時代の作家の芸術とも照らし合わせながら、考察を継続したい。その際、殿敷の芸術を、長崎に生まれ、主に福岡で活動し、九州派にも加わった菊畑茂久馬（一九三五～二〇二〇年）の芸術などと比較できればと考えている。なお、本稿で触れたクレーとベンヤミンの同時代性に、拙著『ヴァルター・ベンヤミン――闇を歩く批評』（岩波書店、二〇一九年）と『断絶からの歴史――ベンヤミンの歴史哲学』（月曜社、二〇二一年）の第五章で論及している。

抗う言葉を分かち合う

――芸術と批評の関係をめぐって――

みんな生きていていいはずよ。そこの蚊だって。鳥だって。だのになぜ彼は生きていてはいけないの。一滴（ひとしずく）こぼれただけでも生命（いのち）の流れは固まっちゃうでしょう。たった一打ちでも大地は傷を負わなきゃいけないのに。

ゲオルク・ビューヒナー『ダントンの死』

I　リュシールの声

立ち止まることを知らない人々の歩みは、今や時の流れと化した。水の流れのように事が進むなか、愛する人は当然のように処刑されてしまった。ロベスピエールの恐怖政治の下、寛容を説いたダントンの一派が粛清されるまでを描くゲオルク・ビューヒナーの戯曲『ダントンの死』の幕切れ近く、リュシールはパリの街路を彷徨いながら、夫カミーユがこうして断頭台へ追いやられたことを思う。そして、ダントンらとともに命を断ち切られた夫に殉じる決意を固めていく。

ただし、それによって抵抗への意志が薄れるわけではない。むしろリュシールは、無数の命を奪いながら血の流れとして時が前へ進むのを、全身で食い止めようと考えている。

——駄目よ！　あってはならないわ。こんなこと。駄目よ。わたし、地べたに坐り込んで叫んでやる。みんながびっくりして固まるまで叫ぶのよ。みんな立ちすくんで、身動き一つしなくなるまで。

やがて革命広場に辿り着くと、断頭台へ続く階段に腰を下ろす。そして、一人の市民が誰何（すいか）するのに答えて言う。「国王万歳！」と。リュシールは、記号として見れば最も反動的な言葉で、抹殺が粛々と続く流れに否を突きつけたのだ。

ヴォルフガング・リームは、『ダントンの死』の最後の二場で語られるリュシールの言葉をテクストとして、《街路、リュシール》（二〇一一年にカールスルーエにて初演）を作曲している。最近、ソプラノ独唱とオーケストラのために書かれたこの作品の実演に接する機会に恵まれた。二〇二〇年一月二十五日にサントリーホールで行なわれた東京交響楽団の第六七七回定期演奏会において、《街路、リュシール》は、同じくビューヒナーの戯曲を原作とするゴットフリート・フォン・アイネムのオペラ《ダントンの死》からの管弦楽組曲に続けて演奏された。

不穏な打楽器のリズムに始まるリームの音楽は、ビューヒナーが書いたドラマの内実を抉り出すように、凝縮された劇性を示す。そのなかでリュシールの声は、とりわけカミーユの刑死を前にして激しく高揚する。その後、みずからの死を思う声は徐々に緊張を強めていくが、その過程にリームは、通俗的な行進曲の旋律を、パロディのように挿入している。このマーチは、処刑場への道行きに群がる酷薄な群衆の姿と、現体制の敵対者と目された人々をギロチンで抹殺していく手続きが、時の流れのように進んでいくさまとを、一つながらに響かせている。

この行進曲が極限まで高まったところで、突如として静寂が訪れる。そして、リュシールは言う。ビューヒナーが戯曲の終わりに置いたあの「反革命的」な言葉を。歌うのではない。語るのだ。その箇所にリームは、奇妙な強弱の指示を記している。「フォルティッシモ?／ピアニッシモ?」と。ここには、ビューヒナーの戯曲の捉え方を含めた解釈への根本的な問いがあるが、東京交響楽団の演奏会で独唱を務めた角田祐子は、強い声で叫んだ。「国王万歳(エス・レーベ・デア・ケーニヒ)!」と。

その声を、現在この列島を覆っている流れに異議を挟む(さしはさむ)ものとして聴かないわけにはいかなかった。あからさまな嘘を欺瞞で糊塗する遣り口が、歴史の否認とも結びつきながらまかり通り、これを批判する声がかき消されていく。こうして、ひと握りの人々の利権のために命あるものが使い尽くされていく。さらに、この過去を振り返ることのない流れに従わない者は、リュシールを誰何した男が彼女に浴びせたような視線に晒される。このことに対する静かな問いが、あの強い声に倍音として含まれていたのではないだろうか。

II　中断の美学

詩人パウル・ツェランは、ゲオルク・ビューヒナー賞を受賞した際の講演「子午線」のなかで、『ダントンの死』におけるリュシールの最後の言葉に論及し、これを「抗う言葉(ゲーゲンヴォルト)」と解している。それは傀儡(かいらい)を操る針金を断ち切る言葉であり、それを発するとは「一歩を踏み出す」ことにほかならない。詩人によれば、「国王万歳!」の声は、断じて「旧体制(アンシャン・レジーム)」ではなく、むしろ「人間的なものの存在を証す不条理なものの尊厳」に忠誠を誓うものなのである。

さらにツェランは、この「不条理なもの」こそが「詩であると思う」とさえ述べている。「革命」の名の下で現体制を批判する者が次々と断頭台へ送られる歴史的な状況にあって、リュシールの「抗う言葉」は不条理を抱え込まざるをえなかった。そして、これを発する「自由の行為」は、時の流れを中断しながら、詩そのものの在り処を指し示している。リームの作品においても、「国王万歳!」の声が発せられる一節は、音楽の進行の空隙である。もしかすると、その声に強く、静かな問いが含まれていることを暗示するために、作曲家は、両義的な強弱の指示を書き込んだのかもしれない。

「国王万歳!」という声は、それ自体としては何も語らない。この声は、「一歩を踏み出す」行為と一つになっている。ツェランは、そこに「恐ろしい沈黙」を見て取る。あるいはこれを、彼が「子午線」のなかでそのカフカ論を参照しているヴァルター・ベンヤミンの言葉を借りて、「表現なきもの」と呼ぶこともできよう。芸術作品に含まれるそれは、理解可能な表現の連鎖に「中間休止（ツェズーア）」をもたらし、作品の自足性を内側から突き崩す。彼の「ゲーテの『親和力』」によれば、そのような批判的な力が芸術作品の内部で働いてこそ、作品は「真の世界の断片」として完成する。

ベンヤミンの美学は、芸術作品を自己完結した「美しい仮象」として祭り上げる神話的な芸術観を批判しつつ、同時にテクノロジーの浸透によって、知覚経験が断片的な体験へ変質し、もはや礼拝の対象としては作品が成立しえなくなっている——作品の断片的な複製が消費されるなかで、その「アウラ」は衰滅するのだ——状況を見据えながら、芸術の可能性を問うものと言える。今や芸術作品は、特定の歴史的な条件の下、批評的な反省のなかから産み出される。そして、このことが突き詰められてこそ、受け手を立ち止まらせ、時の流れを中断する強度を具えた作品が生まれる。

つとに知られているように、ベンヤミンはさらに、芸術作品が制作される過程に技術を積極的に導入する道筋も探っている。器械装置によって産み出される写真や映画の映像は、もはや何も再現しない要素——「表現なきもの」——を爆薬のように孕むことで、見る眼を射る力を発揮しうる。一九三一年に書かれた「写真小史」の末尾で彼は、そのような映像の力を、「見る者の連想メカニズムを停止させるショック」と規定している。そして、その衝撃を言葉で受け止めることで、写真の映像を緊張を孕んだものとして構成する批評の営みが、写真術の技術的な発展と並行すべきだとも論じる。

では、機械の眼が捉えた映像が、連想を中断するほどの力を発揮するのはなぜか。ベンヤミンによれば、その眼の機能が「無意識に織り込んだ空間」を、イメージのうちに出現させるからである。映像の細部に、一度も想起されることのなかった過去が到来する。

この写真家の腕は確かで、モデルの姿勢もすみずみまでその意図に沿ってはいるが、にもかかわらず見る者は、現実がそのような写真の映像としての性格に言わば孔を開けるのに用いたひとかけらの偶然を、今ここを、写真のなかに探さずにはいられない。とうに過ぎ去った撮影の一分間のありさまとして、来たるべきものが今日もなお、振り返ると見いだされるかたちで意味を湛えながら棲み着いている、この目立たない箇所を、見つけずにはいられないのだ。

写真家カール・ダウテンダイが妻と写っている古い肖像写真に偶然捉えられた妻の憂いを帯びた眼差しが、その悲劇的な運命——彼女は後に自死を遂げる——を予感するかのようであるさまに寄せられたこの一節は、写真に穿たれた孔が、見る者を射貫くことに触れている。写真を作品として見るとは、立ち止まってその衝撃を受け止めることなのだ。

この孔に引き込まれるとき、とうに過ぎ去ったものが「来たるべきもの」と化すのを目の当たりにすることになる。ベンヤミンは、そのことを機械の眼がもたらした偶然と結びつけているが、写真が厳密な技術的構成の産物でもあることを顧みるなら、「何かの写真」に解消されない緊張を孕んだ作品として写真を浮かび上がらせる要素を、すべて偶然の産物に還元することはできない。写真術を突き詰めることによって、そのような要素を抱え込もうとする写真が創られていることも忘れられてはならないはずだ。それは現在を捉えた映像の内部に、見る者を立ち止まらせ、想起へ誘う隙間を開いている。

III　写真の触感

「傷ついた風景の向こうに」というテーマの下、新国立美術館で開催されていた「DOMANI・明日2020」展（二〇二〇年一月十一日～二月十六日開催）には、藤岡亜弥が広島を撮った「川はゆく」シリーズの一部が展示されていた。ちなみにこの展覧会は「日本博スペシャル展」でもあるとのことだが、被爆地や東日本大震災の被災地といった傷ついた場所と、そこに生きる人々のなかに残る傷に向き合った作品を中心に構成されたその展示は、これに付された惹句とそれが象徴する、苦難の経験を分かち合うことを忘れて前へ進もうとする「日本」の趨勢への鋭い問いかけを含んでいる。

藤岡亜弥「川はゆく」シリーズ　2017年

藤岡の写真は、川の街――「広島」という地名も、街が川の中洲に由来することを物語っている――で育った経験を背景に、河畔での人々の営みを生き生きと写し取る。彼女はとりわけ若い命に温かい眼差しを注ぎ、躍動の一瞬を鮮やかに映像に定着させている。写真からは、柳の葉擦れの音とともに笑いさざめく声が聞こえてくるかのようだ。しかし、こうした写真が、市街での作業に動員されたために爆心近くで被爆し、川で命を落とした生徒を描いた「原爆の絵」を収めた写真と並べられるとき、川底に沈澱した被爆の記憶との緊張関係において、現在の風景が時間的な奥行きを帯び始める。

展示作品のなかには、かつての原爆ドームを写真に収めた絵葉書とともに、これと同じアングルで現在の遺構を撮影したものもあった。それによって写真家は、川の街の光景を独特の明るさとともに伝えながら、その空間に時間を引き入れ、想像力が働く隙間を映像のなかに開いている。こうした藤岡の写真は、基本的には現在を鮮明に捉える写真術を突き詰めるなかから生まれていると見られるが、それとは対照的とも言えるアプローチで被爆地とその記憶に迫った写真もある。

二〇一九年に刊行された佐々木知子の写真集『Ground』（tento）は、写真家が長崎の地に宿る記憶に引き込まれるようにして撮り続けた写真を集成したものである。とはいえ、その頁を繰る者がそこに長崎を見いだすのは容易ではない。浦上天主堂の周囲に置かれた首のない聖人像の一つを収めた一枚と、十一時二分を指して止まったままの時計を接写した一枚とを照らし合わせたときに、被爆地で撮られた写真が集められていることをかろうじて感知できるかもしれない。

それどころか、ここに収められた佐々木の写真を見るとき、そもそも「何かの写真」を見ることを可能にする距離を、像とのあいだに保つことはできない。写真家が眼差しを注いだ事物は、他の人々がそこに投影する輪郭を打ち破りながら迫ってくる。これらは、みずからの物質としての実在を、その組成に至るまで露わにしながら、見る者に突きつけている。例えば、先の聖人像の首だけでなく、手の指も

佐々木知子『Ground』より
（上）被曝当時の地層
（下）浦上天主堂の聖人像
2019年

欠けた様子を凝視した一枚は、この石像が長年屋外に晒されてきたことによって生じた肌触りも感じさせる。これによって、それぞれの写真の全体が触覚的な性質を帯びている。

『Ground』に収められた佐々木の写真を見ていると、どこか触れられているような感触を覚えずにはいられない。おおむねそれはざらっとした、摩擦を含んだ感触だが、海とその生き物を撮った写真のように、湿気を含んでぬるっとした感触を与えるものもある。そのような写真の触感は、視線を撥ね返すかのようだ。これを噛みしめながら、事物の肌理（きめ）を辿るように映像の内部へ眼差しを滑り込ませると、そこに染みついた記憶へ想像がかき立てられる。

例えば、毀れた食器が散らばる被爆当時の地層へカメラを向けた写真を見ると、七十余年の時がこびりついたその表面から過去の気配を感じつつ、奥に広がる闇へ引き込まれてしまう。佐々木の写真がそのような力を具えているのは、写真を撮る行為自体を批評的に問いながら、対象の細部へ注意を向けているからだろう。とはいえ、『Ground』においてこのことは、被爆の記憶を含んだ土地の記憶を、それに取り憑かれるように鋭敏に感じ取ることと一つである。情動的な呼応とともに撮影された画像と、そのなかの時間の変調は、この写真集の写真が経験の刻印であることを物語っている。

Ⅳ　抗う言葉を構成する

経験の刻印としての写真。その肌触りは視覚的な連想を遮断する。この瞬間に踏みとどまり、画像のなかへ眼を落とすとき、想起へ誘われる。こうして中断の衝撃が受け止められるなかで初めて、一枚の写真は、ある「何かの写真」であることを越えた作品として立ち現われる。そのためには、言葉が介在しなければならない。ベンヤミンはこのことを、写真に表題――今日で言うキャプション――を付ける技と結びつけているが、同時に表題となる言葉を、写真を「何かの写真」に囲い込むものではなく、むしろ写真の緊張を孕んだ構成を明確化するものと考えている。

ロラン・バルトは、その写真論『明るい部屋』のなかで、写真には、これを何かを写したものとして飼い馴らそうとする関心――これを彼は「ストゥディウム」と呼ぶ――を遮断するかたちで見る者を突き刺す、「プンクトゥム」――それは点であり、かつ尖端でもある――と呼ぶべき要素が潜在していると述べている。ベンヤミンであれば、この要素を写真に穿たれた孔と呼び、そこに連想の「中間休止」をもたらす「表現なきもの」の力が働いていると見るにちがいない。ただし、この中断する力の作用は、感性を揺さぶるものとして証言されなければ、潜在的なままである。

おそらくベンヤミンは、写真に内在する「表現なきもの」の力を証し、飼い馴らしえないその構成を伝えるものとして、写真の表題を考えようとしていたのだろう。それは、ベルトルト・ブレヒトの叙事的演劇の舞台に掲げられ、物語の流れを遮断しながら、場面を一つの静止した像として提示する横断幕にも比せられうるかもしれない。とはいえ、映像の力を受け止める言葉として表題を重視するベンヤミンの議論からまず読み取られるべきは、言説としての批評の意義だろう。それは芸術作品を、ツェランの言う「抗う言葉」を発するものとして構成し、提示する。

たしかに、ここに挙げている芸術作品自体が、すでに批評にもとづいている。例えばビューヒナーの『ダントンの死』にしても、彼がその生きざまを小説に描いたヤーコプ・ミヒャエル・ラインホルト・レンツの『軍人たち』のような戯曲や、フランス革命史などの批評的な読解の産物である。そして、この戯曲の一節を歌詞に用いたリームの音楽作品も、そのテクストの批評と、「情景(シェーナ)とアリア」のような長い伝統を持った楽曲の形式に対する批評的な反省にもとづいて書かれている。

しかし、それによってリームの作品が、彼の劇性に富んだ音楽の展開と、その中断の拮抗を強く響かせ、それとともに鋭い問いを含んだ「抗う言葉」を発していることは、それ自体が知覚の中断の刻印であるような批評の言葉によって証される。写真術の批評的な省察にもとづく佐々木知子の写真が、視線を撥ね返す触感を与えながら、眼を過去へ引き込む力を放っていることも、その力を受け止める批評の言葉によって初めて伝えられるはずだ。批評の言葉。それは作品をその名において呼び、作品の「抗う言葉」を、作品そのものを成り立たせる内実として証言する。

そして、このような批評の言葉が伝わるとき、作品が発する「抗う言葉」も、人々のあいだで分有されるにちがいない。なかには批評に導かれて、じかに作品に接する者も出て来るだろう。それによって、連想を遮断し、神話的な芸術観を拒む作品の力が伝わっていく。このことを、ジャック・ランシエールが論じる「ディセンサス」の概念と結びつけることもできよう。彼によると、「ディセンサス」はまず、一定の現実を社会的に成り立たせている合意ないし共感としての「コンセンサス」——それは文字通りには、感性の共有である——が宙吊りにされ、人々の知覚が攪乱された状態を指している。

V　生に踏みとどまる

こうして感性が揺さぶられる経験を人々のあいだで、その齟齬を含めて照らし合わせることで、現実を社会的に構成する想像力を再編成することから、ランシエールは、政治そのものを捉え直そうとしている。同時に、芸術作品がその契機になりうるとも論じている。彼の『解放された観客』によると、芸術は「ディセンサスの形式」として批判的な力を発揮しうるのだ。そのような彼の議論は、ベンヤミンが「技術的複製可能性の時代の芸術作品」の末尾で、ファシズムによる「政治の審美主義化」に抗して語った「芸術の政治化」にも通じる。

たしかに、ランシエールもベンヤミンも、現代の大衆のなかから複数性を生きる民衆を創造することを政治と捉え、芸術作品が来たるべき民衆の媒体となる可能性――それは、「技術的複製可能性の時代の芸術作品」が書かれた一九三〇年代も、今も革命的な可能性である――を探っている。ただし、二人がその可能性を、何ものの手段にもなりえない芸術の力が発揮されることを前提に考えている点は、けっして忘れられてはならない。これまで見てきたように、とくにベンヤミンは、芸術が批評と緊密に結びつくなかで、そのような芸術の力が作品から発現すると一貫して考えていた。

そのような二人の美学は、今日人口に膾炙している「アートの力」のような言葉の用法を問いただすものと言える。「アートの力」が語られるとき、しばしば一定の社会の姿――たとえそれが将来のものであったとしても――に対する「コンセンサス」が想定され、芸術にはその現実的な形成に奉仕することが期待される。しかし、そこにある見方は、芸術そのものを見誤っている。そのように飼い馴らすことができない力を発揮することこそが、一個の芸術作品を成り立たせるのだ。そして、その力はむしろ「ディセンサス」を喚起し、人々の感性から社会そのものを作り変える契機となる。

こうした作品の力が、言説としての批評を介して伝わり、作品そのものがより広く受容されるなら、集合的な次元でも想像力が拡げられるだろう。例えば、先に挙げたような被爆地の写真が、それが孕む緊張とともに受け止められるならば、すでに「歴史」とされている物語に抗するかたちで死者の経験を想起する想像力が、人々のあいだで分有されるのではないだろうか。ここではその可能性を、ビューヒナーの作品を読み、惨めな被造物への注意深さを語るベンヤミンの著作を参照するツェランの詩論にもとづいて、「抗う言葉」の分有から考えることにこだわっておきたい。

映像作品を含め、批評的な自己省察のなかから生まれた作品は、芸術作品を神話的に美化する見方を突き崩しうる。強い沈黙としても現われうるこのような力を、芸術作品を成り立たせる内実として構成し、伝えるのが、言説としての批評の課題である。それによって、何ものにも従属することのない作品の力が伝わる回路が切り開かれる。そして、時の流れを中断し、感性を揺さぶる力を発揮する内実として作品から聴き取られるべきは今、「抗う言葉」であるほかはない。現在この列島では、権力者が欺瞞に欺瞞を重ねるのに唯々諾々と従う流れによって、生そのものが脅かされているのだから。

東京に響いたリュシールの声は、この振り返ることを知らない流れに「抗う言葉」を発していたはずだ。そして抗うとは、生の脅威に立ち向かうことだけでなく、生きることに踏みとどまること（レジスト）でもある。それはビューヒナーが示したように、何者にも支配されない生を不条理な極限まで慈しむ芸術を突き詰めることにほかならない。さらに、批評によって作品の「抗う言葉」を聴き届けるとは、芸術における根底的な生の肯定を噛みしめることである。このようにして「抗う言葉」を分かち合い、生きることに踏みとどまる活動――ここにあるのは、作品の創造と、それを受け手へ媒介する制作（プロデュース）の営為の緊密な協働である――によって、「魂の陶冶（クルトゥラ・アニミ）」として文化を構成することが、今求められている。

参照資料についての註記

ヴォルフガング・リームのソプラノとオーケストラのための《街路、リュシール》（Wolfgang Rihm, »Eine Strasse, Lucile«: Szene für Sopran und Orchester）に関しては、総譜をウニヴェルザール・エディションのウェブサイトで閲覧できる。作品に関する基本的な情報は、東京交響楽団第六七七回定期演奏会プログラム所載の長木誠司の解説から得た。ゲオルク・ビューヒナーの『ダントンの死』のなかのリュシールの台詞は、岩淵達治の訳（『ヴォイツェク／ダントンの死／レンツ』岩波書店、二〇〇六年）を参考に、原文（Georg Büchner, *Dantons Tod: Ein Drama*, in: *Werke und Briefe Münchner Ausgabe*, München: Hanser, 1988）から翻訳した。「子午線」からのパウル・ツェランの言葉は、飯吉光夫の訳（『パウル・ツェラン詩文集』白水社、二〇一二年）を参考に、原文（Paul Celan, »Der Meridian: Rede anläßlich der Verleihung des Georg-Büchner-Preises, Darmstadt, am 6. Oktober 1960«, in: *Gesammelte Werke* Bd. 3, Frankfurt am Main: Suhrkamp, 1983）から訳した。「写真小史」をはじめここで参照したヴァルター・ベンヤミンの著作の日本語訳は、浅井健二郎編訳『ベンヤミン・コレクション1――近代の意味』（筑摩書房、一九九五年）に収められている。引用に際し、全著作集（*Walter Benjamin Gesammelte Schriften in sieben Bänden*, Frankfurt am Main: Suhrkamp, 1972–1989）所収の原文から翻訳した。広島平和記念資料館の現在の展示の軸の一つをなす「市民が描いた原爆の絵」――被爆した市民が自身の体験を描いた絵画――は、この資料館が編んだ『図録原爆の絵――ヒロシマを伝える』（岩波書店、二〇〇七年）で概観できる。ロラン・バルトの『明るい部屋』とジャック・ランシエールの『解放された観客』に関しては、日本語訳（花輪光訳『明るい部屋』みすず書房、一九八五年、梶田裕訳『解放された観客』法政大学出版局、二〇一三年）を参照した。

付記

本稿の初出は、講談社の文芸誌『群像』二〇二〇年四月号。本書に収録するにあたり、一部の文言に修正を加えた。自足的な「作品」であることを内側から突き崩す中断や沈黙、あるいは孔のような細部が、芸術作品を形づくる思考を伝え、作品を受容する者を立ち止まらせる強度を発揮することに、仮象であることを越えた作品の美を見届けるベンヤミンの美学。これが本稿の議論の出発点にある。ここでは、そのような作品の批評性とも結びついた美が、作品が伝えるものを別の言葉へ翻訳して伝える批評の言説においてこそ見いだされ、それによって消費されて忘れ去られることに抗う言葉が人々のあいだで分かち合われうることを、広島と長崎で撮影された写真にも触れながら、現代の状況における芸術の可能性へ向けて論じた。本稿を執筆する機会を作ってくださった講談社の森川晃輔さんに心より感謝申し上げる。

ここでの議論は、現在の性差別や民族差別、さらにはそれらを背景とする強制労働などの否認と表裏一体の歴史の否認を、あるいは文書の偽造や記録の抹殺を積み重ねながら、命あるものをひと握りの者たちの利権のために使い尽くしていく政治――その問題は今も清算されていない――が続くことに抵抗する契機を人々のあいだにもたらす、政治的であらざるをえない芸術の可能性――それは、ベンヤミンが「芸術の政治化」として考えようとしたものに通じていよう――へも向けられている。忘却を重ねながら絶えず前へ押し流されるなかで立ち止まり、生きることに、いや生き残ることに踏みとどまる場を今ここに開く芸術。それは、歴史の積み重なった現在に生きることを根底から問う作品が具現していよう。作品の力に震えながらその問いを分かち合うなかで、今ここに生きることが掘り下げられ、慈しまれる。このような深い生の肯定こそが、さまざまな背景を持つ人々のあいだで文化を形成していくにちがいない。こうした思考を、戦争が人命を奪い、人々を引き裂いている今、ともに生きることへ向けてどのように深められるかを自問しているところである。

第二部

記憶の詩学

原爆ドームと原民喜詩碑

記憶する言葉へ
——忘却と暴力の歴史に抗して——

詩——それは時間の地層の深部、その黒土が地表に現われるよう、時間を掘り起こす鋤である。

オーシプ・マンデリシタ－ム「言葉と文化」[1]

Ⅰ　数の忘却に抗して

「計量的発想」と「数としてしか死ねなかった悲惨」

ヒロシマは訴える。原子爆弾の被害がどれほど惨かったのかを。もう誰も同じ苦しみを味わってはならないと。それゆえヒロシマは願う。核兵器のない世界を。そして、平和な世界を。さまざまな「平和運動」のなかから、さらには広島のいわゆる「平和行政」からも「世界」へ向けて発せられる、こうして訴え、願う言葉は、同時に広島で被爆して死んでいった一人ひとりを哀悼し、記憶する言葉でありえているか。「ヒロシマ」から訴え、願う身ぶりは、真に犠牲者に応えるものなのか。

このように問う一人に詩人の石原吉郎がいた。彼は一九七二年に公刊された「アイヒマンの告発」というエッセイのなかで、原爆の被害を訴えて核兵器の廃絶を求める身ぶりを「広島告発」と呼び、それが数の大きさを振りかざすことを問題にしている。「私は、広島告発の背後に、『一人や二人が死んだのではない。それも一瞬のうちに』という発想があることに、つよい反撥と危惧をもつ。一人や二人ならいいのか。時間をかけて死んだ者はかまわないというのか。戦争が私たちをすこしでも真実に近づけたのは、このような計量的発想から私たちがかろうじて脱け出したことにおいてではなかったのか」[2]。

そのような石原の問いに対し、広島の地で応答を試みたのは、同じく詩人の栗原貞子だけだった。栗原は約十年の遅れの後に、「知って下さい、ヒロシマを」という詩を書いている。「一人の死を無視するが故に／数を告発するヒロシマを／にくむという詩人Yよ」という呼びかけで始まるこの詩を、栗原は、「広島の大量虐殺は一人一人の死を死ねないで、数としてしか死ねなかった悲惨であることを知ってもらうために書いた」という[3]。

このように書くとき栗原は、原爆を投下する暴力がたんなる「数」としての死を強いることを見据えている。テーオドア・W・アドルノがその哲学上の主著『否定弁証法』のなかでナチスの収容所における死について述べているように、広島の被爆死者に「個人ではなくサンプルとしての死」を強いたうえ、生き残った被爆者たちをも一個の「サンプル」にしていく――原爆障害調査の対象としての「症例」という意味ではまさにそうだ――暴力に抗して、またそうした暴力が他の場所で続くのを食い止めようと詩作を続け、その際、「ヒロシマというとき」という作品が示すように、他者の問いかけに対して耳を開き続けたからこそ、栗原は石原の問いかけに応じえたのかもしれない。[4]

「知って下さい、ヒロシマを」を発表する一九八三年に、石原はすでに世を去っているわけだが、栗原はそれでもなお、シベリアのラーゲリにおける死者を「原点」とし続けた詩人への応答を試みている。[5] もしかすると栗原の応答は、石原にとって納得しうるものではなかったかもしれない。だが、そのように他者からの問いかけを受け止め、自分たちが被った暴力の本質をあらためて見通そうとする栗原の姿勢は、彼女以外の「ヒロシマ」を代表すると称する人々の多くには共有されていなかったように見える。原爆によって殺された一人ひとり、あるいはその記憶を背負って生きることを余儀なくされた一人ひとりへ注意を向けることを忘れた「ヒロシマ」の立場を問いただす石原の言葉は、栗原だけでなく、「ヒロシマ」から「平和」を訴えるすべての人々に向けられているにもかかわらず。

それどころか、数に訴えることが無謬の「実相」の「発信」として神聖化されるなか、世界の叫びに耳を開いて一九四五年八月六日に広島の人々が被ったのと同じ暴力が繰り返されるのを食い止めようとする、おそらくは広島から平和を求めることの実質であるはずの営為が忘れられつつあるようにも見える。被爆地の人々であれば、自分たちがどのような暴力に晒されたかを受け止めてくれるはずと期待して広島を訪れた紛争地の人々が、逆に「被爆地」で起きたことを「学ぶ」よう求められる場合もあると聞く。そもそも、数量的なデータとして目に見えるものを「被害」の「実相」として振りかざし、その「発信」の回数を誇るような身ぶり自体、死者と、死者とともに生きる生き残りの一人ひとりを忘却しながら、人間を数に還元する「計量的発想」の立場を示すものではないだろうか。

戦争の暴力と人種主義的な迫害の暴力の双方に晒された経験を持つ哲学者エマニュエル・レヴィナスの思想を参照するならば、「計量的発想」は、彼が批判する「全体性」を語る立場と親和性を持つ。彼によると、「全体性」の下に組み込まれた一人ひとりは、力の担い手と化して顔を奪われ、数量化されていく。そしてこの「全体性」が姿を現わすのは、国民のすべてを戦う力の担い手に変える総力戦としての戦争においてである。[6] とすれば、「客観的」と称される数を拠り所として「正しい」歴史を伝えようとすること自体、戦争を行なう国家の視点に自己を同一化させること――そのことのうちに「軍都廣島」の回帰を見て取ることもできよう――のようにも見える。

たしかに近代において「歴史」と呼ばれてきたものの多くは、国家の立場から書かれてきた。それが行なった戦争を美化し、一定の版図を支配するに至ったことを正当化する「正史」として。だが、真に平和を願うのだとするなら、ヒロシマの名を口にする者はまず、そのような「正史」にこそ抗して、戦争の犠牲を細やかに記憶し、この神話の支配が続くのを食い止める道筋を探るべきだろう。この試みは、戦争を続けようとする国家の論理を拒絶して、国家の暴力の犠牲になった者が巻き込まれた出来事を想起し、その一人ひとりの顔を再び見いだすところから始まるのではないか。[7] そうして暴力の歴史を見返しながら、戦争の暴力をその本質から批判する必要があるのではないのだろうか。

忘却の大勢順応主義（コンフォーミズム）に抗して想起する

にもかかわらず、「ヒロシマ」を語る人々の多くは、死者と生き残りの一人ひとりとともにある場所からも、アドルノがしたように全体を虚偽として斥ける発想からも、未だ遠いところにいるように思われてならない。[8] このような疑念は、例えば二〇一〇年に広島の平和行政の中枢が「オバマジョリティー・キャンペーン」を繰り広げ、「平和運動」家の一部がそれに同調していたことや、一時は資本と権力の祭典、オリンピックの招致をも画策していたことを思い起こすとき、ますます深まる。[9]「マジョリティー」を称するとは、数と力を頼みにすること以外の何ものでもない。しかもその力とは、今もおびただしい核弾頭を保有し、「テロとの戦争」と呼ばれる新たな形態の戦争を繰り広げてきた権力である。

そのような権力を問いただすのではなく、むしろまったく逆に、この権力に同一化して「世界の多数派」になることで、みずからの訴えに政治的な力を付与しようとするとは、一九四五年に広島の人々が被った暴力の歴史が形を変えながら連綿と続くのに、みずから手を貸すことでしかないはずだ。[10] だとすれば、そのような態度に対しては、「広島を『数において』告発する人びとが、広島に原爆を投下した人とまさに同罪であると断定することに、私はなんの躊躇もない」という石原の厳しい言葉が突きつけられてしかるべきだろう。[11]

「核なき世界」を求める訴えが、皮肉なことに、原子爆弾を投下する位置から、すなわち地上にいる一人ひとりの生の営みが見えない立場からなされようとしている。石原が批判した「ヒロシマ」の忘却は、今やそのような立場に自己を同一化させる大勢順応主義に接近しつつある。このとき、ベンヤミンが第二次世界大戦の破局を目の当たりにしながら「歴史の概念について」のなかで述べているように、「死者たちまでもが安全ではない」[12]。「ヒロシマ」を語る者がみずから破局への道へ歩みを進めるなか、被爆死者一人ひとりの経験が忘れ去られかねない状況が生じているのである。

そこにある危機とは、ベンヤミンによれば、彼が「抑圧された者たちの伝統」と呼ぶ、通常の状態と化した「例外状態」を生きる者たちの伝統、このけっして連続的な物語を形成しえない伝統の危機にほかならない[13]。それは「伝統の存続と伝統の継承者をともに脅かしている」[14]。その危機とは、死者たちの記憶を受け継ぐこと自体が「支配階級に加担してその道具となってしまう危機」なのだ[15]。それに直面するとき、「伝承されてきたものを制圧しようとしている大勢順応主義の手からそれを新たに奪取すること」で、まず「支配階級」の暴力によって「抑圧された者たち」一人ひとりが経験した出来事の記憶が呼び覚まされなければならない[16]。

ただし、ベンヤミンにとって過去の出来事を記憶するとは、意志的な行為だけではありえない。むしろ、「危機の瞬間に歴史の主体に思いがけず立ち現われてくる像を、しかと留めておくことが重要」なのである[17]。それゆえ記憶するとは、自明の現在を起点に時系列に沿って意志的に過去を手繰り寄せることではなく、この時系列が崩壊するような仕方で、他者の生きた出来事に期せずして向き合わされ、それとともに過去と現在が共振する瞬間を捉えて、その記憶を今に呼び起こすことである。だからこそ彼は、一九三二年に手記のようにしたためた「ベルリン年代記」のなかで、「記憶は過去を探索するための道具ではなく、過去の舞台である」と述べているのだ[18]。まさに広島という死者の街について言えるように、「土壌が死せる街々が埋められてある媒体であるように、記憶とは生きられたことの媒体にほかならない」[19]。

これは、「言語が見紛うべくもない仕方で示していること」であるという[20]。生きられたことは、根本的には非随意的な仕方で呼び覚まされる。この想起の瞬間を捉えうるのが言語なのだ。以下に見るように、ベンヤミンは、こうして記憶の媒体となる言語を、そこに記憶がありありと甦る「像」として考察することになるが、そのような記憶する言葉の探究は、彼の思考においては暴力の歴史の彼方を目指す志向と一つになっている。今ここにある生が、暴力の歴史が新たな戦争のかたちで続く状況のなかにあるとするならば、その歴史の連続を断ち切る可能性へ向けて、記憶する言葉を追い求める思考を、忘却にもとづく大勢順応主義に抗して引き受けることには、他者とともにある生存が懸かっている。

II　想起する言葉を探究するベンヤミンの思考

神話としての暴力の歴史に抗する思考

暴力の歴史の彼方を目指すベンヤミンの志向が、暴力そのものの批判と結びついて表われている著作としてまず挙げられるべきは、一九二一年に公刊された「暴力批判論」である。ローザ・ルクセンブルクの死が印づけるドイツでの革命の挫折を目の当たりにしながら書かれたこの論考は、法の暴力のかたちで行使される国家の暴力に批判の照準を絞っている[21]。第一次世界大戦中に徴兵を忌避し続けたベンヤミンは、国家の法的秩序がその国民一人ひとりをまさに法の下で、一定の力を担う数の一つとして戦争へ動員し、国家の自己保存のための道具に変えてしまうことを見抜いていた。

そのような暴力と結びつく法は、本質的に正義と結びつきえない。これはもしかすると「平和」の「構築」を語る言説が見過ごしていることかもしれないが、たとえ現実には法的な秩序のかたちでしか正義が実現されえないのだとしても、法そのものが正義と合致することは原理的にありえない。法の起源にあってその存立を支えているのは、それ自体としては正当化されえない暴力である。法を立てるのは力であり、立法によって一定の権利が保障される一方、そのための権力が法的秩序とともに作動し始め、人間の行動を方向づけるようになる。しかも、このことはやがて自明となる。[22]

こうして法そのものを立ち上げる力の一撃が、さらにはその秩序を維持する暴力が――「暴力批判論」において前者は「法措定的暴力」と、後者は「法維持的暴力」と呼ばれる――忘れられ、法であるがゆえに法に従う状況が生じるとき、法は一つの神話と化すとベンヤミンは見ている。この神話の暴力は、一人ひとりの生をまず、秩序のなかに数え入れられるとともに剝き出しにされる生、すなわち「たんなる生」へ貶めたうえで、ある運命に従属させる。そして、もはや問う余地がない「ただ一つの運命」があるかのように神話に囚われるなか、人は、国家を維持するための「尊い犠牲」になりうるように作り変えられてしまう。[23] このような神話の暴力が剝き出しになるのが、総力戦としての戦争にほかならない。

さらには神話の支配の下、法的な秩序に数え入れられることのないその他者――この他者は、国家の敵であるかもしれないし、「更生」が不可能と見なされた囚人かもしれないし、あるいは救うに値しないと自殺へ追い込まれていく者であるかもしれない——は絶えず抹殺される。[24]その仕組みとしてベンヤミンが挙げるのが、死刑制度である。日本で未だ存続しているこの制度の問題も念頭に、彼は法の暴力として現われる国家の暴力を「神話的暴力」と規定し、この「神話的暴力は、たんなる生に及ぶ、暴力自体のための暴力であり」、それは「犠牲を要求する」と述べている。[25]

そのような「神話的暴力」を批判する議論は、「暴力批判論」において「暴力の歴史の哲学」として展開されている。この「歴史の哲学」とは、暴力の歴史の「終わり」という理念の下、神話的暴力の循環としての歴史を打ち砕こうとする。[26]ベンヤミンはこう述べている。「神話的な法の形式に縛られたこの循環を打破するときにこそ、互いに依存し合っている法と暴力をともに、さらに究極的には国家暴力を廃止するときにこそ、新しい歴史的時代が創出されるのだ」。[27]さらに彼は、暴力の歴史からの出口を切り開き、新たな時代の始まりを告げる力として、「無血」で「法破壊的」な「神的暴力」を要請している。[28]「神的暴力」によって現行法の暴力の支配が解体される地点からこそ、正義が目指されうるのだ。

この「神的」で「生ある者のため」の「純粋な威力」とは、神話的暴力の歴史の連続を断ち切って、一つひとつの「生」——死後の生でもあるような生——を解き放つ力と見ることができる。[29]そう考えるなら、「暴力批判論」の「歴史の哲学」は、その約二十年後に「歴史の概念について」の一連のテーゼに結晶することになる歴史哲学と通底するモティーフによって貫かれていることが浮かび上がってくる。「歴史の概念について」の議論が、第二次世界大戦を目の当たりにしながら目指しているのも、それ自体が破局であるような「進歩」の歴史の連続に抗い、それが中断される「真の例外状態を出現させる」

ことである。それによって、一人ひとりが生きた出来事が神話の軛から解き放たれ、救い出される。[30]

天使の歌が指し示す言葉の姿

このように、破壊と救出によって構成される新たな歴史の構想は、すでに触れたように、過ぎ去った出来事の記憶が甦る場としての言語の探究と一つになっている。そのように歴史哲学が言語哲学と一体となっている点は、第一次世界大戦直後の一連の論考に結実する思考の特徴でもある。このことは、「暴力批判論」のなかで「暴力にはまったく近づくことのできないほど非暴力的な、人間的合意の領域」として「言語」があることが語られていることに示されている。また、言語そのものの可能性を追究する思考は、それが公刊されたのと同じ一九二一年に書かれた「雑誌『新しい天使』の予告」の議論に凝縮されている。[31]この年の春に購入したクレーの水彩画「新しい天使」に触発されて構想され、翌年の発刊が予定されていながら結局刊行されなかった雑誌の創刊号を予告する短文において、ベンヤミンは、彼が考える言語の可能性を文芸の展開として提示すると同時に、彼の言葉についての思考を結晶させた像とも言うべき「天使」を、初めて語り出している。

この天使が「歴史の天使」として「歴史の概念について」のうちに回帰するとき、ベンヤミンの考える言葉が、記憶する言葉であることが浮かび上がることになる。人類を世界戦争による破滅へ駆り立てる「進歩」の「嵐」に必死で抗いながら、過去へ眼差しを向け、破局の歴史を凝視する「歴史の天使」。[32]この天使は瓦礫を拾い上げながら、名もなき死者たちの一人ひとりを、またこの死者たちが経験した出来事の一つひとつを、それ自身の名で呼び出し、その記憶を呼び覚まそうとする。しかも、そのような天使の身ぶりは、言語そのものを、名を呼ぶことから捉え返すベンヤミンの言語哲学の核心を具現させてもいる。そうした言語哲学が凝縮されているのが、彼が一九一六年に書いた最初期の論考の一つ「言語一般および人間の言語について」である。その議論を背景に、雑誌の予告文に天使の像が現われる。

「雑誌『新しい天使』の予告」にベンヤミンが登場させるのは、神の前で賛歌を歌うとともに消滅する儚(はかな)い天使である。彼にとって天使の儚さは雑誌の儚さであり、それは同時に雑誌の「真のアクチュアリティ」の証明なのだ。「ここにこの雑誌の儚さが示されているわけだが、この雑誌はみずからの儚さを最初から自覚している。というのも、雑誌がこうして真のアクチュアリティを手に入れようとするからには、儚さというのはしかるべき報いなのだから。いや、それどころかタルムードの伝説によるなら、天使たちは瞬間ごとに無数の群れをなして新しく創造され、神の前で讃歌を歌い終えると、静まって無のなかへ消え去ってしまうのだ。唯一真実であるそのようなアクチュアリティが雑誌に具わることを、雑誌の名は指し示してほしいものである」[33]。

神の前で歌われる天使の讃歌。それが讃えるのはまず神の創造だろう。神の創造を讃えるとは裏を返せば、地上の被造物のすべてを神の前に呼び出すこと——だからこそ天使は、「瞬間ごとに無数の群れをなして」創造されなければならない——であり、それは被造物の一つひとつの存在を肯定しながら、これを自身の名で呼ぶことにほかならない。ベンヤミンは、このことのうちに「名」という言語の「最も内奥の本質」が表われていると見ている[34]。ただし、天使が歌うのは、被造物の名を天に響かせる讃歌であるとはいえ、彼はその歌から、地上の人間にとって心地よい響きを聴き取ってはいない。「雑誌『新しい天使』の予告」のなかでベンヤミンは、「雑誌の真の使命」を「その時代の精神を証言すること」と規定し、そのために創作と並んで批評と翻訳を柱に据えることを表明しているが、なかでも翻訳を、「生成しつつある言語の欠くべからざる厳格な修練課程」として重視し、詩的な作品の翻訳を論じる「翻訳者の課題」を創刊号に掲載することを予告している。[35] そして、最終的にベンヤミンがドイツ語へ翻訳したボードレールの「パリ情景」を独仏対訳のかたちで出版する際に序文として収録されるこの翻訳論において、翻訳のあるべき姿として提示されているのは、異質な言語で書かれた他者の言葉に沈潜し、その細部に寄り添うことで、これまで自明に用いてきた言語を内部崩壊させるような「字句どおり」の翻訳なのである。[36]

「言語一般および人間の言語について」のなかで述べられているように、ベンヤミンにとって翻訳とはけっして二次的に「外国語」を知らない読者を補助する手続きではなく、言語自体の生成の運動である。翻訳とは、言語そのものを構成する働きなのだ。[37] それぞれの言語は本来、「日本語」のような数え上げられうる一個の言語として固定されうるものではなく、他の言語と応え合いながら生成し続ける。このとき人間は、遭遇する事物の一つひとつの言語に呼応し、それを名づけていく。ここに人間の言語が生まれる。翻訳とは、世界との照応のなかから一つの言葉が発せられる出来事なのである。

しかしながら、地上の世界で現実に用いられる言語は、すでに「日本語」や「ドイツ語」と化して、同類としての人間たちが自分たちのために情報を伝達するための手段へと自己閉塞してしまっている。

そのことが、「言語一般および人間の言語について」においては楽園追放と「バベル」の名に結びつけられている。このとき言語の手段化とは、他の被造物と応え合う関係の喪失にほかならない。そして、それとともに硬直した言語に、世界との呼応関係を思い起こさせ、生成のダイナミズムを取り戻させるためには、情報伝達の円滑な流れをいったん堰き止める必要がある。記号のほとんど自動的な連なりを遮断しなければならないのだ。そのためにも破壊的な言葉遣いが要求されることになる。

法の言葉が記号としての言語の自動的な論理によって語られ、それによって法の暴力が一人ひとりの生を数え上げうる客体として剝き出しにし、それとともに先に論じたような神話的な暴力の歴史が継続していくのだとするなら、「字句どおり」の翻訳のような既成の言語を破壊する言葉遣いはまさしく「法破壊的」でもある。しかも、この破壊的な言葉遣いは、翻訳として他者の言葉に寄り添い、それに応えるものでもある。「字句どおり」の翻訳を語るなかでベンヤミンが指し示しているのは、神話的な「母語」の桎梏を内側から突破し、法の暴力を中断させたところで、他者の語りかけに呼応する言葉の可能性であると考えられる。[38]

破壊的な引用とともに想起する言葉

「法破壊的」でもあるような仕方で他者に応答する回路を切り開く言葉遣いは、一九三〇年代のベンヤミンの思考において、記憶することとの結びつきをいっそう深めていく。その端緒を示すのが、一九三〇年に書かれた「カール・クラウス」である。雑誌『炬火』を一人で刊行し続けていたヴィーンの作家クラウスの言論活動の内実において浮き彫りにしようとするこのエッセイにおいてベンヤミンは、クラウスの引用の技法に注目する。一つの言葉をもとの文脈から引き剝がし、その言葉自身を響かせようとする引用。ベンヤミンによれば、そのなかで「根源と破壊が互いを見いだす」[39]。彼は、引用において言葉の破壊がそれを根源に立ち返らせるという事態を、こう言い表わしている。「引用は言葉をその名で呼び出し、その言葉を文脈から破壊しつつ引き剝がすのだが、まさにそうすることで、引用は言葉をその根源へ呼び戻してもいる」[40]。

ここで言葉をその根源へ呼び戻すとは、それに言語の本質にある名づける力を取り戻させることであろう。だからこそベンヤミンは、「カール・クラウス」のなかで「引用のうちには天使の言語が映し出されている」とも述べているのかもしれない[41]。そして、こうして言葉に自己自身の力を思い起こさせることは、ここでは明確に「法破壊的」な身ぶりと一体になっている。引用を駆使しながら常套句の蔓延を食い止めようとするクラウスの言葉は、正義――おそらくは来たるべき正義――の名において、「法の構築的な両義性に対して破壊的な仕方で停止を命じる」のである[42]。

それは、ベンヤミンの歴史哲学の文脈においては、暴力の歴史の連続を食い止めることである。このことが、「歴史の概念について」に現われる「歴史の天使」の、「進歩」の暴風に立ち向かう姿によって描き出されている。神の創造の言葉を讃える仕方でその被造物一つひとつをその名で呼ぶ「天使の言語」とは、この「歴史の天使」にとっては、死者たちを一人ひとりの名を呼び、過ぎ去った出来事を瓦礫のなかから一つひとつ拾い上げていく言葉にほかならない。この救出する天使の言葉が、ベンヤミンの歴史哲学においては「引用」――それはそのまま「召還する」こと、すなわちかつて起きた出来事を一つひとつ呼び起こし、死者たちの記憶を呼び覚ますことである――と結びつけられている。

ベンヤミンは『パサージュ論』のための覚え書きの一つで、「歴史を書くとは」、既成の支配的な歴史、その神話的な物語の連続性を破壊する仕方で「歴史を引用することである」と述べている[43]。それによって一つの「像」のうちに死者の生きた出来事が呼び出されるのである。こうして、歴史に抗いながらもう一つの「歴史を引用する」ことが、広島では今まさに求められていよう。耳を持たないヒロシマの「発信」に踊ることを止め、そこにある忘却と大勢順応主義に抗して、死者たちの一人ひとりが生きた出来事の記憶を呼び起こすことが求められているのではないだろうか。

そのためにはまず、記憶する言葉、すなわちベンヤミンが「像」と呼ぶ、生きられた出来事がまさにそこに蘇ってくる媒体としての言葉を取り戻さなければならないはずである。そのような言葉は、ベンヤミンが語る天使の歌にも結びつけられうる仕方で歌う言葉、日常言語にとって破壊的ですらあるような強度をもって語られる詩的な言葉でありうるだろう。この詩的な言葉が、文学の遺産とともに広島では忘却されてきたのではないだろうか。被爆の「実相」を語る言説がほぼ全面的に法と科学の言語に回収されることによって、あるいは被爆の記憶を伝える詩的な言葉を継承する場の不在――広島における文学館の不在が象徴するのは、まさにこのことだろう――によって、もしかすると、そうした言葉が「原爆もの」といったジャンルに囲い込まれ、飼い馴らされることによって[44]。

もしかすると、「ヒロシマ」が忘却と大勢順応主義にもとづいて「発信」しうる立場に立つためには、何よりも詩的な言葉の強度と、それを受け止める文化とが抑圧されなければならなかったのかもしれない。だが、こうして詩的な言葉が抑圧され続けるなかに生きることが、今や新たな戦争を続けている権力の「道具」になることと結びつきつつあるとするならば、「抑圧された者たち」、すなわち「数」として死ぬことを強いられたうえに「歴史」によって忘却されてもきた死者たちの一人ひとりに応える記憶の媒体となりうる言葉を語る可能性を、またそれを受け止める文化の可能性を、今ここに切り開こうと試みるべきではないだろうか。そこで、ここでは最後に、ベンヤミンが一つひとつの被造物をその名で呼ぶ天使の言語と結びつけながら「像」と捉える記憶する言葉――それは「表象不可能」な出来事の記憶の媒体でもある――を、詩的な言葉のうちに求め、その可能性を、みずからの詩を記憶の場とすることを求め続けたパウル・ツェランと原民喜の詩作のうちに見届けることにしたい。

III　記憶する媒体としての詩的言語

パウル・ツェランの想起としての詩作

記憶とは、過去が保存されている場所ではなく、過ぎ去ったことが甦ってくる場、「舞台」であり、このことは言語が証明している。そのように論じるベンヤミンの「ベルリン年代記」の一節では、「埋もれた自分の過去に接近したいと思う者は、掘削をこととする男のように振る舞わなければならない」とも語られている。[45] 過去を記憶するとは、埋もれた出来事の一つひとつを、支配的な物語の層をこじ開けて掘り起こし、死者たち一人ひとりの記憶を呼び覚ますことなのだ。忘却と暴力の歴史の流れに抗いながら。とすれば、ベンヤミンの想起論は、先に引いた石原吉郎のエッセイに見られる、「私たちがいましなければならないただひとつのこと、それは大量殺戮のなかのひとりの死者を掘りおこすことである」という言葉とも呼応する。[46]

ベンヤミンが、過去の記憶が掘り出される場として言語を捉えていたように、石原は一人の詩人として、みずからの言葉のうちに「ひとりの死者」の記憶を掘り起こそうとしたわけだが、ツェランもまた、詩の言葉のうちに死者たちの記憶を掘り起こそうとしている。彼は、詩を「時間の地層の深部、その黒土が地表に現われるよう、時間を掘り起こす鋤である」と定義するマンデリシタームの言葉に呼応して、「黒土」という詩を書いているのである。[47] 黒土、それはツェランの故郷チェルノヴィッツ〔現在はウクライナのチェルニウツィー〕の大地をなしてもいる豊富な腐食質を含んだ黒い土壌であるが、この肥沃な土について彼は、「黒土、黒い／土であるお前、時刻たちの／母／絶望――」と語っている。[48]

この一節に含まれる「時刻たちの／母」という表現が、ベンヤミンも『ドイツ悲劇の根源』の「認識批判的序説」で引用しているゲーテの『ファウスト』第二部の「母たち」を念頭に置いているのだとするならば、黒土は時の流れのなかに場所を持たない。[49]『ファウスト』第二部では、この「母たち」の「周りには場所はなく、まして時間もない」と語られている。[50] しかも黒土に覆われたチェルノヴィッツは、ツェランにとって、収容所で殺された母親をはじめとする死者たちの場所と言える。こうしたことを考え合わせるなら、黒土とは、死者たちの記憶が生きられたままに保存されている場、ということは死者たちの傷が癒えることのない場ということになろう。それをツェランは掬い上げようとする。一つの「絶望」を抱いて、手に傷を負いながら。「手とそしてその手の／傷からお前に／生まれたものが／お前の萼を閉じる」[51]。記憶の黒土を包みうるのは、生者が自分のために語る歴史ではけっしてなく、みずから傷を負うような仕方で死者の一人ひとりに応答するなかから「お前に／生まれたもの」だけなのだ。

こうしてツェランは、死者たちの生きた出来事の傷が今も疼き続けている地層を指し示し、そこにある黒土を「手」で、すなわちマンデリシタームの言う「時間を掘り起こす鋤」としての詩の言葉で掘り起こして、傷の記憶を響き出させようとするのである。このとき、言葉自身が傷を負うことになる。ツェランは、母語にして殺戮者の言語であるドイツ語をあえて詩作の言語として選びながら、それが意思疎通の手段として用いられる際の流れを壊し、言葉そのものを沈黙へ近づけていかざるをえない。

ここに引いた「黒土」にしても、そうした息遣いを示していよう。何らかの情報を伝える手段としての言語――「ドイツ語」という言語――が静まる地点で、死者たち一人ひとりが生きた出来事の記憶が、その出来事を名づける言葉のうちに呼び覚まされるのだ。ただし、ここで忘れてはならないことは、かつて起きた、だが未だ過ぎ去っていない出来事の命名が、死者たちの眼差しに応える仕方で行なわれていることである。ベンヤミンが語る「字句どおり」の翻訳のように、死者に細やかに応えるなかで、ドイツ語が内側から突き崩され、それとともに記憶の媒体としての詩的な言語が生成するのである。

実際ツェランは、みずからの詩のうちに幾度も死者の眼差しを刻印している。その形象として挙げられるのが「アーモンド」である。彼の第一詩集『罌粟と記憶』の掉尾(ちょうび)に置かれた「アーモンドを数えよ」

では、「アーモンド」の実が死者たちの目に重ねられるとともに、その実を噛みしめる際の苦みのうちに、死者たちが目覚めようとしている。「アーモンドを数えよ、／数えよ、苦く、そしてお前を生き生きと目覚めさせていたものを、／ぼくをそれに数え入れよ――」[52]。このように自然の形象のうちに死者の眼差しを感知する経験は、原民喜の「鎮魂歌」にも書き込まれている。その語り手「僕」は、広島に原子爆弾が投下される一年近く前に病死した原の妻と思われる「お前」の眼差しを「楓の若葉」のうちに見て取っているのである。「その若葉のなかには死んだお前の目なざしや嘆きがまざまざと残ってゐるようにおもへた」[53]。

原民喜の「鎮魂歌」

「僕」は立ち止まり、死者の眼差しに応えながら、その「嘆き」に身を開こうとする。このとき死者は「お前」だけではない。「僕」は、原子爆弾によって殺された無数の死者一人ひとりの「嘆き」をも、「お前」の「一つの嘆き」と等しく、自己自身を貫いて響かせようとするのである。それが未だ「まざまざと残ってゐる」ままに。「僕をつらぬくものは僕をつらぬけ。僕をつらぬくものは僕をつらぬけ。一つの嘆きよ、僕をつらぬけ。無数の嘆きよ、僕をつらぬけ」[54]。そうして自分自身を傷の記憶が甦る場にするとき、「僕」はもはや「ここ」だけに生きているのではない。ツェランが「ぼくをそれに数え入れよ」と歌ったように、死者たちの列に加わり、死者とともにあろうともしている。だからこそ、先に引用した一節に続いては、次のような、日常言語の論理からすれば撞着しているとしか言いようのない表現が現われるのだ。

「僕はここにゐる。僕はこちら側にゐる。僕はここにゐない。僕は向側にゐる」[55]。

だが、この論理のうえでは矛盾を含んでいる表現は、何よりもまず、今ここに生きることと、死者たちの許にあることとのあいだで引き裂かれる経験から発せられる言葉の強度においてこそ、受け止められるべきであろう。「こちら側にゐる」ことと「向側にゐる」ことのあいだにみなぎる緊張を引き受けるなかでこそ、「僕」を貫いて死者たちの声が響き出てくるのである。ちょうどベンヤミンが語る「過去の像」が、「弁証法的像」として、過去と現在の緊張に満ちた布置において、かつて生きられた出来事の記憶を呼び覚ますように[56]。いや、原の「鎮魂歌」という作品はそれ自体として、このような「過去の像」が立ち現われるのが生きられる、強度に満ちた経験を物語っているのかもしれない。

このような経験の時間は、もはや通常の生の時間の流れには属さない。その流れからすればむしろ中断した時間と言うべきであろう。「僕」が「楓の若葉」のうちに見た死者の目は、時の流れを断ち切る世界の裂け目なのだ。それを目の当たりにして以来、「僕」は「生の割れ目」に目覚めてしまう。「……あの頃から僕は人間の声の何ごともない音色のなかにも、ふと断末魔の音色がきこえた。面白さうに笑ひあつてゐる人間の声の下から、ジーンと胸を潰すものがひびいて来た。何ごともない普通の人間の顔の単純な姿のなかにも、すぐ死の痙攣（けいれん）や生の割れ目が見えだして来た。いたるところに、あらゆる瞬間にそれらはあつた」[57]。

世界の裂け目からは、死者たちの嘆きの声が次々に湧き上がり、「僕」に眠ることを許さない。「僕はもう何年間眠らなかつたのかしら」[58]。「僕」は、「剝ぎ取られた世界の人間」として、ベンヤミンの言う「目覚めの瞬間」――彼は『パサージュ論』のための草稿で、世界を華々しく現前させるヴェールが剝ぎ取られ、その廃墟としての相貌に向き合わされる「目覚めの瞬間」こそ、かつて起きたことの「認識が可能となる今」だと述べている――を生き続けることになるのだ。[59]「僕」は目覚めたまま、その瞬間を生き抜こうとする。そうして「鎮魂歌」を書こうとするのである。「久しい以前から、既に久しい以前から、鎮魂歌を書かうと思ってゐるやうなのだ」。[60]

原の「鎮魂歌」は、通常の意味での死者の魂を鎮める歌――むしろそれは生者の魂を鎮めるためにある――ではありえない。それは、鎮められることのなかった無数の魂の嘆きが、その傷の痛みが癒えることのないままに響き出るところから歌い始められる。ということは、この「鎮魂歌」という歌はまず、言語を絶する出来事の記憶が、言葉を越えた姿のままに呼び覚まされるところにある。これをベンヤミンが「過去の像」と呼ぶ、表象不可能なものの像であり、かつ表象であることをみずから越えていくような一つの像と見ることもできよう。そこに過去が絶えず新たに甦るのだ。原の「鎮魂歌」は、言葉がこのような像として、記憶する媒体でありうる可能性を暗示する作品ではないだろうか。

このような詩的な作品の可能性を、この「鎮魂歌」をはじめとする原の作品からさらにつぶさに読み取り、また原の作品を、ツェランをはじめとする、記憶の媒体としての詩の言葉を追い求めた詩人たちの作品との布置において、さらには既成のジャンルの境界をも乗り越えるかたちで読み解くことで、「時間を掘り起こす鋤」としての記憶する言葉の姿が見通されるはずである。この記憶する言葉を手にするとき、広島の中心部を覆う白いコンクリート――それが何を象徴しているのかは今や明らかだろう――

の下に埋もれてしまっている記憶の黒土に近づけるにちがいない。その黒土を、原の「鎮魂歌」のような仕方で、すなわち無数の死者の一人ひとりに寄り添う仕方ですくい上げ、大勢順応主義にもとづく忘却に抗して「抑圧された者たち」の非連続的な伝統を受け継ぐときに初めて、今なお続く暴力の歴史に立ち向かう足がかりが得られるだろう。

註

1　オーシプ・マンデリシターム『言葉と文化——ポエジーをめぐって』斉藤毅訳、水声社、一九九九年、二一頁。

2　石原吉郎『海を流れる河』花神社、一九七四年、一一頁。なお、「アイヒマンの告発」の初出は、『ユリイカ』（青土社）一九七二年十一月号。その表題は以下の言葉に由来する。「『百人の死は悲劇だが、百万人の死は統計だ。』これはイスラエルで、アイヒマンが語ったとされることばだが、ジェノサイドをただ量の恐怖としてしか告発できない人たちへの、痛烈にして正確な解答だと私は考える」。前掲書、一二頁。

3　『栗原貞子全詩篇』土曜美術社出版、二〇〇五年、四二二頁。石原の問いかけとそれに対する栗原の応答の存在を教えてくれたのは、川本隆史である。記して感謝申し上げる。

4　アドルノは『否定弁証法』のなかの「形而上学についての省察」において、収容所における「サンプル」としての死について語っている。Theodor W. Adorno, *Negative Dialektik*, in: *Gesammelte Schriften* Bd. 6, Frankfurt am Main: Suhrkamp, 1997, S. 355. 日本語訳は、テオドール・W・アドルノ『否定弁証法』木田元他訳、作品社、一九九六年、四三九頁。なお、ここで「〈ヒロシマ〉といえば／血と火のこだまが返って来るのだ」と語る栗原の「ヒロシマというとき」（『栗原貞子詩集』土曜美術社、一九八四年、四一頁）の内実を検討することはできないが、その詩の初出も、石原の「アイヒマンの告発」と同じ一九七二年のこと。栗原には、ABCC（原爆障害調査委員会）の調査サンプルにされた原爆被害者の二度目の「被曝」を語る「被曝」という詩もある。前掲『栗原貞子詩集』、九〇頁。

5 「原点へ置きのこした一人の死者という発想を私に生んだのは、いうまでも広島ではない。その発想を私にしいたのは、シベリアのラーゲリである。だがこの発想が私にあるかぎり、広島は私に結びつく。そしてそれ以外に、広島と私の接点はない」。石原、前掲書、一三頁。

6 「戦争において存在が示す面貌は、西洋哲学を支配する全体性という概念で捉えられる」。エマニュエル・レヴィナス『全体性と無限――外部性についての試論』藤岡俊博訳、講談社、二〇二〇年。

7 そのような思考の道筋を、広島を遊歩し、地を這う眼差しで凝視するなかから示すものとして、以下の論考を参照。東琢磨『ヒロシマ独立論』青土社、二〇〇七年。

8 よく知られているようにアドルノは、亡命先のカリフォルニアにおける第二次世界大戦の戦火を遠目に見ながらの亡命者の「傷ついた生活裡の省察」、『ミニマ・モラリア』のなかで、「全体は真ならざるものである」（Th. W. Adorno, *Minima Moralia*, in: *Gesammelte Schriften* Bd. 4, S. 55. 日本語訳は、テーオドル・W・アドルノ『ミニマ・モラリア』三光長治訳、法政大学出版局、一九七九年、六〇頁）と語っているが、広島においてその洞察は、軍都廣島の省察をつうじて、戦争を遂行する力としての全体性の批判へ結びつくべきだったはずである。にもかかわらず、広島で被爆を――強制連行された中国や朝鮮半島出身の人々の被爆を含め――総力戦としての戦争の帰結として捉える方向性が希薄であることは、早くから指摘されている。例えば、以下の論考を参照。橋本学「広島の平和姿勢を問う――被爆四十五年を迎えたヒロシマの現状」、『月刊状況と主体』一七七号、谷沢書房、一九九〇年九月、四二頁以下。

9 「オバマジョリティー・キャンペーン」は、二〇〇九年八月六日に広島の平和祈念式典で秋葉忠利広島市長〔当時」が行なった「平和宣言」のなかで、プラハ演説で『核兵器のない世界』実現のために努力する『道義的責任』を表明したというアメリカ合州国のオバマ大統領〔当時〕を「支持し、核兵器廃絶のために行動する責任」を強調するため、「世界の多数派である私たちを『オバマジョリティー』と」呼ぶと述べたのに端を発して、広島市当局を中心に繰り広げられた。市長の記者会見の背景のボードには「Obamajority」と大書され、そのロゴをプリントしたTシャツが平和記念資料館で売られるといったかたちで、キャンペーンは顕在化することになる。このキャンペーンそのものは、市長が松井一實に交代したのに伴って終熄したが、それを可能にした大勢順応主義的な心性は今も脈々と息づいていると考えられる。なお、秋葉市長時代の二〇〇九年十月には、東京で開催された二〇二〇年の夏季五輪の招致を広島と長崎が合同で目指す「広島・長崎オリンピック構想」が発表され、二〇一一年に松井市長の下でこの構想が断念されるまで、五輪招致活動が繰り広げられていた。これについては、二〇一〇年十二月一日付の朝日新聞に掲載されたインタヴュー記事「広島は自律的思考を」で批判を加えたことがある。

10　この問題については以下の拙論でより具体的に論じている。「アメリカ、オキナワ、ヒロシマの現在へ――ヒロシマ平和映画祭二〇〇九への導入」、『パット剝ギトッテシマッタ後の世界へ――ヒロシマを想起する思考』インパクト出版会、二〇一五年。

11　石原、前掲書、一三頁。

12　Walter Benjamin, »Über den Begriff der Geschichte«, in: *Gesammelte Schriften* Bd. I, Frankfurt am Main: Suhrkamp, 1974, S. 695. 日本語訳は、ヴァルター・ベンヤミン「歴史の概念について」、山口裕之編訳『ベンヤミン・アンソロジー』河出書房新社、二〇一一年、三六四頁。

13　Ibid., S. 697. 前掲訳書、三六六頁。

14　Ibid., S. 695. 前掲訳書、三六四頁。

15 Loc. cit. 同所。

16 Loc. cit. 同所。

17 Loc. cit. 同所。

18 Idem, »Berliner Chronik«, in: *Gesammelte Schriften* Bd. VI, 1986, S. 486. 日本語訳は、W・ベンヤミン「発掘と追想」、浅井健二郎編訳『ベンヤミン・コレクション6――断片の力』筑摩書房、二〇一二年、一九九頁。なお、同書に含まれる「ベルリン年代記」の日本語訳では、この「〈心象〉風小品集」の一つとほぼ文章が同じであることから、訳文が省略されている。

19 Loc. cit. 同所。

20 Loc. cit. 同所。

21 「暴力批判論」を一九一九年に殺害されたローザ・ルクセンブルクに捧げられた論考として読み解く試みとして、以下を参照。市野川容孝『社会』岩波書店、二〇〇六年、四六頁以下。

22 この点については、ベンヤミンの「暴力批判論」の影響の下で書かれ、かつそれについての脱構築的な批評を含む、ジャック・デリダの『法の力』(堅田研一訳、法政大学出版局、一九九九年)も参照。

23 W. Benjamin, »Zur Kritik der Gewalt«, in: *Gesammelte Schriften* Bd. II, 1977, S. 187. 日本語訳は、W・ベンヤミン「暴力の批判的検討」、前掲『ベンヤミン・アンソロジー』、五二頁。

24 この点を、「生きさせるか、死のなかへ廃棄する」生=権力のありようと接続させて論じることは、「暴力批判論」の潜在力を今ここに引き出すうえで有効な方途の一つと考えられる。これについては、ミシェル・フーコーの『性の歴史I――知への意志』(渡辺守章訳、新潮社、一九八六年)の第五章「死に対する権利と生に対する権力」を参照。

25 W. Benjamin, op. cit., S. 199f. 前掲訳書、七二頁。

26　Ibid., S. 202. 前掲訳書、七七頁。
27　Loc. cit. 同所。
28　Ibid., S. 199. 前掲訳書、七二頁。
29　Ibid., S. 200. 前掲訳書、七三頁。
30　W. Benjamin, »Über den Begriff der Geschichte«, S. 697. 前掲「歴史の概念について」、三六六頁。
31　Idem, »Zur Kritik der Gewalt«, S. 192.「暴力の批判的検討」、六〇頁。
32　Idem, »Über den Begriff der Geschichte«, S. 697f.「歴史の概念について」、三六七頁。
33　Idem, »Ankündigung der Zeitschrift: *Angelus Novus*«, in: *Gesammelte Schriften* Bd. II, S. 246. 日本語訳は、W・ベンヤミン「雑誌『新しい天使』の予告」、浅井健二郎編訳『ベンヤミン・コレクション４――批評の瞬間』筑摩書房、二〇〇七年、二四頁。
34　Idem, »Über Sprache überhaupt und über die Sprache des Menschen«, in: *Gesammelte Schriften* Bd. II, S. 144. 日本語訳は、W・ベンヤミン「言語一般について、また人間の言語について」、前掲『ベンヤミン・アンソロジー』、一四頁。
35　Idem, »Ankündigung der Zeitschrift: *Angelus Novus*«, S. 243. 前掲「雑誌『新しい天使』の予告」、一八頁。なお、一九二一年十一月八日付のゲルショム・ショーレム宛書簡によると、『新しい天使』創刊号のために、すでに「フリッツ・ハインレの遺稿より／ヴォルフ・ハインレの詩ほか／〔フローレンス＝クリスティアン・〕ラングの「謝肉祭」／〔シュムエル・ヨセフ・〕アグノンの「シナゴーグ」／ぼくの「翻訳者の課題」」の原稿が集まっていて、他にアグノンの小説がもう一篇とショーレムの散文が掲載を予定されている。Idem, *Gesammelte Briefe* Bd. II, Frankfurt am Main: Suhrkamp, 1996, S. 207. 日本語訳は、『ベンヤミン著作集１４――書簡Ｉ１９１０―１９２８』晶文社、一九七五年、一四九頁以下。

36 Idem, »Die Aufgabe des Übersetzers«, in: *Gesammelte Schriften* Bd. IV, 1972, S. 17. 日本語訳は、W・ベンヤミン「翻訳者の課題」、前掲『ベンヤミン・アンソロジー』、一〇二頁。

37 この言語論のなかでベンヤミンは、「翻訳の概念を言語理論の最も深い層において根拠づけることが必要不可欠である」と述べている。Idem, »Über Sprache überhaupt und über die Sprache des Menschen«, S. 151. 前掲「言語一般について、また人間の言語について」、二五頁。

38 ベンヤミンが「字句どおりの」翻訳と呼んでいるのは、他の言語の異質さをもう一つの言語のうちに取り出してくることで、他の言語とともにみずからの「母語」を断片化し、他の言語に応える可能性——異質な言語が応え合うことが、それぞれの言語を「名」の言語としての「純粋言語」へ近づけるのだ——へ向けて、一つの「自然」ですらあるような「母語」の呪縛を乗り越える翻訳にほかならない。「異質な言語のうちに束縛されているあの純粋言語を、みずからの言語のうちに救済すること、作品のうちに囚われているものを改作のうちに解き放つこと、これが翻訳者の課題にほかならない。この課題のために、翻訳者は、固有の言語の朽ちた柵を打ち破る」。Idem, »Die Aufgabe des Übersetzers«, S. 19. 前掲「翻訳者の課題」、一〇六頁。

39 Idem, »Karl Kraus«, in: *Gesammelte Schriften* Bd. II, S. 363. 日本語訳は、W・ベンヤミン「カール・クラウス」、前掲『ベンヤミン・アンソロジー』、一六三頁。

40 Loc. cit. 同所。

41 Loc. cit. 同所。

42 Ibid., S. 367. 前掲訳書、三七〇頁。

43 Idem, *Das Passagen-Werk*, in: *Gesammelte Schriften* Bd. V, 1982, S. 595. 日本語訳は、W・ベンヤミン『パサージュ論三』今村仁司他訳、岩波書店、二〇二一年、二四八頁以下。

44 こうした問題が指摘されたのが、二〇〇九年八月末に広島大学で開催された戦後文化運動合同研究会と原爆文学研究会の合同の研究会「〈広島／ヒロシマ〉をめぐる文化運動再考——「つながり」と想像力の軌跡」、とりわけそこでの水島裕雅と東琢磨の報告だった。この点について以下の拙稿を参照。「飼い馴らされることのない詩と批評の力を今ここに——合同研究会『〈広島／ヒロシマ〉をめぐる文化運動再考』に参加して」、原爆文学研究会編『原爆文学研究』第八号、花書院、二〇〇九年。

45　W. Benjamin, »Berliner Chronik«, S. 486.「発掘と追想」、一九九頁。

46　石原、前掲書、一三頁

47　以下の注釈付き全詩集所載のバーバラ・ヴィーデマンの注釈を参照。Paul Celan, *Die Gedichte: Kommentierte Gesamtausgabe in einem Band*, herausgegeben und kommentiert von Barbara Wiedemann, Frankfurt am Main: Suhrkamp, 2005, S. 689.

48　P. Celan, »Schwarzerde, ...«, in: *Die Gedichte*, S. 141. 日本語訳は、『パウル・ツェラン全詩集Ⅰ』中村朝子訳、青土社、一九九二年、三八八頁。引用もこの中村訳にもとづいている。

49　W. Benjamin, *Ursprung des deutschen Trauerspiels*, in: *Gesammelte Schriften* Bd. I, S. 215. 日本語訳は、W・ベンヤミン『ドイツ悲哀劇の根源』岡部仁訳、講談社、二〇〇一年、二六頁。

50　Johann Wolfgang von Goethe, *Faust: Eine Tragödie*, in *Goethe Werke* Bd. 3, München: Hanser, 1998, S. 215. 日本語訳は、ヨハン・ヴォルフガング・フォン・ゲーテ『ファウスト　悲劇』手塚富雄訳、中央公論社、一九七一年、二一一頁。

51　P. Celan, *Die Gedichte*, S. 141.『全詩集Ⅰ』、一四一頁。

52　P. Celan, »Zähle die Mandeln«, in: *Die Gedichte*, S. 53. 日本語訳は、前掲『全詩集Ⅰ』、一二〇頁。引用はここでも中村訳にもとづいている。

53　原民喜「鎮魂歌」、『新編原民喜詩集』土曜美術社出版、二〇〇九年、九五頁。

54　原「鎮魂歌」、一一五頁。

55　同所。

56　ベンヤミンは『パサージュ論』のための覚え書きの一つで、「弁証法的像」についてこう述べている。「過去がその光を現在に投射するのでも、また現在が過去にその光を投げかけるのでもない。そうではなく、像のなかでこそ、かつてあったこととこの今が閃くようにして布置を形成するに至る。言い換えれば、像とは静止状態にある弁証法である。なぜなら、現在が過去に対して持つ関係は、純粋に時間的で連続的であるが、かつてあったことがこの今に対して持つ関係は弁証法的である。経過ではなく像であり、飛躍を含んでいるのだ。——ただ弁証法的像のみが、真の（つまり擬古主義的ではない）像である。そして、この像と出会う場、それは言語である」。W. Benjamin, *Das Passagen-Werk*, S. 576f. 前掲『パサージュ論三』、二〇九頁。止揚されることなき「静止状態にある弁証法」を体現する「像」の概念について、以下の拙著の第六章も参照されたい。『断絶からの歴史——ベンヤミンの歴史哲学』月曜社、二〇二一年。本稿の議論は「この像と出会う場、それは言語である」というテーゼを、詩的言語と結びつけて展開させたものと言える。

57　原「鎮魂歌」、一一七頁。

58　原「鎮魂歌」、九〇頁。

59　原「鎮魂歌」、一二六頁。W. Benjamin, *Das Passagen-Werk*, S. 608. 前掲『パサージュ論三』、二七五頁。

60　原「鎮魂歌」、一二五頁。

付記

本稿の初出は、東琢磨、川本隆史、仙波希望編『忘却の記憶　広島』（月曜社、二〇一八年）であるが、当初の原稿は二〇〇九年から翌年にかけて書かれている。まさにその頃、広島市によって「オバマジョリティー」キャンペーンと五輪招致活動が繰り広げられていた。そのなかで「被爆の実相」を目に見えるかたちで「世界へ発信」することばかりが称揚されたり、それとともに詩的な言葉が「原爆に遭う」ことの内実に迫ってきたことが忘れられつつあったりすることに対する危機感が、本稿の議論には色濃く表われている。本書に収録するにあたり、各節の表題を変更し、節を二、三のセクションに分けた。さらに註の文献情報を更新し、ドイツ語の文献からの引用註には、日本語訳の情報も加えた。措辞や改段に変更を加えたところもある。ただし、全体の趣旨に関わる部分には手を加えていない。

本稿の議論には生硬なところが残るが、二〇二一年の夏にIOC会長のトーマス・バッハを「歓迎」するに至る背景にある、その十年ほど前の動きと、これに反応した思考を記録する意味でも本書に収録した次第である。これを執筆したことで、以下に表われる詩的言語への関心が深まった。なお、本稿の議論の一部に、以下の拙稿と重なるところがあることをお断わりしておく。「〓の詩学試論――ベンヤミンにおける『〓』の形象を手がかりに」、広島大学総合科学研究科人間存在研究領域人間文化研究会編『人間文化研究』第六号、二〇一四年三月。広島における文学館の不在をはじめ、本稿で触れたいくつかの問題は、以下の拙著で詳しく論じた。『パット剝ギトッテシマッタ後の世界へ――ヒロシマを想起する思考』インパクト出版会、二〇一五年。

言葉を枯らしてうたえ

——吉増剛造の詩作から〈うた〉を問う——

はじめに

吉増剛造さん、お集まりのみなさま、こんにちは。ご紹介にありましたようにヴァルター・ベンヤミンの思想を中心に、二十世紀のドイツ語圏の哲学と美学を研究しております。本日、かねてより尊敬している詩人の吉増剛造さんを前に、こうしてお話する機会をいただいたことを、身に余る光栄と感じております。このような素晴らしいシンポジウムの場を用意してくださった李静和（りい・ぢょんふぁ）さんはじめ、成蹊大学アジア太平洋研究センターの関係者のみなさまに、まずは心より感謝申し上げます。最初に白状しますと、「吉増剛造の『仕事』から出発して」というテーマの下で充分なお話ができるかどうか、少々心許ないところがございます。と申しますのも、これまで吉増さんの詩作には、いくつかの詩集と対談書をつうじて、ごく断片的に触れてきたにすぎません。それに、昨年は春からずっとベルリンに研究滞在していたために、映像作品を含む吉増さんの多岐にわたるお仕事を伝えた、東京国立近代美術館での展覧会も見逃してしまいました。そのため、吉増さんの世界にはまだまだ不案内なところがございます。

とはいえ、（二〇一七年）二月上旬にベルリンから広島へ戻った後、昨年刊行された『怪物君』と『我が詩的自伝――素手で焔をつかみとれ！』を併せ読みながら、あるいは以前に読んだ市村弘正さんとの対談書――正確には「対座」の書ですが――『この時代の縁で』などを読み返しながら、吉増さんの詩作に触れるなかで拙いながら考えたことを、これまでベンヤミンなどを読みながら考えてきたことと結びつけながら、「カタストロフィと詩」というテーマに寄せて少しお話できるのでは、と思えるようになりました。これらのお仕事の随所に、ベンヤミンの思考のモティーフへの言及が見られることは、言うまでもなく非常に興味深かったのですが、それ以上に、吉増さんの詩作と、言語そのものをその可能性において捉えようとするベンヤミンの思考とが、内的に呼応し合っているように思われる点に、興味を惹かれました。[1]今日はその点を〈うたう〉こととも絡めながら掘り下げることによって、カタストロフィの後の詩的な言葉の余地を――あるいは、息を巡らす回路を、と言うべきかもしれません――探ることができればと考えております。

吉増さんの最近のお仕事を読んでいて、もう一つとても興味をそそられたのが、原民喜の詩に触れておられるところです。『怪物君』には、彼の作品への言及が見られますし、その掉尾近くに差し挟まれた対話のなかでは、「白桃」が「仕方ないわよ、私の故郷は、広島の傍」と語り、それに「オリーブ」が、「原民喜ノ本バカリ、Marseilleで読んでたのね」、と応じています。[2]個人的に原民喜の詩は、広島に拠点を置きながら仕事をするなかで、最も大切にしておりまして、それをまた読み返さなければと思っていたところでした。それに、三年前のことになりますが、ここ何年か顔を出させてもらっている原爆文学研究会という研究会のなかで行なわれた、奇しくも今日とまったく同じ「カタストロフィと〈詩〉」というテーマのワークショップにおいて、原民喜の詩とパウル・ツェランの詩を、アウシュヴィッツとヒロシマの名で象徴される破局の後の詩の可能性へ向けて照らし合わせる試みを示しております。[3] ここでは、その際にお話したことを少し振り返りながら、吉増さんのお仕事を、これらの詩人の作品と照らし合わせてみたいとも思っております。

そのことをつうじて、東日本大震災が起きてちょうど六年となり、福島第一原子力発電所の過酷事故の発生からも六年になろうとする日に、被災した人々の生活を根こそぎにしたのみならず、生命そのものをも根底から危険に晒すことになったこれらの破局の後で、言葉を紡ぐことによって、他者たちのあいだで、そして死者たちとともに生きていく余地を開くという、私一人ではとても担いきれない思考の課題の一端を担う道筋を探るというのが、今日のお話の意図するところです。この試みが、今さらに重要になりつつあるという感触もあります。と申しますのも、一時帰国から数えると約半年ぶりに日本へ帰って来たら、社会がさらに息苦しくなっている印象を拭うことができないからです。そのありさまは、ベンヤミンが第一次世界大戦のさなかにマルティン・ブーバーに宛てた書簡のなかで、「手段として扱われる」言葉は「蔓延って」いくばかりだと述べていたことを思い起こさせます。この列島の人々は、情報伝達の手段としてばらまかれた、何も語らない空疎な言葉によって囲繞(いにょう)され、以前にも増して内側から締め上げられ、駆り立てられている気がしてなりません。

詩は壊滅する

ベンヤミンは、先のブーバー宛の書簡のなかで言葉の手段化を批判しながら、言葉そのものの姿をドイツ語の **un-*mittel*-bar** という語で捉えようとしています。

> 書かれた言葉は総じて、詩的に、予言的に、また事柄にそくして理解できるとはいえ、その働きに関して言えば、いずれにしても魔術的に、すなわち非＝手段／媒介＝的（un-*mittel*-bar）にしか理解できません。〔中略〕手段として扱われるなら、言葉は蔓延っていきます。[4]

この語は、言葉がそれ自体としては何かの「手段（ミッテル）」にはなりえないことと、みずからを非媒介的に、すなわち「直接（ウンミッテルバー）」に語り出すこととを、一つながらに言い表わしています。言葉は、おのずから発せられるのです。この根源的な自由の出来事において、語ることと、広い意味で〈うたう〉こととが結びつきうるのではないでしょうか。しかも、ベンヤミンによると、そこにあるのは世界との照応（コレスポンデンス）です。先の書簡のおよそ四か月後に書かれた「言語一般および人間の言語について」という論文のなかで、彼は言語を、不断に自己自身を生成させる「媒体（メディウム）」として捉えると同時に、言語の生成の出来事の核心に「翻訳」を見て取っているのです。このような言語そのものについての思考に従うなら、言葉はつねに谺（こだま）であることになるでしょう。世界に生きるとは、万象との照応を谺として響かせることであり、そのなかから言葉が、時に一つの〈うた〉の姿で生まれてくるのです。

ただし、ベンヤミンはほどなく、実際に用いられている記号的な言語においては、世界との照応関係が絶たれ、生成の運動も止まってしまっていることを正視しながら、閉塞した言語の内部に、言葉が自由の出来事として響く余地を探るようになります。一九二〇年以降に書かれた「翻訳者の課題」をはじめとする著作で彼が述べていることを考え合わせるなら、一つの言語は、他の言語に翻訳をつうじて呼応するなかに生成するとはいえ、ここにある生成は、例えば、他言語の言葉を字句どおりに翻訳することによる言語の破壊と表裏一体です。つまり、谺（こだま）としての言葉が響くことがあるとすれば、その響きは、「母語」として習得した言語の震撼から生じているのです。このことへの洞察を詩作に接続させるなら、〈うたう〉ことは、その媒体となる言語の、破壊的ですらあるような批評を通過しなければならないことになるでしょう。

> ドイツの悲劇の仮象は、きわめて粗野だったために死に絶えてしまっている。存続しているのは、アレゴリー的に指示するものの奇妙な細部である。つまり、考え抜かれた造りの瓦礫の建築に巣くう、知の対象が残っているのだ。批評とは作品の壊死である。他のいかなる作品よりも悲劇の作品の本質は、このことに適っている。[5]

ベンヤミンがバロックの「悲劇（トラウアーシュピール）」の断片の集積としてのテクストについて、それは「作品の壊死」

としての批評に適っていると述べるとき、そのような詩作ないし芸術と、批評との内的な関係が照らし出されていると考えられます。

詩の作品としての造りも、それを形づくる言語も瓦礫に帰せしめる批評が、詩作のなかで貫かれる必要がある。通常の意味での「うた」を織りなす言葉の有機的な結びつきの仮象を一掃したところからしか、詩を書くことはできない。こうした批評的かつ方法的な省察は、吉増さんの初期の詩からすでに伝わってきます。それが最も先鋭化されたかたちで表明される箇所の一つが、「王國」という作品における「詩は壊滅する」という言葉が繰り返される一節なのかもしれません。

詩は壊滅する、詩は壊滅する、詩は壊滅する詩は壊滅する、壊滅する、壊滅する、壊滅する、壊滅する、母の王國、恋する、なんという恋する、最後の呼吸で実名をよぶ[6]

本来ならさらに「最後の呼吸」と「実名」の関係を掘り下げなければならないこの一節からも、自分を縛る「詩」とその言語の仕組みからみずからをもぎ離そうとするかのように駆け出す吉増さんの詩作の身ぶりが感じられます。この身ぶりがやがて、ルビや割り注などを駆使した後年の独特の書き方に凝縮されていくのでしょう。その過程を、吉増さんがしばしば「言葉を枯らす」ことと述べておられることは、砕け散った言葉からの詩作の可能性を探るベンヤミンの思考とも呼応するでしょうし、カタストロフィの後の詩の可能性を考えるうえで、あらためて省みられなければならないはずです。[7]

ところで、吉増さんの詩において惹かれるのは、先に触れたような書き方をつうじて、一つひとつの語が震えながら、谺のようにみずからの倍音を響かせているところです。その響きは、しばしば文字どおり複数言語的ですが、そのことは、ベンヤミンが語った「谺」の響きのように、日本語といった言語の総体を揺さぶりながら、詩作のみならず、現代における言語の可能性をも暗示しているように思われます。さらに、書き込まれた語が自己のうちに潜在する響きを、襞（ひだ）を開くように繰り広げるところからは、例えば、打ち込まれた一点から書の線のように展開する細川俊夫の音楽とも通底するものをも感じられるのです。例えば、最近の『怪物君』に繰り返し現われる「イシス」という語一つを取っても、それに「石」、「巣」というルビが付されているのを目にすると、生命の甦りと豊饒の女神として、冥府の王オシリスと対をなす女神の名によって象徴される力が、石の一個一個に宿っていることに思いを致さないわけにはいきません。

イシス（石巣）、イシ（石）、リス（栗鼠）、石狩乃香（イシカリノカ）、　、、、[8]

このとき、「イシス」という語の倍音は、垂直的な深みのなかから、いや冥府の奥から、死者たちの記憶とともに響いているのではないでしょうか。

このことは、両親をはじめとするナチス・ドイツの虐殺の犠牲者が眠るブコヴィナの黒土に探りを入れるツェランの詩作――それは「黒土」という詩のなかで暗示されています――を想起させながら、吉増さんの歩行としての詩作の息遣いを伝えていることでしょう。[9] その歩みは、通って来た場所――『怪物君』では、「陸前高田」や「双葉」といった、東日本大震災の被災地の名が呼ばれます――に転がる石に躓く歩みと言えるかもしれません。『怪物君』において注目されるべきは、この詩作の歩みが、冒頭に脚注のように付された「裸のメモの声」のなかで、「言葉乃、綱を、〔中略〕根垣（ネガキ？）のところで一針、一寸縫い合わせる」行為に喩えられていることです。この作品に先立つ詩集『裸のメモ』のなかで、すでに吉増さんは、詩作を縫うことと結びつけていました。

詩は（仮縫の、……）黄泉(ヨ(ヤ)ミ)ノ道[10]

このとき、縫い針は垂直に、埋められた者たちのところへ、あるいは水底に沈んでしまった者たちのところへ刺し入れられます。それとともに、これらの者たちの記憶を宿した石が、言葉のうちに拾い上げられるのです。

その過程が、『怪物君』においては「蹲(タダ)ム」――それは、躓(つまず)いてうずくまることのように見えます――身ぶりを交えつつ、「黄泉」を「折りたゝム」過程と語られていることは、詩作の時間を測るうえできわめて重要ではないでしょうか。

〃黄泉(ヨミ)、
を(緒)、
折リたゝ(多)ム、
、、、、
、
シ〃[11]

この「詩」論的とも言える詩句が微妙に変奏されながら繰り返されたところで、眼の形象が、これも複数言語的に浮かび上がります。その剝き出しの眼差しは、過去から、さらに言えば、死者の側からこちらを見据えていると思えてなりません。そう考えると、地上と冥府を縫い合わせ、「黄泉を、折リたゝム」詩作の過程は、過去が現在に、時系列を掻き乱すかたちで突き入ってくる瞬間を到来させることになるでしょう。そのことが、『怪物君』という作品の導入部を形づくっていると考えられます。そして、この瞬間に身を置くことが、『怪物君』における詩作を衝き動かしていることでしょう。その点で吉増さんの詩作が原民喜のそれと通底していると考えるとき、この詩集に「原爆小景」という原の連作詩の一篇が引用されている所以も理解できるように思われます。

『怪物君』の第Ⅱ部の始まりを告げるかたちで引かれているのは、原民喜の「原爆小景」のなかの「燃エガラ」という詩のなかの一節です。

シュポッ　ト　音ガシテ
ザザザザ　ト　ヒックリカヘリ[12]

この片仮名で書かれた詩は、一九四五年八月六日に原が広島で体験した、過ぎ去ることのない出来事の衝撃の回帰を響かせています。宇宙の栓が抜けるような音とともに、地上に立つものすべてが崩れ落ちるなかに身を置いたことによる傷は癒えることなくその記憶を繰り返し呼び起こすのです。この想起の出来事と、地震計と化した言葉とを共振させるところから、「原爆小景」の詩篇は綴られているにちがいありません。そして、一九四九年の夏に発表された「鎮魂歌」の最後の部分は、そのようにして書かれた片仮名書きの詩を引用しながら書かれています。その歌は、過去が不意に回帰し、それとともに原爆に遭った死者たちの声が聞こえてくるのに身を開くなかから、この無数の声の反響として鳴り響くのです。

一つの嘆きは無数の嘆きと結びつく。無数の嘆きは一つの嘆きと鳴りひびく。僕は僕に鳴りひびく。鳴りひびく。嘆きは僕と結びつく。僕は結びつく。僕は無数と結びつく。鳴りひびく。無数の嘆きは鳴りひびく。鳴りひびく。[13]

原が直截に「結びつく」ないし「鳴りひびく」と言い表わしている照応（コレスポンデンス）としての想起の出来事を、

吉増さんも、『怪物君』のなかにちりばめられた一つのひとつの言葉の倍音のなかで追求しているのではないでしょうか。

この想起の出来事において、垂直的な照応をも鳴り響かせる、霊媒という意味をも含み持つような媒体（メディウム）としての言葉がおのずと語り出されます。その瞬間は、例えばツェランがナチスの収容所の跡地を歩むなかから綴った「迫奏（ストレット）」という特異な詩のうちにも描き出されていることでしょう。この詩のドイツ語の原題 Engführung は、一方ではフーガの形式で書かれた楽曲の終結部において、主題が奏で終えられる前に対旋律が応答して音楽が緊迫の度を増していくことを指す、イタリア語の stretto のドイツ語訳ですが、それは他方で、ドイツ語の字面からすれば——文字通りに訳すなら、「狭まる道行き」とでもなりましょうか——、収容所の囚人たちが死に追い込まれていく、狭まっていく道を辿ることでもあるでしょう。その過程で死者たちの声が近づいてくることを、表題の音楽用語としての含みは示唆しているのです。それに耳を澄ましながら言葉を綴っていく——これをツェランも繕（つくろ）うこと、すなわち縫うことに喩えています——なかで、言葉が一つの媒体へと結晶し、そこに新たな世界が、死者と生者がともにある世界が立ち現われます。

僕たちのほうへ来た、通り抜けて
やって来た、眼に見えぬまま
繕った、最後の

皮膜を繕った、
すると
世界が、千の結晶が、
析出した、析出した。[14]

こうして、過去と現在が詩作によって縫い合わされ、言葉のうちに黄泉が折りたたまれるところには、残余を言葉のうちに拾い上げることにもとづくもう一つの歴史の可能性とともに、最後の〈うた〉の余地が開かれているように思われます。

残余のもの——結びに代えて

吉増さんの『怪物君』を読んでいたとき、思わず「残余のもの不伽之（ふかし）、、、、」という言葉の前に立ち止まらされました。なぜなら、まさに「残余」から歴史そのものを捉え直す試みを、ベンヤミンのいくつかの歴史哲学的な著作を読み返しながら始めていたところだったからです。その際、残余の概念を重層的に規定せざるをえないのですが、残余とは何よりもまず、破局の残滓です。それが出来事の傷痕を呈しながらかろうじて残存しているのを前に立ち止まる経験に出発点を置くような歴史の概念を、ベンヤミンの実質的に最後の著作である「歴史の概念について」などの読解をつうじて構想したいと考えています。そして、原民喜が「燃エガラ」と呼んだ、しばしば「想像を絶する」と、あるいは時に「表象不可能」と形容される出来事の残滓とは同時に、すでに物語られた歴史が語り残している、ないしはむしろ捨て去ってしまった残余でもあります。それをベンヤミンは、「歴史の屑」と呼んだのかもしれません。ただし、そのような残余が、癒えることのない傷として、出来事の生き残りのうちに刻まれていることも忘れられてはならないはずです。

この点で歴史の残余としての出来事の痕跡は、二重の意味で、すなわち不可視にして不可死という意味で「ふかし」と言えるかもしれません。つまり、それは生き残りのうちに、目に見えないかたちで刻まれて残存し、出来事が過ぎ去らないことを繰り返し告げるのです。そのことを受け止めながら出来事の痕跡を辿り、何が起きたのかを想起することは、李静和さんを中心とする「アジア・政治・アート」のプロジェクトの成果をまとめた論文集の表題と結びつけて言えば、「残傷」を言葉のうちに分有することでもあるはずです。[15] 先に三人の詩人の詩のうちに見たように、詩的な言葉が想起の出来事の媒体に結晶し、照応を響かせうることは、この「残傷」の分有としての想起の経験にもとづく歴史、この残余からの歴史の可能性を暗示しているのではないでしょうか。そして、従来の連続的に物語られる歴史とは根本的に異なったかたちで想起の媒体を構成するこのもう一つの歴史は今、数々のカタストロフィが起きてしまった後に、死者たちとともに生き残るためにも求められていると考えています。

とりわけ近代以降、人は物語られた歴史のなかに生まれ落ち、その影響下で自己形成を遂げることを避けられなくなっています。そのなかで人は今、神話としての歴史によって滅亡へ追い込まれようとしているのではないか、という危惧の念を拭うことができません。まもなく発生から六年になろうとする福島原発の事故の後の動向を見ていると、「あはれな愚かなわれらは身と自らを破滅に導き／破滅の一歩手前で立ちどまることを知りません」、という原民喜の言葉が繰り返し脳裡に去来します。[16] このような絶望的とも言える状況の内部に、死者とともに生き残る場を切り開く可能性において、歴史の概念を捉え直してみたいというのが、残余からの歴史という言葉の下で意図していることです。そして、その可能性とは同時に言葉の可能性であり、それは言葉を発することが〈うたう〉ことでもありうるか否かに懸かっているという感触を得ています。では、〈うたう〉という自由の出来事において、言葉がまさに「非＝手段／媒介＝的（ウンミッテルバー）」に自己自身を創造し、鳴り響かせる余地はどこにあるのでしょう。

　ここまで辿ってきたベンヤミンの思考と吉増さんの仕事を顧みるなら、今や〈うた〉の余地は、歴史のなかで繰り返された破局の後で、人々の内奥に傷を残すかたちで言葉が砕け散ってしまっていることを見据えながら、徹底的に言葉を枯らすことによってしか生まれないのかもしれません。吉増さんの詩作は、言葉を枯らしていくことが同時に、一つひとつの言葉そのものに耳を澄まし、折りたたまれていたその襞を広げることでもありうることを示しているように見えます。それとともに生じる言語の境界を越える響きが、言語を解体するまでに揺さぶるところに、〈うた〉が鳴り響いているのではないでしょうか。その可能性を追求することは、イタリアの哲学者ジョルジョ・アガンベンが、「今日、音楽の改革としてのみ生じうる」と述べた哲学の課題であると思われます。[17] 私自身は〈うた〉の可能性を、ここで見たように、言葉が彼岸と此岸のあいだを開くところに見届けたいと考えています。あの世とこの世を橋渡しするところに響く〈うた〉。それは、例えば東日本大震災と原発事故の後の細川俊夫の音楽のなかにも生成しつつあるでしょう。

このような〈うた〉は、吉増さんの詩が示したように、現在のなかに過去からの眼差しを刻み入れます。『裸のメモ』という詩集からうかがえるのは、眼の形象がパウル・クレーの絵画に触発されて生じたことですが、クレーにおいて眼の形象は時に、音楽におけるフェルマータの記号のようにも現われます[18]。時の流れを宙吊りにするフェルマータ。〈うた〉としての言葉の強度は、これを今に差し挟むものかもしれません。こうしたことを理論的に跡づけるのが、カタストロフィが起きてしまった後の、そしてカタストロフィのヴィジョンを抱き続けなければならないなかでの、詩学としての哲学の課題であろうと考えています。

吉増さんが、『裸のメモ』の末尾に収めた詩のなかに記した一節は、それに呼応する問いを投げかけているように見えます。

　、、、石を一つづつ、あるいは一つかみづつ
うみへ
投じて
わたしは占う、、、
〝吉凶〟をではない

歌のあるかなきかを。[19]

ここに込められた問いを引き受ける姿勢を、今はツェランの「絲の太陽」という詩に託して示しておきたいと思います。

絲の太陽、
灰黒の荒地の上に。
樹の高さにある
一つの想念が、
光の音調を攫む。
まだ歌える歌がある。
人間の彼方に。[20]

テーオドア・W・アドルノの「アウシュヴィッツの後に詩を書くことは野蛮である」という言葉への応答とも言われるこの詩を引いて、「人間の彼方」――そこにいるのが吉増さんの「怪物君」かもしれませんが――に「まだ歌える歌」という残余を探る思考の方向を提示することで、拙いお話をひとまず締めくくりたいと思います。ご静聴まことにありがとうございます。

註

1 例えば、ベンヤミンの「目覚め」のモティーフについての議論として、以下を参照。吉増剛造、市村弘正『この時代の縁で』平凡社、一九九八年、四五頁以下。

2 吉増剛造『怪物君』みすず書房、二〇一六年、一三九頁。

3 柿木伸之「アウシュヴィッツとヒロシマ以後の詩の変貌——パウル・ツェランと原民喜の詩を中心に」、原爆文学研究会編『原爆文学研究』第一四号、花書院、二〇一五年、九五頁以下。

4 Walter Benjamin, Brief an Martin Buber, München, 17.7.1916, in: *Gesammelte Briefe* Bd. I, Frankfurt am Main: Suhrkamp, 1995, S. 326f. 日本語訳は、「〔言語について〕」、浅井健二郎編訳『ベンヤミン・コレクション5——思考のスペクトル』筑摩書房、二〇一〇年、一二〇頁以下。

5 W. Benjamin, *Ursprung des deutschen Trauerspiels*, in: *Gesammelte Schriften* Bd. I, Frankfurt am Main: Suhrkamp, 1974, S. 357. 日本語訳は、ヴァルター・ベンヤミン『ドイツ悲哀劇の根源』岡部仁訳、講談社、二〇〇一年、二八九頁以下。

6 吉増剛造「王國」、稲川方人編『吉増剛造詩集』角川書店、一九九九年、一一三頁。

7 一例として、同『我が詩的自伝——素手で焔をつかみとれ!』講談社、二〇一六年、二三六頁以下、参照。

8 同『怪物君』、四頁。原文はルビ「カ」に傍点。

9 Paul Celan, »Schwarzerde, ...« aus *Die Niemandrose*, in: *Die Gedichte: Kommentierte Gesamtausgabe in einem Band*, Frankfurt am Main: Suhrkamp, 2005, S. 141.

10 同「、、、、石を一つづつ、あるいは一つかみづつ」、『裸のメモ』書肆山田、二〇一一年、八二頁。原文の割り注は二行組み。

11　同『怪物君』、四頁。

12　原民喜「原爆小景」より「燃エガラ」、『新編原民喜詩集』土曜美術社、二〇〇九年、八二頁。

13　同「鎮魂歌」、前掲書、一二四頁。

14　P. Celan, »Engführung« aus *Sprachgitter*, in: *Die Gedichte*, S. 116. 日本語訳は、「迫奏」、飯吉光夫編訳『パウル・ツェラン詩文集』白水社、二〇一二年、五三頁以下。

15　李静和編『残傷の音――「アジア・政治・アート」の未来へ』岩波書店、二〇〇九年、参照。

16　原民喜「家なき子のクリスマス」、前掲『新編原民喜詩集』、一四〇頁。

17　ジョルジョ・アガンベン『哲学とはなにか』上村忠男訳、みすず書房、二〇一六年、一七五頁。

18　『裸のメモ』の二八頁に、クレーが一九二二年に描いた《セネシオ／サワギク》への言及が見られる。フェルマータとしての眼は、一九三〇年の《アラビアの静物》や一九三四年の《アクセントのある風景》などに現われる。

19　吉増剛造「、、、、石を一つづつ、あるいは一つかみづつ」、前掲『裸のメモ』、八二頁。

20　P. Celan, »Fadensonnen« aus *Atemwende*, in: *Die Gedichte*, S. 179. 日本語訳は、「糸の太陽たち」、前掲『パウル・ツェラン詩文集』、七〇頁。この詩の最初の二行にツェランが「アドルノ」の語と「アウシュヴィッツ」の語を埋め込み、それによってアドルノに対する応答を暗示していることについて、以下の論考を参照。平野嘉彦『土地の名前、どこにもない場所としての――ツェラーンのアウシュヴィッツ、ベルリン、ウクライナ』法政大学出版局、二〇一五年、四一頁以下。

付記

本稿は、東日本大震災からちょうど六年となる二〇一七年三月十一日に、成蹊大学アジア太平洋研究センターの主催で、同大学にて開催されたシンポジウム「カタストロフィと詩——吉増剛造の『仕事』から出発して」のなかで発表されたものである。当日の報告の基になった原稿に、わずかな修正を加えた。シンポジウムでは、吉増剛造さんの詩作の初期から『怪物君』にまで貫かれているものを文脈を広げながら掘り下げ、詩とは何か、詩を書くとはどういうことかを突き詰めていく思考が四時間以上にわたって積み重ねられた。

このような濃密な場を、吉増さんはじめ、八角聡仁さん、鵜飼哲さん、倉石信乃さん、郷原佳以さん、関口涼子さんという尊敬する研究者や作家と共有できたことは忘れられない。また、原民喜が自死を遂げた場所に近い吉祥寺で、彼の詩と吉増さんの詩を照らし合わせる議論の場を持てたことも感慨深い。声をかけてくださった、当時アジア太平洋研究センターの所長を務めておられた李静和さんに心から感謝申し上げる。本稿で触れた〈残余からの歴史〉の構想の一端は、拙著『断絶からの歴史——ベンヤミンの歴史哲学』（月曜社、二〇二一年）の終章に示されている。また、本稿で論及した詩人の作品をさらに検討し、断絶が刻み込まれ、沈黙と声のあわいに響く、言わば〈災後のうた〉の可能性を探究することも、当面の研究課題の一つである。

残余の文芸のために

――『越境広場』という試みによせて――

広島で中国と日本の近代を考える

広島の友人と中国文芸研究会を続けている。今年で八年になるはずだ。研究会と称してはいるが、とくに組織があるわけではない。仲間が一、二か月に一回、都合のつく日に集まって、ささやかな読書会を持つだけのことである。とはいえ、取り上げられた書物の言葉を分有し、それをめぐって議論する場は、それ自体貴重であり、地に足を着けて考え続けるうえでも欠かせないと思っている。だが、その場がなぜ「中国文芸研究会」なのか。それをきちんと説明できる立場にはないが、「中国」と「文芸」の語に、読書会を続けてきた者のどのような問題意識が込められているかは述べておきたい。

「中国」という語は、一方では中国大陸と台湾、そしてこれらの歴史を指している。そこに注目する背景には、当然ながら中国とその文化に対する参加者の関心がある。中国出身の美術作家范叔如（ファン・シュウリュ）も、頻繁に議論に加わっている。彼からさまざまな示唆を得ながら、また最近の香港を含め、現代の中国の動向も視野に入れながら、読書会では、魯迅の著作を読むことに力を入れてきた。そして、中国とその人々に対する鋭利な批評的省察にもとづいて書かれた小説や評論を検討することには、竹内好が「中国の近代と日本の近代」をはじめとする著作で論じた中国の近代を考える意味もある。

読書会では、竹内が魯迅の文芸に集約されていると見た、西洋からの帝国主義的な侵略に晒され、その文明を導入することを迫られた中国の近代を貫く抵抗——とくに「ドレイが、ドレイであることを拒否し、同時に解放の幻想を拒否すること」にもとづく「絶望の行動化」としての抵抗——とは何かを、竹内の論考を手引きとしながら議論する場も何度か持たれた。あるいは、孫文や章炳麟(しょうへいりん)の革命思想に触れる機会もあった。とくに「独」を深めることを起点に、「群」を形成する可能性を問う後者の思想は、現代における困難な連帯の回路を探るうえで、繰り返し検討するに値しよう。

こうして中国の近代の精神を考えることは、朝鮮半島と中国大陸の侵略と分かちがたく結ばれた日本の近代を問うことと表裏一体である。研究会の名称にある「中国」の語には、このことも込められている。それはもう一方で、中国地方を指す。その主要都市の一つである広島には、日本の近代が凝縮されている。日清戦争の際に大本営が置かれて以来、広島は、帝国の軍都として発展してきた。明治天皇がこの地で戦争の指揮を執るきっかけになったのが宇品港の開港と、そこへ通じる鉄路の開通であり、この軍港からは将兵がアジア各地へ送り出された。被爆以前の広島は、侵略の拠点だった。

原子爆弾によって壊滅した後、奇跡的と言われる復興を遂げた広島も、あえて言えば、集合的な心性の次元では軍都であり続けている。一九四七年には原爆投下まで戦争を続けた昭和天皇裕仁を歓呼で迎え、一九五八年の復興大博覧会以来、十年近くにわたり原爆資料館で「原子力の平和利用」に関する展示を続けたことなどから透けて見えるのは、軍都を支えてきた国家との関係である。国策の優等生として「唯一の戦争被爆国」の象徴の地位に収まり、日米の軍事的な同盟関係を不問に付す態度は、二〇一六年に、当時合衆国大統領だったバラク・オバマを歓迎した様子が如実に表わしている。

そのような、酒井直樹が『希望と憲法』などで論じた「体制翼賛型少数者（モデル・マイノリティ）」の典型を示す広島の人々の集合的な身ぶりは、列島の各地で人々が示す国家──現在であればアメリカと同盟関係にある国家──へ向かう国民主義的な態度を象徴的に、しかも他に先んじて示すものと言える。広島市がおよそ十年前に、オリンピックとパラリンピックの招致に動いていたことを忘れることはできない。そして、東京でのこの「世界的なスポーツの祭典」をめぐる狂躁が露呈させたのは、それが列島に生きる人々にとって、物質的にも精神的にも破滅のスペクタクルでしかないことである。

魯迅の同時代人でもあるユダヤ人思想家ヴァルター・ベンヤミンは、十九世紀後半以来の万国博覧会が、帝国主義的に国外へ展開しながら内攻した植民地主義と、それによる自身の疎外とを、プロレタリアートが見世物として消費するものでしかないことを見抜いていた。彼はその洞察にもとづいて、映像技術を駆使して「民族」を人種主義的に束ねるファシズムは、民衆の自滅のスペクタクルを演出していると、ナチス・ドイツのベルリン・オリンピックとほぼ時を同じくして論じている。このスペクタクルは今、日本の近代の帰結として、最新の情報技術を駆使して実現しようとしている。

「日本人」が「一丸」となって――つまりその他者を差別し、排除しながら――「困難を乗り越え」、ひたすら――ということはあらゆる人災を忘れて――「前へ進む」ことを旨としてきた日本の近代は、核開発と軍事基地の開発による犠牲を重ねながら、破滅的な水域に達している。広島に凝縮されたかたちで浮かび上がるその問題を解きほぐし、乗っている列車から降りるための通路を模索するにあたり、天皇制の問題は避けて通れないと仲間と議論し、ここ一年ほどそれに関わる書物を読書会で扱ってきた。その一環として、『越境広場』第六号の小特集「沖縄と天皇制」も取り上げた。

その際に、百次智仁の「沖縄戦と天皇制」を読みながら参加者とあらためて考えたのは、近代天皇制の下に充満する人を死に追い込む暴力が、戦争のなかで、さらには戦争に沖縄の人々が巻き込まれていく過程においても、凝縮されたかたちで現われたことである。天皇制は、近代の人工物としての「象徴」を礼拝し、「上で決められたこと」に死ぬまで従う行動によって心身に浸透する。なぜと問う思考を封殺し、絶えず犠牲を強いる天皇制という近代の神話の暴力は、「皇民化」の語に集約されるかたちで現われた。この暴力の傷は今も沖縄の人々のなかに残り、その歴史は現在も続いている。

天皇制による犠牲の歴史に抗する「決起」を論じた仲里効の「ガマから／ガマへ――沖縄戦後世代のオブセッション」は、読書会で最も時間をかけて読んだ一篇である。この「決起」として、知念功の「ひめゆり決起」とともに、広島と浅からぬ縁のある船本洲治の嘉手納基地ゲート前での焼身決起が取り上げられていたことも、その機縁となった。とはいえ参加者の関心を最も集めたのは、「ガマ」という詩を書いた高良勉が、そして知念が、「ガマの闇の奥に降り立つ」ことによって、「死者に憑き、死者に憑かれる」経験をしたことが論じられる一節だった。

戦禍の修羅場だったガマへ下りるとは、沖縄戦の死者の許に赴くことである。すると、洞穴に反響する死者の怨念に捕らえられる。それを受け止めて「死者に憑かれる」とき、ガマは沖縄の「戦後の命」を産む「島の子宮」になるという。「オブセッション」という死者との内的な結びつきから、その怨念の炎を現実の炎として燃え上がらせる「命」が、「不敬」の行為のかたちで誕生するのだ。その行為に、「ひめゆり」の学徒を神聖視することで、沖縄戦を国家の「正史」に解消しようとする志向に対する抵抗が含まれていたとの指摘は、知念の叛逆の精神を考えるうえで、きわめて重要と思われる。

知念の「ひめゆり決起」が「復帰」後の一九七五年の夏に行なわれたことも考え合わせるなら、そこには「日本人」に組み込まれてしまっている自分自身への抵抗も含まれていたのではないか。だとすると、彼の行為には、魯迅の文芸が示した近代への抵抗とも通底するものが含まれていたのかもしれない。こうした点にも議論が及んだ読書会では、高良勉と知念功の発話行為があまりにも男性的であることも指摘された。ガマを母胎になぞらえたり、そこに潜んでひめゆり学徒の霊と交わろうとしたりする身ぶりからは、女性に注がれる男性の眼差しを感じないではいられない。

天皇制が人を「世帯」に閉じこめる制度を存続させ、性差別を絶えず再生産していることを顧みるならば、その支配に内側から抗うためには、抵抗の身ぶりにも表われるジェンダーの問題は避けて通れない。この問題を正視して初めて、犠牲になることを不断に強いる天皇制の仕組みを逃れて生きることへの問いが、各人のなかに生じるはずだ。そして、そのような生を考えるうえで、「ガマから／ガマへ」の前半部で提示される「残余」という視点は示唆的であろう。ア・プリオリに想定される集合的な自己像からこぼれ落ちる「残余」を生きることに、仲里は「戦後性」を見て取っている。

あえて片仮名で表記され、多義性において捉えられた「オキナワ」と「ボク」の関係を問い続ける中屋幸吉の『名前よ立って歩け』における自省と、国民という「桃太郎」を作ろうとしながら、現実には「沖縄の長い歴史性を負わされた鬼子」を生んだ戦後の教育へ省察を向けた友利雅人の論考「ひとつの前提――戦後世代と天皇制」から引き出された「残余」。それは「皇民化」の暴力の歴史に向き合い、その連続に巻き込まれた自分を問うことをつうじて生きられる。そのことは仲里によれば、中屋による記号の戦略的な使用が示すように、言葉の創造と不可分である。

残余の文芸へ

言語の生成とともに「残余」を生きる。その具体的な媒体として、雑誌を考えることはできないだろうか。読書会の際に、「来たるべき言葉の巡航誌」という副題を持つ『越境広場』のページを繰るなかで脳裡に去来したのは、このような問いだった。そのとき、先に挙げた酒井直樹の『希望と憲法』の末尾に置かれた「残余という視座」についての議論も思い出された。そのなかで酒井は、「残余」の概念を、西洋の残余と国民の残余という二つの観点を交えながら提示し、残余という境界領域のマイノリティにされることへの不安が、「日本人」になろうとする欲望の源にあると論じている。

その不安に駆られて過剰に「日本人」であろうとするところに現われるのが、体制翼賛型少数者の国民主義的な身ぶりであるという。それは酒井によれば、自分が残余であることを否認しつつ、「非日本人」を排除する行為と表裏一体である。この集合的な身ぶりは今、歴史修正主義とも結びつきながら、排外主義の暴力を列島に蔓延させている。しかも、現在の国家は、その背景にある「共感の共同体」を求める心性を、先に挙げた破滅のスペクタクルへ向けて束ね上げようとしている。そのようなファシズムをかいくぐって生きる道を開くものとして、「残余」からの言葉を考えられないだろうか。

酒井によれば、「残余」であることを引き受けるとは、翻訳を生きることであり、そこには新たな社会への希望がある。ここで翻訳とは、異なった言語の言葉を受け止めながら、再び異なった言語の語り手へ向けて言葉を発することである。それはジャック・デリダが『他者の単一言語使用』で示した洞察を省みるなら、何ひとつ固有の言葉と言えるものがないなか、他者とのあいだで、そして他者へ向けて、自分の言葉を終わりなく形づくる営みである。このような翻訳の営為を、それぞれの言語を不断に生成させるものと捉えながら、翻訳を一つの軸とする雑誌を構想したのがベンヤミンである。

ベンヤミンは、一九二一年にある出版社から持ちかけられて、個人編集による文学雑誌を構想している。その頃手に入れたパウル・クレーの水彩画に因んで『新しい天使』と題されたこの雑誌は、当時のドイツのインフレーションが出版社の経営を悪化させたために結局刊行されなかったが、ベンヤミンは、その理念を示す「予告」を書いていた。彼はそのなかで、翻訳を「生成しつつある言語そのものに不可欠な、厳格な修練課程」と規定したうえで、他言語で書かれた作品の翻訳が、創作および批評とともに雑誌の柱の一つをなすと述べている。

そのために文学作品の翻訳の可能性を突き詰めたのが、『新しい天使』の創刊号に掲載されるはずだった「翻訳者の課題」である。この翻訳論のなかでベンヤミンは、他の言語の異質な言葉遣いに、翻訳する言語を内側から揺さぶりながら寄り添う方向性を示している。この意訳の対極にある翻訳をつうじて、原作の「死後の生」が繰り広げられるとともに、それぞれの言語は、伝達手段として硬直することを突破して生成する可塑性を取り戻す。このことへの洞察を、他者の言葉に応答しながら言葉を紡ぐ営為を、その可能性において照らし出すものとして読み直すこともできよう。

このとき、言葉を発すること自体が不断の越境と捉えられるはずだ。「翻訳者の課題」によれば、他者の言葉に細やかに応える翻訳は、「固有の言語の朽ちた柵を打ち破る」。「母語」という虚構と、それを取り巻く近代の神話の呪縛を内側から突破しながら、他者たちのあいだで言葉を紡ぎ出す越境としての発話を、残余の文芸と呼ぶこともできよう。越境とともに到来する言葉。それは何者にも支配されない残余の生を語り出す。その媒体として雑誌を考えることはできないだろうか。神話の犠牲にされることに抗って生きる道を言葉のうちに開く抵抗の媒体の重要性は、日に日に高まっている。

一九四六年の二月、廃墟と化した広島で詩人の栗原貞子は、アナーキストの同伴者栗原唯一とともに雑誌『中国文化』を発刊している。その抵抗の精神を一つの範としながら、また雑誌創刊のちょうど一年後に裕仁を歓迎する声に掻き消された、彼とその国家に対する怨念に耳を澄ましながら、残余の文芸の可能性を模索していきたい。そのために繰り返し魯迅に立ち返ることが、「中国」の「文芸」の研究である。それは同時に、近代日本の戦争の歴史が凝縮されている広島の地で、今も戦争の暴力に晒されている沖縄の『越境広場』に呼応する回路を探ることでもあると考えている。

参照文献についての註記

本稿で参照したベンヤミンの著作のうち、「翻訳者の課題」と「技術的複製可能性の時代の芸術作品」の日本語訳は、山口裕之編訳『ベンヤミン・アンソロジー』(河出文庫、二〇一一年)で読むことができる。「雑誌『新しい天使』の予告」の翻訳は、浅井健二郎編訳『ベンヤミン・コレクション4――批評の瞬間』(ちくま学芸文庫、二〇〇七年)に収められている。彼の言語哲学にもとづく雑誌の構想については、拙著『ヴァルター・ベンヤミン――闇を歩く批評』(岩波新書、二〇一九年)の第二章で論じた。デリダの『他者の単一言語使用――起源の補綴』の日本語訳は、守中高明『たった一つの、私のものではない言葉――他者の単一言語使用』(岩波書店、二〇〇一年)。本稿執筆に際し、竹内好の『日本とアジア』(ちくま学芸文庫、一九九三年)と酒井直樹の『希望と憲法――日本国憲法の発話主体と応答』(以文社、二〇〇八年)を繰り返し参照した。

付記

本稿の初出は、『越境広場――来たるべき言葉のための巡航誌』第七号(二〇二〇年六月八日刊行)の「交差点」欄。この雑誌の編集委員会の求めに応じて書かれた。執筆の機縁の一つは、二〇一九年三月十日に東京外国語大学海外事情研究所で開催された『越境広場』第五号の合評会だった。編集委員の一人である佐藤泉さんを、当時勤めていた広島市立大学での講義に招聘したことも、機縁の一つだったかもしれない。声をかけてくれた村上陽子さんはじめ、『越境広場』編集委員のみなさまに心より感謝申し上げる。

第五号の合評会の場で述べたことを念頭に置きながら、続く第六号の特集「沖縄と天皇制」の読書会を中国文芸研究会で行なった際の議論を紹介しつつ、「残余」を生きる文芸の媒体としての雑誌の可能性に論及する本稿は、思えばその後沖縄への関心を深める契機でもあったのかもしれない。二〇二二年の一月には沖縄へ旅し、佐喜眞美術館で丸木位里と俊の夫妻による《沖縄戦の図》の一作「ひめゆりの塔」——そこには、本稿で触れた知念功の「ひめゆり決起」が描き込まれている——を見た。またその後、ひめゆりの塔の傍らに造られたひめゆり平和祈念資料館も訪れた。その際に抱いた問いを、今後さらに掘り下げていきたいと考えている。

嘆きの系譜学
――うたの美学のために――

はじめに

今、うたとは何でしょうか。うたうことがどのようにありうるのでしょうか。ある種のうたを媒介としながら、破局の歴史を積み上げてきた世界において、そもそもうたうことができるのでしょうか。こうした問いを、思想の研究に取り組む傍ら、つねに抱いてきました。そのことは、うたへの渇望を抱くことと表裏一体です。そして、ここでうたという語で指しているのは、音楽における歌であると同時に詩です。さまざまなかたちで音楽に携わるなかで、また詩作に触れるなかで、つねにうたを、そしてうたうことを求めてきました。

災いの度重なるなか、こうしてうたへの思いを深めるなかで、うたを、ないしはうたを生きることを美学の主題として問わなければと考えるようになりました。ここでは、うたをその可能性へ向けて問う思考の端緒を、嘆きという、うたの源の一つから開くことを試みたいと思います。作品と思想の両面から、うたの根源の一つに嘆きがあることを示しつつ、その表現の系譜の一端を、現代におけるうたの変革の意義を見通すことへ向けて描き、音楽と文学を横断するうたの美学の構想を提示するというのが、今回の報告の趣旨です。

研究の背景

まず、うたの美学の研究に取り組もうとする背景について、お伝えしておきたいと思います。私は二〇〇二年に広島市立大学国際学部に赴任したわけですが、それ以前から、音楽の愛好家として、またプロの演奏の裏方の仕事を手伝う者としても、音楽に関わってきました。そのなかでつねに〈うたう〉とはどういうことかという問いをおぼろげながら抱いてきました。その後二〇〇三年にひろしまオペラ・音楽推進委員会の委員を務めるようになってから、この地の音楽文化に関わるようになったわけですが、その頃から継続的に、広島出身の作曲家、細川俊夫さんの芸術に接してきました。

これからの報告が示すように、そのことが〈うた〉への問題意識を深める重要なきっかけとなりました。幸いなことに、二〇〇九年頃から細川さんの作品に用いられるドイツ語のテクストを日本語へ翻訳したり、彼の作品を各種の媒体で紹介したりする機会に恵まれるようになりました。二〇一四年に広島でも上演された声楽とオーケストラのための《星のない夜──四季へのレクイエム》（二〇〇九／一〇年）をはじめ、いくつかの作品の歌詞やナレーションのテクストの翻訳を手がけています。その過程で、今回もその作品の一つに触れる、ゲオルク・トラークルらの詩に取り組むこともできました。

また、昨年（二〇一九年）から今年にかけては、広島交響楽団の「ディスカバリー・シリーズ」でベートーヴェンの作品とともに、細川さんの主に独奏とオーケストラのための作品が毎回取り上げられましたので、プログラムでその解説も担当させていただきました。それから、今年（二〇二〇年）の二月には細川さんのオペラ《松風》（二〇一〇年）――これは世阿弥の能「松風」を基に書かれています――が広島で上演されていますが、それに先立つ新国立劇場での日本初演（二〇一八年二月）を含め、このオペラの上演をわずかながらお手伝いしました。こうした仕事を集約するものとして、『細川俊夫　音楽を語る――静寂と音響、影と光』の日本語版があります。

その原書は、ドイツの音楽学者ヴァルター＝ヴォルフガング・シュパーラーとの対談書として、二〇一二年にドイツ語で刊行されました。二〇一六年にアルテスパブリッシングから刊行されたその日本語版の翻訳を担当する過程で、細川さんの音楽思想とその背景にあるものについても知ることができました。こうした経験を重ねるのと並行して、思想研究との関連で、二十世紀に書かれた詩に接することも増えてきました。そこにある詩的言語の革新に触れるなかで、他者とのあいだにある生をその自由において響かせるうたの可能性を、音楽と文学を横断して問う美学の構想を抱くに至りました。

うたへの希求

こうしてうたの美学を考えるようになったもう一つの要因として、現代世界の状況に対する問題意識があります。今世界を覆っている「コロナ禍」とも称される災禍を含め、昨今痛ましい出来事が続いていますが、その後で、あるいはそのさなかに人々がうたを心底から求めていることがうかがわれます。そのようなうたへの渇望は、例えば東日本大震災の後、被災の苦悩と身近な人々を失った哀しみを反響させるうたが求められ、新たな詩が次々と生まれたことにも表われていることでしょう。Twitterでの発信を基にした、和合亮一の詩をお読みになった方がおられるかもしれません。

それからおよそ九年後、新型コロナウイルスへの感染が世界的に広がるなか、ヨーロッパの各都市では集中的な行動制限の措置が取られることになりました。そのような状況で、家屋のバルコニーからの歌が人々の心を癒したことも知られています。今回少し触れる細川さんの《嘆き》という作品の世界初演で歌ったソプラノ歌手のアンナ・プロハスカも、ベルリンの自宅のバルコニーから街の人々に歌声を届けたそうです。感染症に脅えつつ閉じこもることを強いられるなか、人々が歌に心を動かされたのは、それが失われつつある人間の自由を響かせていたからかもしれません。

そのように考えるときに思い起こされるのが、イタリアの哲学者ジョルジョ・アガンベンの言葉です。彼は『哲学とは何か』のなかで、「哲学は今日、音楽の改革としてのみ生じうる」と述べています。生きることをその可能性において問う哲学の余地は、ミューズの経験としての音楽、しかもその変革のうちにしかないという彼の言葉は、うたに現代の思考の焦点の一つがありうることを示唆していることでしょう。ただし、そう考える際に忘れてはならないのは、アガンベンの問題意識の背景にある現代社会への洞察です。彼は、『ホモ・サケル』という著作のなかで、人間の生のすべてが身体的にも精神的にも剝き出しにされ、管理と利用の対象にされてしまう社会の構造を抉り出しています。

うたの危うさ

このような社会において、アガンベンが「生＝権力」と呼ぶ権力を強化するのに、うたが手段として用いられてきた歴史も忘れることはできません。とりわけ前世紀において、うたは集合的な共感を醸成するために、ファシズムの道具として使われてきました。日本の近代史は、そのことを物語っています。帝国日本がアジア太平洋戦争へ突き進むなか、その侵略による「大東亜共栄圏」の建設を賛美する詩が高村光太郎や島崎藤村らによって書かれました。藤村は、「立てよ友なき野辺の帝王（すめらぎ）」という句を含む「常盤樹（ときわぎ）」という詩で、その使命の崇高さを歌い上げていました。

また、マス・メディアの大政翼賛の下、戦死を美化する歌が古関裕而（こせきゆうじ）らの手で書かれ、そのことが総力戦体制へ向けた「国民的」心情の同調を促したことも見過ごせません。彼の最もよく知られた軍国歌謡の一つ「露営の歌」は、一九三七年に盧溝橋事件が起きた直後に、現在の毎日新聞が「進軍の歌」を募集したのに応えて二万五千余も集まった詩から選ばれた一篇を用いて書かれています。そのような「露営の歌」をめぐる消息は、当時歌を求める気持ちを分かりやすく回収することによって、中国との戦争への、さらには総力戦への国民の心情の動員が図られていたことを物語っています。

心情の動員によって権力が強化されることは、今も繰り返されています。東日本大震災の後も、耳当たりのよいうた、例えば「花は咲く」のような「復興支援ソング」や金子みすずの詩が、公共放送と広告機構によって繰り返し流されることによって、福島第一原子力発電所の過酷事故の被害と、「復興」の名の下で起きている破壊を忘却する共感が呼び起こされました。このような危うさは、どのようなうたの組成とそのうたわれ方にもとづくのかという問いも、今うたとは何かを考える際に忘れられてはならないはずです。そしてこの問いは、「戦争画」ないし「作戦記録画」の制作と展示への問いにも通じています。どのような絵画の捉え方にもとづいて「戦争画」がありえたのかは、未だ充分に問われていません。

アドルノによるうたの批判とツェランの応答

このようなうたに内在する問題も念頭に置きながら、テーオドア・W・アドルノは一九五一年に、「文化批判と社会」の末尾に「アウシュヴィッツの後に詩を書くことは野蛮である」と記しています。「アウシュヴィッツ」とは、ご存知のようにナチス・ドイツ最大規模の虐殺施設が置かれたポーランドの街オシフィエンチムのドイツ語名ですが、それによって象徴される出来事、ショアーないしホロコーストを引き起こした社会における詩の存在理由(レゾン・デートル)を、アドルノは根底から問いただしています。彼の問いはさらに、ユダヤ人などの人々の大量虐殺に行き着いた社会における文化の破産も衝いています。

今や詩を書いてうたうとは、「アウシュヴィッツ」を産み出した機構の内部で一定の機能を果たすことであるだけでなく、例えば映画に表われるような「ホロコースト産業」の一翼を担って凄惨な出来事から享楽を絞り取ることで、ナチスの蛮行の犠牲者たちに対する不正を犯しつつ、野蛮を含んだ社会の存続に手を貸すことですらあるのではないか。こうアドルノは問うています。それでもなお、うたうことがありうるとすれば、詩は、音楽は、どのように書かれうるのでしょう。ファシズムの道具となりえないかたちで、生をその自由において響かせるうたの在り処はどこにあるのでしょうか。

ユダヤ人の詩人で、両親をはじめとする近しい人々をナチス・ドイツによって虐殺された経験を持つパウル・ツェランは、「アウシュヴィッツの後に詩を書くことは野蛮である」という言葉に、「絲の太陽」（一九六三年）という詩〔テクストは一四九頁参照〕で応えたと言われています。その最初の二行をよく見ると、「アドルノ」と「アウシュヴィッツ」の語の断片が埋め込まれています。そして、最後の行に「人間の彼方に」とあることも、忘れられてはならないと思われます。ツェランの詩作は、後で触れるように、歴史の断絶とも言うべき破局を刻んだ、詩の変革を示すものと言えるでしょう。

嘆きからうたを問う

ここまで述べてきた問題意識を踏まえたうえで、嘆きからうたを問う視点をあらためて提示しておきたいと思います。ここでうたは音楽における歌と詩の両方を指し、音楽と文学を往還するかたちで考察を進めることを確かめるために、まだ検討が不充分ではありますが、うたを暫定的に定義しておきましょう。うたうとは、息遣いのなかから、言葉で、あるいは音で、時空にひと筋の線を描く行為であり、その時間は不可分の持続である、と。持続という語で念頭にあるのは、生の跳躍でもあるような運動を生きる時間を、分割不可能な持続と見るアンリ・ベルクソンの思想です。

それと関連して、ここでどのような次元にあるうたを主な検討の対象にするかも述べておく必要があるでしょう。ここではうたう行為を、自己を創造しつつ表出する活動として、さらには自由の表現として、詩や音楽の作品を構成する次元で考察することにします。ベルクソンは、持続としての時間を生きるなかで命あるものは絶えず自己を創造すると述べていますが、そのことが歴史的な時空間に際立ったかたちで表われるのがうたでしょう。基本的にはそのような認識の下で、作品を構成する働きにおいて、つまりひとまず再現行為としての朗読や演奏は除外したかたちで、うたを検討したいと思います。

その際、歴史のなかで危うさを露わにしたうたに対する批判的な問題意識を忘れることはできません。それは例えば、アジア太平洋戦争後に詩のあり方を根底から問うた詩人のあいだでも共有されていました。それを代表する言葉に、小野十三郎の「歌とは逆に歌を」というものがあります。前者の「歌」として想定されているのは、短歌や俳句であり、またこれらの詩歌の抒情性をそのまま引き継ぐような詩です。これが総力戦体制へ人々を巻き込むのに一役買ってしまったことに対する批判を胸に、小野はこうした「歌」に叛逆しながらうたう、新たな「歌」を創造しようとしたのです。

このような問題意識を念頭に、詩的言語や音楽言語をも創造する可能性へ向けてうたを、文学と音楽を横断するかたちで問う端緒を、ここでお示しできればと考えております。ここで嘆きからうたを問おうとするのは、一つには、これから見るようにうたの初めに嘆きがあると考えられるからです。また、そのことを顧みることで、うたが死者でもある他者とのあいだで、沈黙のなかから生まれることにも視野が開かれることでしょう。さらに、それによって、災いの続く現代世界における嘆きからのうたの希求に、真に応えるとはどういうことかを考える理路を探りたいと思います。

初めに嘆きがあった

うたと嘆きの関係へ目を向けるとき、ギリシア語聖書の「ヨハネによる福音書」の顰(ひそ)みに倣って、「初めに嘆きがあった」と言うことができるかもしれません。例えば、ヘブライ語聖書には、「哀歌」が含まれています。これは紀元前五八六年に新バビロニアの侵攻によりユダ王国が滅亡し、イェルサレムの神殿が破壊されたことを嘆く、「バビロン捕囚」の時期に成立したとされる詩篇集です。そのように最初の書物の一つに嘆きを響かせるうたが収められていることは、うたと嘆きの本質的とも言える関係を暗示しているのかもしれません。

あるいは、これは十九世紀後半にギリシア悲劇を見直す文脈で言われていることですが、ニーチェは『悲劇の誕生』のなかで、ギリシア悲劇は、コロスという合唱の歌から生まれたと述べています。もとは「音楽の精神からの悲劇の誕生」と題されていたこの著作でニーチェは、生存そのものの苦悩をディオニュソス的陶酔のなかで嘆く歌を、舞台芸術の根底に置いているのです。ともあれここでは、列島におけるうたの初めに嘆きがあることに着目したいと思います。例えば、現存最古の歌集とされる『万葉集』は、そのことを示しているのではないでしょうか。

八世紀末頃までに成立したと言われている『万葉集』の第一部のとくに巻二には、数多くの挽歌が収められています。挽歌とは、古代中国で棺を引く人に命の儚さを歌わせたという故事にもとづいて、人の死を悼む、あるいは自分の死を悲しむ歌のことですが、ここではその例として、万葉の歌の初期を代表する歌人柿本人麻呂（七〇八年頃没）の挽歌を取り上げたいと思います。彼は一方では宮廷歌人として、皇族の死を悼む挽歌を詠んでいます。その多くは殯宮（あらきのみや）と呼ばれる遺体の仮安置所での儀式のために、遺族の依頼により詠まれたとされています。

死者の沈黙を前に

人麻呂が皇族の依頼によって詠んだ挽歌は、遺族の嘆きを言挙げながら、死者に語りかけ、死者と生者のあいだに回路を開こうとするものと特徴づけることができるでしょう。この時代、彼のような歌人は、シャーマンのような役割も担っていたと言われています。挽歌は、死者の魂の甦りを願う呪術的、霊媒的性格を有するうたの形を示していたようです。その例として、ここでは人麻呂が皇族の依頼で詠んだ歌ではなく、彼が私的に詠んだ挽歌を挙げたいと思います。死んだ妻を哀悼して詠んだ挽歌から、短歌二首を引いておきましょう。

秋山の　黄葉(もみぢ)を茂み　惑いぬる　妹(いも)を求めむ　山道(やまぢ)知らずも　（巻二、二〇八）
衾道(ふすまぢ)を　引手(ひきで)の山に　妹を置きて　山道を行けば　生けりともなし　（同、二一二）

　ここに挙げた二首は、「生けりともなし」の句が示すように、ほとんど自身の死であるかのように妻の死を体験し、生きる道を見失ったことを表白しています。これらの歌は、「妹を置き」という句が指し示す妻の埋葬とともに断絶を突きつけられるなか、死を受け容れられない思いの奥から、死せる妻への通い路を求めて狂おしく高まる思いを、「惑い」とともに響かせるものと言えるでしょう。その源にある嘆きは、死者の沈黙を前に言葉を失い、自分を見失う悲しみを、言葉の手前で震動させています。それを鳴り響かせる挽歌はここで、人を死者とともに生きることへ導くものと言えます。

嘆きからのうた

　死を嘆く魂の震動を言葉とともに響かせる挽歌。これが他の種類の歌の起源であるとする説があります。白川静の『初期万葉論』には、折口信夫が相聞歌論などで唱えていた、相聞歌が挽歌から生まれたとの主張が記されています。今、それを立ち入って検討することはできませんが、嘆きにうたの源の一つがあることを暗示する一説として取り上げておきたいと思います。それと関連して、ここでは人麻呂の相聞歌を一首取り上げておきましょう。

朝影に　我が身はなりぬ　玉かきる　ほのかに見えて　去にし子ゆゑに　（巻十一、二三九四）

この歌は、ほとんど挽歌のように、愛する人から隔てられたなかで、身を削る嘆きを響かせるものと見ることができます。

ところで、細川俊夫は一九八七年に、この「朝影に」を歌詞に用いて、ソプラノとアンサンブルのための《恋歌Ⅱ》の一曲を作曲しています。一九八〇年代に細川は、最初の師尹伊桑が音楽を「書」と考えていたのに影響を受けつつ、息遣いと一つになった「空間と時間のカリグラフィー」としてみずからの音楽を捉えるようになっています。その誕生を告げる記念碑的な作品にフルートのための《線Ⅰ》（一九八四／八六年）がありますが、これと同時期に二つの《恋歌》が生まれていることは特筆されるべきことでしょう。その一曲には、不在が突きつけられるなかで去った恋人への思いを募らせる人麻呂の相聞歌が用いられています。ここに、嘆きを反響させながら声の線を描く、新たな歌曲が生まれていると見ることもできるでしょう。

ところで、二〇一一年三月十一日の東日本大震災に衝撃を受けた細川は、その後みずからの音楽が死者と生者、彼岸と此岸のあいだに橋を架ける、霊媒的性格を持つことを強く意識するようになります。例えば、二〇一八年二月中旬に新国立劇場で行なわれたオペラ《松風》の日本初演に際しても、こう述べています。「私はシャーマニズムに強い関心を持ち、音楽の起源は、シャーマン（巫女）によって歌われ、その歌がこの世とあの世を繋ぐものだと考えている」（プログラムの作品解説より）。このオペラの世界初演を準備していたときに、細川はベルリンで震災の報せを聞いたのでした。

その後細川は、死者への哀惜からの嘆きに耳を澄ますなかから、祈りのうたをひと筋の線として構成するようになります。ここではその例として、ヴィオラのための《哀歌――東日本大震災の犠牲者に捧げる》（二〇一二年）を挙げておきましょう。この作品の冒頭では、ヴィオラが奏でるG〔ト〕の音が、いくつもの嘆きを含むかのように膨らみ、たわみながら歌い始めるのを聴くことができます。そのように嘆きを反響させるうたを書くことができた背景として、細川が一九八〇年代後半に、嘆きの「書（カリグラフィー）」として《恋歌》を集中的に作曲していたことを想定できるものと考えられます。

このように、ある意味では万葉の挽歌が指し示すうたの源の一つに立ち返りながら、新たな祈りのうたの形を示す細川の近作として、ここではもう一つ、ソプラノとオーケストラのための《嘆き》（二〇一三年）を挙げておきたいと思います。細川は、二〇一三年のザルツブルク音楽祭で初演されたこの作品を、オーストリアの詩人トラークルの詩「嘆き」（一九一四年）と彼が友人に宛てた書簡の一部をテクストに用いて、「二〇一一年三月十一日の東日本大震災の津波の犠牲者、特に子供を失った母親たちに捧げられる哀悼歌」として作曲しています。ここにトラークルの詩を、私の訳で掲げておきます。

嘆き

眠りと死、陰鬱な鷲が
夜通しこの頭をざわざわと巡っている。
人間の黄金の像を
永遠という冷酷な波濤が
呑み込むかのごとく。
身の毛もよだつ岩礁に、
深紅の肉体は砕け散る。
そして、暗い声は
海の上で嘆く。
渦巻く憂いの妹よ、
ご覧。慄く小舟が沈んでいく。
星たちの下、
黙していく夜の顔貌の下で。

破局を刻むうたの誕生

「嘆き」は、トラークルが衛生兵として派遣され、精神を病んで死に至ったポーランドのクラクフで書かれています。破滅の予感と、詩人が戦地で目の当たりにしたその実現が妹に宛てて語られる詩とひとまずは言えるでしょう。細川の《嘆き》では、その八行が、屹立するような強い声によって、激烈な音響とともに歌われた後、最後の四行がまず、語りのかたちで朗唱されます。同じ詩行がその後、もう一度途切れがちに、絶えず沈黙へ回帰しようとしながら歌われるのです。その音楽は、津波とともに海の底へ消えた死者に思いを寄せるなかで、嘆きが破局の想起とともに湧き上がっては沈黙の海へ沈んでいくさまを響かせます。ここには、もはや万葉の歌のように歌い上げることを許さない、途方もない破局の後の嘆きに深く耳を澄ますなかから生まれた新たなうたの姿が、従来の歌を乗り越えるかたちで浮かび上がっていると考えられます。

嘆きへの省察

ところで、トラークルが「嘆き」を残して没してからほどなく、うたに関わりながら嘆きについての理論的省察が現われていることは、注目すべきことと考えています。私がその思想を研究しているヴァルター・ベンヤミンの友人で、とくに戦後ユダヤ神秘主義の研究を主導することになるゲルショム・ショーレムは、第一次世界大戦中の一九一七年に、聖書の「哀歌」をドイツ語に翻訳しています。そのことは、危機的状況に対する彼なりの応答と言えるでしょう。しかも、その際に「嘆きと哀歌について」と題する論考を執筆しているのです。

それによると、嘆きの対義語は歓呼ではありません。嘆きの対極に位置するのは、啓示であるとショーレムは述べています。ここで啓示とはもちろん神の啓示ですが、嘆きとの対照で考えるかぎりでは、必ずしも神学的に捉える必要はないでしょう。啓示を受けた状態を、物事がはっきりと言葉で表わされ、生きる道筋がしっかりと見通されている状態と考えるなら、嘆きはその対極に位置するというわけです。ショーレムによると嘆きは、語られるべきものを見いだせないまま、絶えず沈黙へ沈もうとします。それは言葉にならない「哀しみ」を、言語の限界において震わせるのです。

ショーレムは、嘆きをこう定義しています。「最も内奥において表現なきものの表現、沈黙の言語、これが嘆きである」。彼はさらに、言語における嘆きの普遍性にも触れています。沈黙から言葉への移行において、つまり沈黙から言葉が発せられる際に、どの言語も悲劇性を示し、そこに嘆きが生じるのです。表現の失敗とともに、すなわち言葉にできない何かを苦しみとともに抱え込むところに、つねに嘆きが生じるとも言えるでしょう。さらにショーレムは、ここにうたの源の一つを見届けようとしています。彼によると、言語の限界に位置する嘆きは、詩のかたちでこそ表出されえます。

この主張は、言うまでもなく、聖書の「哀歌」を意味づけるものです。ユダ王国の滅亡とその第一神殿の破壊という未曾有の災いに直面したユダヤ人の嘆きを響かせるうたが、紀元前六世紀にバビロニアに生まれたことを、世界戦争が続いている今、どのように受け止めるか、という問いを抱いて、ショーレムは「哀歌」を翻訳し、ユダヤ人の伝統を摑み直そうとしたにちがいありません。その戦争は、当時の人々にとって一つの世界の崩壊を意味していました。この言語を絶した破局の後の芸術の展開は、その衝撃を従来の芸術では受け止められなかったことを物語っているはずです。

歴史のなかの嘆きへ

ショーレムの「嘆きと哀歌について」は、友人のベンヤミンが一九一六年に執筆した言語論「言語一般および人間の言語について」と密接な関係にあります。彼はそのなかで、聖書の「創世記」を解釈しながら、他の人や事物の存在を肯定し、これらの実在を証言するところに言語の本質を見ています。ただし、彼はこの言語論において、人間の言語が、堕罪とともにそのような創造的な本質を見失ったことも見据えています。「創世記」に語られる楽園からの追放やバベルの塔の企ての後、人間の言語は、事物を一方的に同定し、支配の対象にするようになったというのです。それとともに事物は、言葉を発しえない哀しみに沈んだとベンヤミンは述べています。

こうして自然は押し黙ってしまいました。もはや人間に語りかけてくることはありません。このような沈黙を、自然が技術的な支配の対象となる近代以後の世界の様相として見ることもできるでしょう。

ショーレムとベンヤミンは、そこに潜む嘆きを聴き出すところに、人間の言語、とくに詩的言語の本分があると考えています。ベンヤミンはこう述べています。「〔沈黙した〕自然を救済するために——通例考えられているように、詩人の生や言語だけでなく——人間の生と言語は自然のうちにある」。黙せる物たち。そこに属するのはもはや自然の事物だけではありません。とりわけ二十世紀の歴史的な破局のなかで人間性と言葉を奪われた人々がいます。うたはその嘆きをどのように響かせうるのでしょう。

声なき嘆きの反響として

万象の照応があって、人間と自然の照応をうたうことのできた太古へ還ることはもはやできません。それどころか、地上には人間の歴史のなかで繰り返されている破局の傷が深く刻まれています。そのような世界で、どのようにうたうことができるのでしょうか。そもそもうたうことができるのでしょうか。しかし、最初に見たように、そのような世界であればこそ、嘆きのなかからうたが求められているのも確かでしょう。このような問題に対する応答として、二十世紀以降のうたの自己変革を、音楽と文学を照らし合わせながら検討するのが、うたの美学の課題であると考えています。

ここでは、うたの変革を示す例として、ツェランと原民喜の詩を取り上げておきたいと思います。後で見るように、ツェランの詩作は、沈黙に深く耳を澄ましながら、声にならない嘆きを響かせるものと言えるでしょう。他方で原民喜の被爆後の詩作は、時空の秩序を攪乱しながら破局を回帰させる記憶に身を開いて、死者の嘆きを反響させるものと考えられます。ここではまず、原民喜の詩を少し抜粋しておきます。まず、「原爆小景」という表題の下で書き継がれた一連の片仮名書きの詩の一篇「真夏ノ夜ノ河原ノミヅガ」から、最後の四行を引いてみましょう。

断末魔ノカミツク声
ソノ声ガ
コチラノ堤ヲノボロウトシテ
ムカフノ岸ニ　ニゲウセテユキ

この詩節は、被爆死した者の断末魔の声が漂いながら消え去っていく様子を描くと同時に、その声が詩人に噛みついて離れないことも暗示しています。それとともに、原が「パット剝ギトッテシマッタアトノセカイ」と呼んだ、壊滅した街の惨状が、繰り返し生々しく、彼を突き刺すようにして甦ってくるわけですが、一九四九年に書かれた「鎮魂歌」という作品では、それとともに死者の嘆きが響いてくるのに、詩人は身を開こうとしています。死者たちの声を反響させた後に語られる以下の言葉は、詩人と比定される「僕」のみならず、彼が生きた言葉のことも語っていると考えられます。

一つの嘆きよ、僕をつらぬけ。無数の嘆きよ、僕をつらぬけ。僕をつらぬくものは僕をつらぬけ。
僕をつらぬくものは僕をつらぬけ。嘆きよ、嘆きよ、僕をつらぬけ。

同様に、詩そのものへの問いを含みながら、死者の嘆きを反響させる回路を探る詩を、ツェランも書いています。

声たち〔抜粋〕

方舟の奥からの声たち。
口だけが
匿われている。
きみたち
沈みゆく者よ、聞け、
われら口の声も。

声は
ない――ある
晩(おそ)いざわめきが、時に刃向かいながら、きみの
想念に贈られる。ここでようやく

呼び起こされて。一枚の
心皮。眼の大きさで深く
切り込まれたそれは、
脂を垂らし、
癒合しようとしない。

嘆きからのうたの美学へ

ここに私の訳で最後の二連だけを引いたツェランの「声たち」（一九五六年）は、詩の言語への批判的な省察を含みながら、うたう言葉が死者の記憶の回帰に開かれる可能性を探っています。まず、「沈みゆく者よ」という呼びかけによって、今や口だけになった死者が巻き込まれた出来事が続いていることが告げられます。その出来事とは、言うまでもなく、人種差別にもとづいておびただしいユダヤ人の命を奪ったショアー／ホロコーストですが、詩人は戦後も反ユダヤ主義に苦しんでいました。こうして出来事が過ぎ去っていないことを確かめたうえで、口だけが救われた死者の嘆きに耳を澄ますよう促すのです。

ツェランの「声たち」の最後の連は、癒合することのない傷から、時系列の錯乱とともに死者の記憶が到来することも暗示しています。死者たちのなかに、そしてその記憶を抱えた生き残りのなかに、癒しようのない傷が刻まれてしまっている。もはやこのことを引き受けるところからしか詩は書けないことも、この詩は伝えているのかもしれません。このように、破局の傷を言葉に刻むとともに、時の隔たりを越えて死者の沈黙と向き合い、声にならない嘆きを反響させる媒体へ言葉を変容させるのが、原とツェランの詩作と言えるでしょう。あるいは細川の音楽は、列島の悲歌の伝統を背景に、独特の「書」のかたちで彼岸と此岸のあいだに橋を架け続けています。

これらをはじめ、音楽作品や詩的な作品を検討しながら、嘆きからうたをその可能性へ向けて問うことを、ここから一歩踏み込んだかたちで始めたいと思います。それは、万葉の挽歌も示すうたの源に立ち返りながら、言葉にならない嘆きを沈黙との緊張関係において響かせるうたの可能性を、詩と音楽の言語の変革のうちに探ることだと考えています。そして、時に破壊的でもある芸術の言語の変革のうちには、死者を含む他者とのあいだで自己を創造する自由も閃いているのではないでしょうか。その余地を切り開くことが、自由が失われつつある時代における思考の課題であることを示すものとして、アガンベンの「哲学は今日、音楽の改革としてのみ生じうる」という言葉を受け止めておきたいと思います。

参考文献

▫テオドール・W・アドルノ『プリズメン――文化批判と社会』渡辺祐邦他訳、筑摩書房、一九九六年。
▫ジョルジョ・アガンベン『哲学とはなにか』上村忠男訳、みすず書房、二〇一七年。

▫同『ホモ・サケル――主権権力と剝き出しの生』高桑和巳訳、以文社、二〇〇三年。

▫山口裕之編訳『ベンヤミン・アンソロジー』河出書房新社、二〇一一年。

▫アンリ・ベルクソン『時間と自由』中村文郎訳、岩波書店、二〇〇一年。

▫飯吉光夫編訳『パウル・ツェラン詩文集』白水社、二〇一二年。

▫『新編原民喜詩集』土曜美術社、二〇〇九年。

▫平野嘉彦『土地の名前、どこにもない場所としての――ツェラーンのアウシュヴィッツ、ベルリン、ウクライナ』法政大学出版局、二〇一五年。

▫『細川俊夫 音楽を語る――静寂と音響、影と光』柿木伸之訳、アルテスパブリッシング、二〇一六年。

▫中野敏男『詩歌と戦争――白秋と民衆、総力戦への「道」』ＮＨＫ出版、二〇一二年。

▫白川静『初期万葉論』中央公論新社、二〇〇二年。

▫Gershom Scholem, *Poetica: Schriften zur Literatur, Übersetzungen, Gedichte*, Berlin: Jüdischer Verlag, 2019.

▫Georg Trakl, *Dichtungen und Briefe*, Salzburg: Müller, 1987.

▫『トラークル全集』中村朝子訳、青土社、一九八七年。

付記

本稿の基になったのは、二〇二〇年十二月二十日にウェブ会議システムを用いて開催された広島芸術学会第一三一回例会にて報告した原稿である。その内容は、二〇一七年に開催された第二十八回武生国際音楽祭の国際作曲ワークショップで行なった「嘆きの変容――〈うた〉の美学のために」と題するレクチャーを背景としている。本稿で構想を示したように、うたが人々を感情の次元で束ねるファシズムの道具として用いられうることを見据えながら、嘆きからうたうことを、災厄の後のうたの可能性へ向けて問う美学は、古歌を含めたうたの検討を進めながら、またここに挙げたベンヤミンやショーレムなどの理論的著作の読解を深めながら継続しなければならないと考えている。魂の奥底から嘆き、あらゆる境界を越えて他者と身体を共振させる余地を切り開くために。

第三部

ヒロシマ批評草紙

広島市現代美術館に置かれた殿敷侃《お好み焼き》（1987年）。廃棄物が焼き固められている。

〈死と再生〉を物語る音楽を問う
——能登原由美『「ヒロシマ」が鳴り響くとき』書評——

被爆から七十年の節目を迎えた広島で、「ヒロシマ」を標題に掲げた最初の交響曲が二度鳴り響いた。二〇一五年十一月十六日に広島市のJMSアステールプラザで開催された演奏会「ヒロシマの追憶と飛翔——二つの交響曲《HIROSHIMA》」(演奏は、高関健の指揮による広島交響楽団)と、十二月六日に開催された大阪フィルハーモニー交響楽団の三原市芸術文化センターポポロでの特別演奏会(指揮は井上道義)において、フィンランドの作曲家エルッキ・アールトネンが広島の被爆から四年後に完成させた交響曲第二番「ヒロシマ」が取り上げられたのだ。広島への原子爆弾投下の報道に衝撃を受けて書かれたこの交響曲が広島で演奏されたのは、一九五五年の八月十五日に催された、朝比奈隆の指揮による関西交響楽団(現在の大阪フィルハーモニー交響楽団)の特別演奏会における日本初演以来、実に六十年ぶりのことだった。

こうしてアールトネンの「ヒロシマ・シンフォニー」が、二〇一五年という節目の年に広島の地で再演されることを可能にしたのは、同じ年に世に送られた本書『「ヒロシマ」が鳴り響くとき』の著者の研究にほかならない。著者は一九九五年から、「ヒロシマ・ナガサキ」、「反核」といったテーマを持つ音楽作品を広く蒐集し、そのデータベース化を進めている「ヒロシマと音楽」委員会の中心メンバーの一人として、この「ヒロシマ・シンフォニー」を発掘し、その成立と受容の過程を十年にわたって研究してきた。その成果は本書にもふんだんに織り込まれ、議論の軸をなしているが、とりわけそれが描き出す「ヒロシマ・シンフォニー」の演奏史は、この交響曲が作曲家アールトネンとともに、今発掘されざるをえなかったことも示している。両者が忘れられるに至る歴史とは、まさに本書の議論の焦点の一つと言うべき、『『ヒロシマ』のポリティクス、あるいは『ヒロシマ』を掲げる音楽のポリティクス」に、一曲の交響曲とその作曲家が翻弄される過程だった。

本書は、二十年にわたり著者が取り組んできた「ヒロシマと音楽」委員会の調査活動の経験にもとづいて、「ヒロシマ」から着想を得て音楽を書く、あるいはそのような音楽を響かせて広めていく活動を跡づけることによって、「ヒロシマ」が鳴り響いてきた磁場を、政治的な力学を内包する場として浮き彫りにするものと言えよう。当然ながら、そうして音楽と政治の関係を論じるにあたっては、作曲活動に着目するだけでは不十分である。同時に演奏と聴取にも光を当てなければ、「ヒロシマ」が音楽として鳴り響くことが一つの社会的な、さらには国際的な運動を形成することに迫ることはできない。さらに、今「ヒロシマ」をみずからの音楽のうちに響かせている作曲家の創作は、文学作品や原爆の体験者の証言などから「ヒロシマ」を聴き取ることを経ることなしには考えられない。

著者はこのような洞察の下、第一部では曲を作ることに、第二部では演奏活動に、第三部では聴取のあり方にそれぞれ力点を置きながら、音楽における「ヒロシマ」像の変遷を歴史的に辿っているが、音楽において作曲と演奏と聴取は、もとより緊密に関連していて、これらのいずれかに絶対的な起点を置くことはできない。そして、これら音楽自体を構成する活動の結びつきを「ヒロシマ」を題材とする音楽において象徴的に示しているのが、著者にとってはアールトネンの「ヒロシマ・シンフォニー」をめぐる歴史にほかならない。なかでも先に触れた、この交響曲の演奏史を掘り起こし、そこに作用する冷戦下の平和運動のポリティクスを見通していく議論は、音楽と政治の関連とともに、それを媒介する音楽そのものの特性を明らかにすることによって、「ヒロシマ」を鳴り響かせようとする音楽の問題を指摘する。その展開は、本書の白眉と言えよう。

著者の調査によれば、アールトネンの交響曲第二番「ヒロシマ」は、一九五五年に広島で演奏されるに先立って、フィンランドと中東欧圏で幾度も取り上げられている。その出発点として注目されるのが、ヘルシンキでの初演の翌年、一九五〇年のチェコ・ラジオによる録音と放送である（演奏は、ヴァーツラフ・ノイマン指揮によるプラハ放送交響楽団）。著者の見るところ、これがその翌年のプラハの春国際音楽祭へのアールトネンの招待と、さらにその一年後のワルシャワにおけるポーランド・ラジオによる録音と放送（演奏は、現代美術作家クシシュトフ・ウディチコの父ボーダン・ウディチコの指揮によるポーランド国立放送交響楽団）の契機となった。そして、これらに結びついたアールトネンの「ヒロシマ・シンフォニー」の評価の背景には、一九五〇年の三月に採択されたストックホルム宣言に象徴される、平和擁護世界大会を中心とした平和運動の高揚があったという。

ちなみに、この宣言への署名運動は日本でも繰り広げられたが、それとともに「うたごえ運動」が平和運動として高まり、後にそのなかから生まれた《原爆を許すまじ》が、《Song of Hiroshima》となってイギリスの平和行進で歌われるようになる経緯も、本書のなかで作曲と歌う行為の結びつきにおいて詳論されている。これらの楽曲は、冷戦下の国際的な平和運動の一潮流が形成した磁場のなかで、特定の主張を帯びながら鳴り響いていた。

ところで、核兵器使用の全面禁止を訴え、アメリカ合州国の核開発を非難する一方、ソヴィエト連邦の核開発は容認する平和擁護世界大会の運動にアールトネン自身も深くコミットするなか、当時のいわゆる旧共産圏を中心としたこの運動の象徴的存在として、彼の「ヒロシマ・シンフォニー」も注目されるようになった。著者が述べるように、旧共産圏における「平和運動の高まりがアールトネンの『ヒロシマ』へ目を向けさせた」のだ。しかし、まさにこのことのために、彼は後に母国で「共産主義者」という根拠のないレッテルを貼られるようになり——それにはフィンランドとソ連の関係の変化も影響していよう——、「ヒロシマ・シンフォニー」をはじめとする彼の作品は忘れられていく。

こうしてアールトネンは、彼の交響曲とともに、冷戦下の平和運動のポリティクスと政治的な布置の変動に翻弄されたわけだが、そもそも彼の「ヒロシマ・シンフォニー」が平和運動の象徴たりえたのは、それが標題音楽としての物語性を具えているからであることも、本書の議論によって明らかにされている。この曲の冒頭で、広島の人々の苦悩を暗示するかのように重苦しく短調で奏でられるモティーフは、全曲にわたって展開された後、フィナーレで長調に転じて回帰し、人類の平和的な共存への希望を高らかに歌い上げるわけだが、そのような、ほとんど交響詩的とも言える物語性は、この曲が広く受け容れられる重要な要因となっただけでなく、図らずして音楽における「ヒロシマの物語」の原型をも用意したのだ。この物語を、被爆による壊滅から再生ないし復興に至るものとして反復した代表的な作品として、著者は、團伊玖磨の交響曲第六番「HIROSHIMA」と新実徳英の合唱曲《祈りの虹》を取り上げている。

そのように、音楽において「ヒロシマの物語」が反復されることの陥穽も、本書は指摘している。言うまでもなくこのことは、「ヒロシマ」という主題に触れる音楽作品の型を形成することになるが、その過程には、「ヒロシマ」を語る政治的な言説の力学も多分に作用している。そのなかで聴取も方向づけられてしまうことによって、音楽における「ヒロシマ」像が定型化されていくのだ。今や「ヒロシマ」の音楽と聞けば、まずは原爆による破壊の惨状が凄まじい響きで描かれることを、そして最終的には再生への希望が歌われることを、聴き手の側も期待してしまう。それを商業的なプロデュースを含む音楽作りが摑もうとすることによって、「ヒロシマ」像の定型化はさらに進行する。著者によれば、その果てに起きたのが、「HIROSHIMA」を標題に掲げる交響曲をめぐる作曲家詐称事件にほかならない。そして、二〇一四年に詐称が明らかになった際に露呈したのは、この交響曲が本来、広島の被爆とは何の関係もなかったことだった。

この事件が突きつけるのは、「ヒロシマ」を物語るイメージに訴える音楽が、「ヒロシマ」という語が想起させるべき出来事から乖離する危険である。一部の作曲家は、これをいち早く感知していただけでなく、そもそも広島の被爆へは、予定調和的な物語を作るようなかたちではアプローチしえないことにも気づいていた。その一人として著者が挙げるのが、林光（はやしひかる）である。彼は原民喜の「原爆小景」の標題の下にまとめられた一連の詩にもとづく合唱曲《原爆小景》を作曲しているが、その第一部から第三部までは、無調音楽の実験的な手法を駆使して、詩の描く「パット剝ギトッテシマッタ　アトノセカイ」に迫ろうとしている。「永遠のみどり」を音楽に乗せる第四部だけは、調性音楽で書かれているが、それも主要音に回帰して希望への出口を指し示すことはない。あるいは、広島に生まれた細川俊夫が、一九八九年に一度書き上げた《ヒロシマ・レクイエム》を、およそ十年後に《ヒロシマ・声なき声》に改作する際、生者のための再生を語るのではなく、むしろ死者の沈黙に耳を澄ます姿勢を、音楽の刷新によって示していることも、著者は指摘している。

では、なぜこうした音楽作品の形を取って「ヒロシマ」は鳴り響くのか。それは、広島で起きた出来事が今も終わっていないことを、作曲家が鋭敏に感知しているからである。著者によれば、原爆投下に至った戦争の危険も、原爆がもたらした生命の根本的な危険も切迫していることに向き合いながら、ハンス・ヴェルナー・ヘンツェやルイジ・ノーノといった戦後の作曲家は、「ヒロシマ」に内的に触れる——そこにある言葉と音楽の結びつきは、さらに掘り下げられるべきだろう——作品を書いたのだ。そして、細川俊夫の近作《星のない夜——四季へのレクイエム》が示すように、ヒロシマの残響は、音楽自体を刷新する「ヒロシマ」の音楽を、今も作曲家に書かせている。このようなヒロシマを想起する新たな音楽が鳴り響く可能性を、物語的表象の陥穽を見据えつつ探る際に、楽曲分析と平和運動史を含んだ現代音楽史の叙述によって、「ヒロシマ」が音楽のうちに鳴り響く磁場を浮き彫りにした本書は、つねに顧みられるべき参照点であり続けるにちがいない。

［春秋社、二〇一五年］

付記

本稿の初出は、二〇一六年八月三十一日に刊行された原爆文学研究会の会誌『原爆文学研究』第十五号（花書院刊）。その特集「ブックレビュー『戦後七十年』」の枠内で掲載された。本書に収録するに際し、一部の措辞に修正を加えた。ここに紹介した『「ヒロシマ」が鳴り響くとき』で論じられている音楽と政治の関係は、ロシアによるウクライナの侵略が犠牲を積み重ねているなかであらためて問われており、それに対する音楽家たちの姿勢が論議を呼んでいる。この本の著者、能登原由美さんは、その問題についても丹念な調査にもとづく論考を発表している。

また、新型コロナウイルス感染症の蔓延により演奏会を開けなくなるなか、日本のオーケストラが、無観客演奏のウェブ配信をはじめ、どのように演奏活動の余地を探ったかについても、能登原さんは粘り強い調査を重ね、こうした試みの将来の演奏活動に与えうる影響を視野に収めつつ、調査結果を論じている。こうした能登原さんの論考は、ウェブ批評誌『メルキュール・デザール Mercure des Arts』で読むことができる。『「ヒロシマ」が鳴り響くとき』が示している広島で起きた出来事の残響は、今も音楽の刷新を迫るかたちで作曲家に音楽を書かせているという認識は、さらに深めていきたい。

〈原爆〉を読み継ぐことへの誘い
――川口隆行編著『〈原爆〉を読む文化事典』書評――

〈原爆〉、それは完結することのない一つの出来事である。原子爆弾に被爆した人々のなかで、原子力発電所の事故や核実験の影響などによって被曝した人々のなかで、あるいはこうした人々に出会った者たちのなかで、この出来事は現在も続いている。広島と長崎で人間の手によって、人間に対して放たれた核の力は、生命の根幹を脅かし続けているだけでなく、人々のなかに不穏なざわめきを呼び起こし続けてもいるのだ。このことを被爆の後史と呼ぶなら、それは今や無数の原爆の表象によって織りなされている。

二〇〇一年に発足した原爆文学研究会に集う研究者たちは、作品研究の枠内に留まることなく、原爆の表象が芸術作品などとして現われてくる歴史的な過程を掘り下げてきたが、本書『〈原爆〉を読む文化事典』は、その活動の現時点での集大成である。最新の研究成果が惜しみなく注ぎ込まれたこの『文化事典』の各項目は、今も続く核の歴史を見通しながら、〈原爆〉を問い続けるために不可欠の視点を提示するものと言えよう。その特徴としてまず、人名や作品名ではなく、表現運動や論争などの動向、あるいはその焦点として浮上するイメージが項目に立てられていることが挙げられる。本書は、「I論争・事件史」、「II表現と運動」、「III語る／騙る」、「IVイメージ再考」の四部に分かたれるが、これらに含まれる各項目において考察されているのは、原爆の表象が形成される動きなのだ。そして、そこから浮かび上がるイメージにしても、人々の願望と欲望が注ぎ込まれるとともに、政治的な力がせめぎ合う力の場にほかならない。

それゆえ本書は、原爆文学論争をはじめとする原爆の表象をめぐる論争や、《原爆の図》の全国巡回展とそれに連動していた市民運動などの歴史について、まず踏まえるべき基本的な知見を示すだけにとどまらない。その各項目は、原爆の表象を歴史的な文脈のなかで、その生成から動的に読み直す可能性も示している。そのために国際的な視角が提示されている点も、本書の価値を高めていよう。アメリカの大衆文化で、朝鮮半島や台湾の社会運動のなかで、あるいは先住民権利運動のなかで、核の力がどのように表象されてきたかを顧みることは、〈原爆〉をめぐる想像力の「戦後」史的な限界を、他者の視点から照らし出すことでもある。なかでも先住民がウランの採掘に携わった歴史は、ヒロシマとナガサキの前史と、それを貫く植民地主義への問いを投げかけていよう。先住民の居住地域のウラン鉱山の坑道は、九州の炭鉱にも通じているのかもしれない。

本書のもう一つの特徴として挙げられなければならないのは、二〇一一年三月十一日に起きた福島第一原子力発電所の過酷事故後の状況を視野に収めつつ、原爆を表現する行為を緻密に掘り下げている点である。第III部の表題にあるように、「語る」ことが「騙る」ことでもあること、あるいは見せることが隠蔽することでもあることをイメージから読み解くならば、原爆の傷を負った者に特定の役割を担わせる力の所在とともに、ある歴史的な状況のなかで代表されなかった者たちの存在にも気づかされるだろう。今やこれらを顧みることなしに、原爆の表象を論じることはできない。

もとより原爆文学の作品の数々をはじめ、この『文化事典』で考察されている〈原爆〉の表現は、表現者自身が心身に負った傷を含めた原爆の痕跡――それは、本書の一項目として挙げられている幽霊のように、時系列に反する仕方で回帰してくるだろう――を緻密に読み解くところから生まれている。本書が示唆しているのは、それにもとづく表現を、今ここで読み直す可能性にほかならない。それ自体として「読ませる」それぞれの項目は、その可能性を越境的に繰り広げて〈原爆〉を読み継ぐことへ誘っている。この魂の陶冶としての文化の営みをつうじて〈原爆〉を問い、その歴史が命を脅かすかたちで続いているなかに生き残ることを見つめ直そうとする者にとって、本書は必携の一冊である。

［青弓社、二〇一七年］

付記

本稿の初出は、原爆の図丸木美術館が発行する『原爆の図丸木美術館ニュース』（二〇一八年一月十日発行）。この『〈原爆〉を読む文化事典』については、二〇一七年十二月二十三日に広島大学東千田キャンパスで開催された第五十四回原爆文学研究会において合評会が行なわれた。第一期が二〇〇一年から二十年間、六十五回にわたって継続したこの研究会で報告された研究とそれをめぐる議論の精華と言うべきこの事典が、今後の原爆文学および原爆の表象の研究の出発点として、長く読み継がれることを願っている。

非核の未来へ言葉を渡し、命をつなぐ手仕事の記録

——岡村幸宣『未来へ——原爆の図丸木美術館学芸員作業日誌２０１１—２０１６』書評——

美術館の学芸員の仕事は、実に多岐にわたる。ある芸術家とその作品、あるいは特定の時代の芸術運動とそこから生まれた作品などの専門的な研究を続ける傍ら、展覧会を企画し、その会場に並ぶべき作品を選定し、さらには作品をめぐる記録を掘り起こさなければならない。場合によっては、それをつうじて作品の所在を突き止めなければならないこともあるだろうし、作品を借用するために、困難な交渉に臨まなければならないこともあるだろう。今日では、こうして考証にもとづいて作品の数々を集めるだけでなく、その意義を魅力的に伝える工夫を凝らすことも学芸員に求められている。このとき、作品を観覧者に届ける言葉が決定的な意味を持つことになる。

丸木位里と俊による一連の《原爆の図》は、その最初の三部が世に送られた一九五〇年代初頭から、そのような言葉とともにあった。原子爆弾の被害を語ることが禁じられた占領下、丸木俊やヨシダヨシエらがみずからの言葉で絵を人々に届けたことは、この作品の歴史の構成要素である。『未来へ——原爆の図丸木美術館学芸員作業日誌２０１１—２０１６』の著者は、《原爆の図》がこのような「口伝(くでん)の

絵画」であることを噛みしめながら、それを展示する美術館の学芸員の使命を引き受けている。そして、美術館を訪れる修学旅行生をはじめとする団体客の前に立ち続ける。作品を届けるみずからの言葉を携えて。ただしそのことは、《原爆の図》を絶えず読み直すことと表裏一体である。

本書の日誌は、東日本大震災が起きた日から始まっている。この「三・一一」の後、例えば第八部「救出」の見方が変わったという。その左隻(させき)には火炎のなかから負傷者が助け出される様子が描かれているが、その余白には胡粉(ごふん)が施されている。そのことが醸す霧のようなゆらめきは、震災に続いて起きた福島第一原子力発電所の過酷事故の後に人々が直面している、不可視の放射性物質の脅威を暗示しているのではないか。こうして、作品を扱う学芸員の日々の「作業」のなかで、《原爆の図》が今に語りかけてくるものを読み解くことが、この作品を言葉とともに人々に届けることと一つになっていることを、本書に刻まれた日々の記録は物語っている。

その過程で、一つの芸術の姿が見通されていることも見逃せない。東京新聞の記者の言葉を借りて、著者が「非核芸術」と呼ぶ芸術の姿である。この芸術は、「見えない」核の脅威を「見える」ものにして暴き出し、問いただす。そして、作品に結実したその姿を目の当たりにすることは、それぞれの時代にどのような出来事が記憶されてきたのかを確かめ、忘却に抗うことでもある。そのような認識の下、《原爆の図》からヤノベケンジの《サン・チャイルド》(二〇一一年)に至る「非核芸術」の系譜を辿る連載が東京新聞で始まり、それが岩波ブックレット『非核芸術案内——核はどう描かれてきたか』(二〇一三年)に結実するまでの日々が、本書の前半には刻まれている。

　この日々に著者は、《原爆の図》とも向き合いながら、福島第一原発の事故の後に人々の生を脅かす核の問題を見通そうとする芸術を美術館へ迎え入れている。『非核芸術案内』の最終章は、「三・一一以後の非核芸術」と題されているが、そこで批評とともに紹介されている作品の多くは、この日以後に、丸木美術館で展示されたものである。原発の廃墟を前に、放射性物質に晒された身体の実在を声とともに確かめるChim↑Pomの作品をはじめ、路上で核被害者の証言を拾い上げながら生成し続ける壷井明の《無主物》（二〇一二年）、自然の物質の組成を変えた人間の業を問いただす安藤栄作の彫刻作品など。『作業日誌』には、これらの展示の舞台裏にある作家との遣り取りなども記されている。

　とくに壷井明との遣り取りは、抗議する路上の人々の群れに混じっていた終わりなき絵を、独特の絵画としてすくい取る言葉の「作業」の様子も映し出していて興味深い。そして、画家の希望にもとづいて、《無主物》を小さな展示室の床に置くとき、著者はこの作品に、《原爆の図》と通底するものを見て取っていたのではないだろうか。すでにこの『作業日誌』に先立つ『《原爆の図》全国巡回——占領下、100万人が観た！』（新宿書房、二〇一五年）が記録にもとづいて克明に描き出していたように、とくにその最初の三部はつねに、占領下で戦争と核に抗う人々のあいだにあった。そして、ほぼ時を同じくして、峠三吉と四國五郎の合作による「辻詩」が、広島の路上で暴力に立ち向かっていた。

　著者は、二〇一五年の春に旧日本銀行広島支店で開催された四國五郎追悼展を訪れ、「辻詩」をはじめとする四國の作品を見た後に、こう記している。「もし丸木美術館で『四國五郎展』を企画するとしたら、歴史を掘り起こす上でも、『美術』の枠を再考する上でも、意味をもつのではないか」。二〇一六年夏に実現することになる四國五郎展を構想するなかで、また丸木美術館に展示される「三・一一以後の非核芸術」と向き合うなかで、著者は、狭義の「美術」の枠に収まらない《原爆の図》の特質と、まさにそこに含まれるこの作品の可能性について省察を深めていたにちがいない。そして、二〇一五年からの学芸員の「作業」の大きな比重を占めるようになるのは、その可能性を海の向こうで問うための仕事である。

二〇一五年六月二日に《原爆の図》は、アメリカ合州国での巡回展に旅立つが、そのおよそ八か月前に韓国の老斤里（ノグンリ）で行なわれた国際平和博物館会議の席上、著者は韓国の研究者からの質問に答えて、次のような主旨のことを述べたという。「芸術の力が、すぐに世界を変えるとは思えない。けれども、異なる視点の表現に触れることは、固定観念を突き破っていくきっかけになるかもしれない。小石を積み上げるように時間をかけて、少しずつ心を通わせることはできると信じたい」。アメリカでの巡回展は、そこで今なお影響力を保っている「原爆神話」という「固定観念」を乗り越え、人々が海を越えて手を携える回路を切り開く契機となるべく、アメリカン大学を皮切りに始まった。

その会場を二度にわたって訪れ、作品を時間をかけて観ていた一人の年老いた退役軍人の様子を、著者は印象深く記している。たしかに戦後七十年の《原爆の図》展は、ブルックリンのアート・シーンを彩る展覧会として、ある雑誌で第二位の票を集めるなど、この作品のアメリカでの評価を変える意味があった。しかし著者は、「原爆神話」の影響下にあったであろう一人の観客の心を掴んだことに、より大きな意味を見て取っている。そして、このことは《原爆の図》に、その潜在力とも言うべき意義を見いだすことでもあろう。それは、一義的なメッセージだけを伝えることのない芸術作品として、異なった背景を持つ人々のあいだに橋を架ける力である。

この力はすでに《原爆の図》の誕生の当初から孕まれていて、例えば本書でも触れられる第十四部「からす」が一九七二年に描かれた際には、丸木夫妻によって意識されていたかもしれない。ただしそれは今や、作品が人々の運動とともにあった非西洋における戦後美術の展開とも呼応しながら、チョルノービリと福島の原発事故の後の世界において発揮されうる。そのことは、二〇一六年の秋に《原爆の図》第二部「火」と第六部「原子野」が、ミュンヒェンのハウス・デア・クンストでの「Postwar——太平洋と大西洋のあいだの美術1945—1965」に招聘されたのを観た筆者が感じ取ったことである。戦後の二十年を、とくに非西洋の美術から問う展覧会の冒頭で、《原爆の図》が重要な位置を占めたことは忘れがたい。

このことは、著者が本書を構成する日誌を記すなかで獲得した「非核」の概念とともに、「非核芸術」とは何でありうるかをあらためて問うものと思われる。「非核」とは、もはや核兵器と核の「平和利用」に抗うだけにとどまるものではない。むしろ核の歴史を惑星的な規模で動かしている命あるものを蔑ろにする態度に、人々が手を携えて立ち向かうことも含まれよう。その可能性を、芸術はどのように指し示しうるのか。この問いに著者は、《原爆の図》の源泉に遡りながら取り組もうとしているように見える。

本書の二〇一一年の日誌には、丸木位里の故郷である広島県北部の旧飯室（いむろ）村への旅のことが記されている。野猿も出現するその風景の描写は印象深い。この地で位里とともに育った大道あやの《しかけ花火》（一九七〇年）では、太田川のさまざまな生きものが乱舞する。そこに、あるいは本書で紹介される丸木スマの《河童》（制作年不詳）にも祝祭的に表われる生命に対する眼差しは、丸木夫妻が《原爆の図》において、原爆に遭った者たち一人ひとりの死にざまでもあるほかなかった生きざまを描くところにも貫かれていよう。そのことを感じ取ってであろうか、著者は二〇一四年の丸木美術館開館記念日の日誌に「命と命のあいだに、線は引かない」と記している。

著者は、歴史によって引かれた線を越えて、時に海を越えて、命の絵画を言葉とともに届け続ける。核の脅威に今も晒されている命あるものたちのあいだに「少しずつ心を通わせる」回路が開かれることを、そしてこの絵画の「非核芸術」がその媒介になりうることを信じて。《原爆の図》を読み直しながら絶えず磨かれる、絵を手渡す言葉には、ヴァルター・ベンヤミンが「物語作家」のなかで口承の物語について述べているように、「手の痕跡が残っている」。日誌に記される言葉は、絵を掘り起こし、作家やその関係者との交渉を重ねたうえで観る者に届ける学芸員の手仕事のなかから紡がれているのだ。このような言葉とともに《原爆の図》を届ける「口伝」の旅は、今も続いている。

［新宿書房、二〇二〇年］

付記

本稿の初出は、原爆文学研究会の会誌『原爆文学研究』第二十号（二〇二二年三月二十一日、花書院刊）である。

そこに掲載されるに先立ち、二〇二〇年十二月十九日にウェブ会議システムを用いて開催された第六十二回原爆文学研究会での『未来へ』の合評会で発表されている。その際、水溜真由美さんも『未来へ』の書評を発表されたが、筆者と同じく言葉に残る手の痕跡に着目されたのには、偶然を越えた符合を感じる。本書に収録するに際し、一部の表記にのみ変更を加えた。

本稿のなかで、『未来へ』以外の岡村幸宣さんの仕事に触れたが、それ以外に岩波ブックレットの一冊として刊行されている『《原爆の図》のある美術館――丸木位里、丸木俊の世界を伝える』(二〇一七年)も挙げておきたい。《原爆の図》を残した二人の画家の足跡とともにこの作品の歩みを、そこから生じた作品の意義を含めて平易に語った一冊である。岡村さんは、原爆の図丸木美術館の学芸員を務める傍ら、埼玉県川越市でCAFÉ & SPACE NANAWATAを営んで、現代美術の展示を行なっている。

そこで二〇二〇年十二月から翌年一月にかけて開催された母袋俊也展「《ta・KK・ei2020》――「奇数連結」再始動」に関連して開催されたトーク「《ta・KK・ei》の前で」で母袋さんと対談できたことは忘れがたい。マティアス・グリューネヴァルトのイーゼンハイム祭壇画の磔刑図の調査を基に、一九九八年に制作された《ta・KK・ei》と、新たに制作された《ta・KK・ei2020》の前で、絵画の形式性と主題との関係、絵画とその歴史性などについて議論する場を設けてくれた岡村さんに、あらためて心から感謝申し上げる。

手つきと身ぶり

――広島で『月夜釜合戦』を『山谷（やま）――やられたらやりかえせ』とともに観て――

「人類には、ひとつ大きな欠点がある。絶えず腹が減ることです」。佐藤零郎監督の『月夜釜合戦』を観る前に、釜ヶ崎という寄せ場は一つの巨大な飯釜だという、この映画の製作委員会が記した言葉を反芻しながら、そしてこの映画のなかで、父親を殺されて孤児となった貫太郎の腹の虫がドラマの間隙を突くように鳴るのを聴きながら、脳裡に去来したのは魯迅のこの言葉である。生きていれば腹が減る。空腹を満たすことができなければ、自立した生活を営むことはおろか、みずからの自由を考えることすらできない。だが、腹の虫の世話は生易しいことではない。

そのように魯迅は、イプセンの戯曲『人形の家』の主人公を論じた講演「ノラは家出してからどうなったか」のなかで、人間の生の動物的とも言える制約にまつわる困難を噛みしめる。ノラは、自分が傀儡（かいらい）であることに目覚めて家を出た。もはや傀儡の夢の世界へは戻れない。しかし、家の外を自分の足で歩むためには、まず食べていかなければならないのだ。食べていくこと、それは「経済権」を持つことである。講演が行なわれた北京女子師範学校の学生にこう語りかけるとき、魯迅は、同時代に「自由恋愛」の前提は女性の経済的自立だと喝破した与謝野晶子とも期せずして呼応している。「経済権」は闘い取られなければならない。一九二三年に行なわれたこの講演のなかで、魯迅はその闘いに必要な粘り強さを、無頼の人々のうちに見て取っている。義和団の乱の後で天津に現われた青皮（チンピー）と呼ばれる一群の人々は、荷担ぎを勝手に引き受けて、荷が軽くても、運んだ距離が短くても、さらには結局運ばなくても、同じ「担ぎ賃」をしつこく要求したという。そうした稼ぎの手口を編み出す知恵と、これを実行し続ける粘り強さが、「経済権」を得るためには必要なのだ。このように魯迅は、文芸を学ぼうとする女性に、無頼の人々のようにしたたかに生きることを説くのである。

このしたたかさを幼くして身に着けたのが、貫太郎なのかもしれない。『月夜釜合戦』のなかでまず印象に残るのが、彼の鋭い目つきであり、大洞がありついた巻き寿司を掠め取る彼の手つきである。それは、釜ヶ崎のフィールドワークを率いる大学教師の財布を一瞬で盗み取った大洞の手つきを、力強さの点で凌駕している。なぜなら、貫太郎の手は、食べて生き延びることへ直接向かっているからである。これに対して大洞の手つきは軽い。それは金にしか向かっていないのだ。彼が盗み取ったおびただしい釜は、彼にとっては交換価値しか持たない。

この点で大洞は、飯炊きの釜に代紋を彫り込んで、釜を文字通りの物神にしている釜足組の連中と同じ土俵に立ってしまっている。そこで闘われるのは、働いて食べる人々の営みに寄生し、そこから生をカネに変えて吸い上げる回路の獲得に血道を上げるやくざ者たちの仁義なき抗争でしかない。ただし、釜ヶ崎のやくざ者たちは、まだ地に足を着けながら、手を使って働いている。彼らは自分の手足で釜をかき集めているのだ。大洞とタマオも、三角公園で自分の手で喧嘩をするが、物神としての釜から紙幣が飛び散るのを目の当たりにして、カネをめぐる闘いの虚しさを悟ることになる。

ところで、この三角公園に据えられた炊き出しの大釜をめぐる闘いをドラマの頂点の一つとする『月夜釜合戦』は、『山谷（やま）――やられたらやりかえせ』の監督の一人山岡強一の命日に当たる二〇一八年一月十三日に、広島のカフェ・テアトロ・アビエルトで、このドキュメンタリー映画とともに上映された。これらの作品を同じ日に、しかも十六ミリフィルムで観られたのは貴重だった。とくに『山谷』をフィルムで観ると、寄せ場の埃っぽさとともに、そこに生きる人々の身ぶりの強度がいっそう生々しく伝わってくる。その映像を追いながら、働く者たちの手つきにあらためて惹きつけられた。

早朝の山谷で透明プラスチックのパックに白飯をよそう手つきも、集合住宅の建設現場で足場を組んでいく手つきも、力強く、かつ無駄がない。そこには、食べて生きていくことへ向けた暗黙の知恵が宿っている。そして、そのような働く者たちの動きを、集団の次元においてつぶさに映し出す点で、『山谷』の映像は動的である。これに比べると、『月夜釜合戦』が描く釜ヶ崎は静かだ。そこでは、集団としての働く者たちは目立たなくなってしまっている。しかも、廃品回収に勤しむ二人組の姿が示すように、働く者の多くも年老いてしまった。

貫太郎の父親である旅芸人の逸見が嘆いていたように、こうして日雇いの仕事がめっきり減ってしまった釜ヶ崎の静けさが、言わば映像の地をなしている――それゆえ、街角の博奕（ばくち）の掛け声もどこか虚ろに響く――ことが、『月夜釜合戦』という映画の際立った特徴をなしていよう。そして、この夜へ通じた静けさのうちにこそ浮かび上がるのが、働く手つきが示すのとは別の身ぶりである。それは、私娼窟の女性をはじめとする人々が示す、舞踊を含んだ身ぶりである。それが釜ヶ崎の空間を揺さぶりながら、映画の時間に独特の緊張を与えている。

　路傍にたむろする私娼たちのどこか浮遊するような姿態は、前へ進もうとする時間を停滞させながら、空間に揺らぎをもたらしている。そして、そのような身ぶりを示す女性たちの共同性は、身体を整序された時空間に晒し出そうとする眼差しを逃れていく。このことを捉える『月夜釜合戦』という劇映画において、時間は間歇（かんけつ）的なリズムを持っている。そこにある緊張の極点の一つを示すのが、殺された逸見を哀悼する神父と私娼メイの舞踊のシーンであろう。そこでは、時間が中断するなか、生者と無名の死者たちの連帯が生きられている。

　あるいは、かつて娼婦だったと思しき女性が営む居酒屋で、メイが男性客のマイクを奪って歌うシーンにおいても、物語の進行は中断している。彼女の歌は、ブレヒトの叙事的演劇におけるソングのように、静止した現在において、状況とそこに内在する敵対関係――それはここで、彼女と居酒屋の主の関係に凝縮されている――を炙り出すのだ。そして、メイの歌い、踊る身体は、寄せ場を市場に一変させようとする資本と結託した国家暴力の手からも逃れていく。夜陰に身を隠す彼女の身のこなしにも、釜ヶ崎でしたたかに生き抜いてきた者の知恵が宿っているにちがいない。闇のなかにうずくまり、マッチを点すメイは、彼女に知恵を授けた死者を想起しているのだろうか。

　このように『月夜釜合戦』は、現在の釜ヶ崎の静けさを下地に、資本主義的な労働の規範を逃れていく身ぶりを、月夜に浮かび上がらせる。この点で佐藤監督の映画は、一九八〇年代の働く者たちの昼の活動を、その手つきを焦点に力強く描き出す『山谷――やられたらやりかえせ』とは対照的である。そのことは、台詞による直接の言及を含めて「やま」に生きた先人へのオマージュを随所に示す『月夜釜合戦』が、制作から三十年余を経た後にこそ可能な「やま」のドキュメンタリーへの応答であることも物語っていよう。

この劇映画は、「安心と安全」を掲げながら、みずからの手足を使って働いて生きる者たちの場を資本の力で、みずからの手を汚すことなく消し去っていく今日の権力の空虚さと腐敗――それはやくざ者たち以上に寄生的なのだ――を浮き彫りにしながら、そのサーチライトを一時的にも逃れる知恵を、夜闇と親和性を持った身体の技法として、一抹のユーモアを交えつつ伝承するとともに、歌い、踊る身体のイメージによって、時が前へ進むのを食い止めている。しかし、それと同時に、飯釜をドラマの焦点にすることによって、したたかな身のこなしが、魯迅が引き合いに出した無頼の者たちのそれのように、食べて生きることに結びつくことへの問いも投げかけている。

孤児だったメイと孤児となった貫太郎は、三角公園に置かれていた大釜のなかに隠れ場所を見いだす。だが、そこでも腹の虫は鳴る。では、この先二人はどのように食べて生きていくのだろうか。二人が顔を出す河原を含めた「釜」という空間が失われていくなかで。『月夜釜合戦』という劇映画は、釜ヶ崎という場所を、死者との連帯と経験の伝承のユートピアとして浮かび上がらせながら、この問いを、今に生きる者自身が、死者とともに生き延びるための闘いへ向けて引き受けるべき問いを提起している。

そのときこの映画は、やくざ者だった神父が繰り返し読むはずの「マタイによる福音書」の一節のヘーゲルによるパロディ——「まず衣食を求めよ。されば神の国は、汝らにおのずと与えられん」——をエピグラフに掲げるベンヤミンの「歴史の概念について」のテーゼの一つと内的に呼応しているにちがいない。

「マルクスで修行を積んだ歴史家の眼前に絶えず浮かんでいる階級闘争とは、生の物質的なものを求める闘争であり、これがなければ精緻で精神的なものもない。にもかかわらず、後者は、勝者の手に落ちる戦利品を思わせるものとは異なったものとして、階級闘争のうちにある。精緻で精神的なものは、信頼、勇気、ユーモア、狡知、不屈の心として、この闘争のなかに息づいており、遠く隔たった世代にまで遡って作用する。それはかつて支配者の手中に転がったどの勝利も、つねに新たに疑問に付すだろう」。

付記

本稿は、佐藤零郎監督の映画『月夜釜合戦』（二〇一七年）から生まれた批評新聞『CALDRONS』の第二号（二〇一九年三月六日発行）に掲載された。本文にも記したように、この映画は、二〇一八年一月十三日にカフェ・テアトロ・アビエルトで、山岡強一と佐藤満夫の共同監督による映画『山谷——やられたらやりかえせ』（一九八五年）と併映されたが、その後で佐藤零郎監督を交えて行なわれた座談会が執筆の機縁となった。その後で声をかけてくれた佐藤監督に心より感謝申し上げる。

中山幸雄さんが営むカフェ・テアトロ・アビエルトは、演劇や舞踊をはじめ舞台芸術の場であり、音楽の場であり、映画上映の場であり、かつ詩の朗読や講演が行なわれる広義の文学の場でもある。この真の意味での劇場では、毎年一月十三日に、山岡強一監督への追悼を込めて『山谷』の上映が行なわれている。そこで毎年行なわれている催しとして、死刑廃止のための大道寺幸子・赤堀政夫基金の主催による「死刑囚の表現展」への応募作品による「死刑囚の絵展」も重要と思われる。

記憶を分有する民衆を来たるべき東洋平和へ向けて創造する

——平和を掠め取り、言葉を奪い、生を収奪する力に抗して——

平和という言葉が奪われつつある。七十年前の敗戦以来、戦争の惨禍を繰り返すことなく、隣人とともに生きていくことへ向けた誓いと願いが込められてきたこの言葉が今、「安全保障法制」の名の下、「同盟国」の戦争に積極的に荷担——実質的には隷属的な下請けだが——できる仕組みを作ろうとする勢力によって掠め取られようとしているのだ。しかも、現在政権の座にあるその勢力が掲げる、「積極的平和主義」なるスローガンのうちに含まれる「平和」とは、武力の行使によって保たれる、治安の意味に縮減された「安全」でしかない。

そのような、いかなる意味でも隣人と安寧に生きることには結びつかない「安全」にすり替わった「平和」に、「国民」は異を唱えることなく奉仕せよという。現政権は、国立大学に対しては、人文学（ヒューマニティ）——それは、この世界に生きることをみずから考え、人間性（ヒューマニティ）とその表現を、その根底的な批判も含めて研究する活動である——の存在を否定する通達を突きつける一方、防衛省の研究補助金をちらつかせ、報道機関に対しては、恫喝としか言いようのないやり方で圧力をかけ続けているという。経済的徴兵とも取れる動きも、すでに始まっていると聞く。

今や平和という言葉のみならず、言葉そのものを奪うかたちで、さらには生そのものを収奪の対象にしながら、現政権は、憲法の平和主義を完全に骨抜きにしようとしている。それも、立憲主義の原則を揺るがすやり口で。こうしたナチスもしなかった憲法の無法な蹂躙は、この国の主権者としての「国民」を愚弄するだけにとどまらない。それは、現憲法の平和主義のうちに信頼へのわずかな糸口を見いだしてきたアジアの隣人に対する重大な裏切りでもある。平和憲法は、日本人だけのものではない。

韓国の歴史家韓洪九(ハンホング)は、現憲法には「日本の侵略で死んだ二千万のアジアの被害者の血が染まって」いると指摘していた(『フクシマ以後の思想をもとめて』平凡社、二〇一四年)。憲法、とりわけその第九条は、日本のアジア侵略がもたらしたおびただしい非命の死の記憶の上で守られてきたのだ。現政権の担い手は、このことを確信犯的に踏みにじっている。その植民地主義的な心性は、歴史修正主義をもって戦前の「日本」を回帰させ、その虚像の美化に、「国民」を競争主義的に動員しようとしているのだ。そのような現代のファシズムが、国の内外で差別を幾重にも再生産することは言うまでもない。

このように、ベンヤミンの言葉を借りるなら、生者と死者の双方が「支配階級の道具」として使い捨てられかねない危機的状況のなかに、どのように活路を見いだしうるのだろう。近代日本の地金が露わになった「戦後日本」の廃墟の「瓦礫を縫う道」は、いったいどこにあるのだろうか。こうした問いに向き合ううえで、先日広島で行なわれた中国の思想史家孫歌(スングー)の講演(日本平和学会春季研究大会戦後七〇年記念講演)は、示唆に富むものだったと思われる。

孫歌は、社会のなかに残る差別が新たな戦争の要因になることを指摘した竹内好の言葉を引きながら、また満蒙開拓団の記憶を複眼的に繙(ひもと)きながら、差別を乗り越えて「民衆」の概念に息を吹き込む可能性を、力強く語りかけていた。生活者の側から戦争の記憶を編み直すなかで、民衆の血に染まった東アジアの近代史を解きほぐし、顔のある死者の記憶を分かち合う回路を開いて、国家を越えたところに民衆を創造すること。その試みを今こそ歴史修正主義的な「日本」の美化に対置させ、その戦争責任を突きつけるべきではないだろうか。

かつて内村鑑三が「滅ぶべし」と呪詛した「貴族、政治家、軍隊の代表する日本」を徹底的に拒絶し、来たるべき民衆の「東洋平和」を、アジアの隣人とともに生きるなかに追求する言葉。そこにこそ、権力者が掠め取ろうとしている平和という言葉が、核、米軍基地、そして新たな戦争の脅威の下、隣人とともに生き残ることへの切なる願いとともに取り戻されうるにちがいない。そうしてこそ、アジアの民衆のものである憲法九条に魂を込めることができるはずである。

今、国会の前で、各地の街頭で、あるいは大学のキャンパスで、民主主義と平和主義に息を吹き込む言葉が次々に生まれている。このような、言葉そのものを封じ込めようとする力に抗うなかから生まれた新たな言葉を、死者を含むアジアの隣人たちもその輪に連なることができるように結び合わせ、無法な政権を包囲することが求められているのではないだろうか。こうして民衆を創造することによって、「安全保障法制」を構成する「法案」の名にも値しない違憲の「戦争法案」をすべて廃案に追い込むならば、そのとき初めて、アドルノが語った「過去の総括」（『自律への教育』原千史他訳、中央公論新社、二〇一一年）

にもとづく真の戦後の出発点に、アジアの隣人とともに立つことができるだろう。

二〇一五年七月二十五日、広島にて

付記

本稿の初出は、二〇一五年八月八日付の『図書新聞』(三二一八号)。同紙編集部の求めに応じて執筆したこの小文は、特集『「戦争法案」に反対する』の枠内で掲載された。本書に収録するにあたり、一部の文言を修正している。

この年の七月十六日に衆議院本会議で可決され、その後参議院でも可決されて施行されるに至ったいわゆる「安保法案」——新たにまとめられた「国際平和支援法案」と、自衛隊法改正案をはじめ十の法律の改正案を一つにまとめた「平和安全法制整備法案」からなる——に対しては、本稿が書かれた当時、日本が他国、とりわけアメリカ合州国の戦争に積極的に荷担する道を開くと同時に、自衛隊員のみならず、列島に暮らす人々も、ひいては世界各地で支援活動に携わる日本の人々をも武力攻撃の危険に晒す「戦争法案」であるという批判の声が高まっていた。本稿はその微かな一部である。

なかでも、従来憲法第九条の下で認められてこなかった「集団的自衛権」に関して、当時の安倍晋三内閣が、現憲法の下でも「認められる」と憲法解釈の変更を一方的に閣議決定し、それと結びつくかたちで、武力行使を含む自衛隊の行動範囲を大幅に拡げたことに批判が集まっていた。このやり方自体、憲法の精神と立憲主義を踏みにじるものだが、それがまかり通ってしまったことによって、日米の軍事的な協力関係が日本の側から強化され、それを背景に、沖縄で住民の生活を壊す米軍基地の実質的な新設工事がなし崩し的に続けられているのは忘れられてはならないと考える。この点を含め、本稿で指摘した問題はいずれも深刻化し続けている。このような「戦争法案」の顛末を振り返ることは、現在ロシアによるウクライナの侵略が続き、侵略国の民からは「平和」はおろか「反戦」という言葉すらも奪われている状況が投げかける問いと向き合ううえでも必要と思われる。

七月二十六日を記憶に刻む

七月二十六日を忘れないようにしたい。今から二年前のこの日、神奈川県相模原市の知的障害者施設、津久井やまゆり園で、この施設の元職員が入所者十九名の命を奪い、職員を含む二十六名に重軽傷を負わせた。この元職員は、かねてから重度の障害者を一方的に「安楽死させるべき」と主張し続けた末に、この日の凶行に及んだ。そして、その犠牲となった十九名のほとんどの名は、今も明かされていない。七月二十六日を記憶するとはまず、十九名の死者を哀悼しつつ、これらの事実が突きつける重い問いの前に立つことである。

津久井やまゆり園の事件については当時、ナチス・ドイツが「安楽死」の名の下で障害者を組織的に虐殺したことを思わせるとの指摘も見られた。しかし、事件をナチス政権下の蛮行になぞらえることは、問題を日本社会の日常から遠ざける結果になった観もある。両者において人命を奪う暴力となって現れた、命を選別する思想を乗り越えようという議論は、その後列島の社会のなかで深まったとは言えない。犠牲者のほとんどの名が公表されないことが示すように、近代日本で優生思想とも連動し、不妊手術の強制などとして表われてきた障害者差別は、今も社会のなかに根強く残っている。そのような状況につけ入るようなかたちで、性差別にもとづく生き方の選別を公然と主張する言説が月刊誌に掲載された。

ＬＧＢＴＱ＋のようなセクシュアル・マイノリティのカップルは子を設けないがゆえに「生産性」がなく、そのようなカップルを税金で支援すべきではないという自由民主党の一参議院議員の主張は、同性愛者に対する差別を剝き出しにしながら、生き方の価値を、権力に同一化した立場から一方的に決めつけ、マイノリティの立場を否定する思想であり、突き詰めれば、一種の優生思想を国家主義と結びつけながら主張するものと言える。このような危険な差別煽動に対し、各地で多くの人々が抗議の声を上げたのは、至極当然である。

津久井やまゆり園の事件から二年になる今年の七月二十六日が巡って来たのは、そのような国会議員の差別的な主張が波紋を広げていたさなかだった。まさにこの日に法務省は、死刑が確定していたオウム真理教の十三名の元幹部のうち、残る六名に対して刑を執行した。七月六日に、麻原彰晃を名乗っていた元教祖をはじめ、七名の元幹部に対して死刑が執行されてから、わずか二十日後のことである。ここには日付の一致以上の符合がある。

死刑廃止の世界的な潮流に背を向け、人を死なせる力を合法的なものとして国家に担保し続けているのが現在の日本社会である。この社会は未だ生き方をその多様性において尊重する段階にはない。このことは、先に触れた障害者差別のみならず、性愛の一様態でしかない異性愛が社会構造の前提として未だ自明視されているなか、同性愛者やトランスジェンダーを生きる者に対する差別的言動が横行していることにも表われている。そして、死刑の存置を支持し、生の選別を許容する差別主義的な心性は、今も日本社会の根底で命脈を保っている。七月二十六日に露呈したのは、このことである。

この日とその二十日前の十三名に対する死刑執行は、一種の死刑が是認される疑似国家的な教団が日本社会の内部から生じ、それが殺人を繰り返したのはなぜかという問いに取り組むための重要な道筋を、何かを隠すように断ってしまった。七月二十六日を記憶するとは、命の選別を克服しえていない社会に生きるマイノリティの恐怖に思いを馳せ、時に国家主義とも結びつきながらおびただしい犠牲を生んできた優生思想の歴史を見返しつつ、何が死刑制度を支えているのかを問うことである。

二十世紀前半に活動した思想家ヴァルター・ベンヤミンは、死刑を批判するとは法をその根源から批判することだと述べた。実際、日本の死刑制度の批判は、それを組み込んだ法秩序の根幹にある人命と人権に関わる思想の問題に踏み込まざるをえない。七月二十六日を忘れないとは、あえてそこへ問いを差し向け、生き方の多様性とともに生きること自体を尊重する社会の姿を模索する出発点に立つことである。

付記

本稿の初出は、二〇一八年八月十一日付中國新聞朝刊のオピニオン欄「今を読む」である。二〇一六年に、ベルリンでの研究滞在のあいだにその報せを聞いて強い衝撃を受けた津久井やまゆり園での利用者と職員の殺傷事件が起きたちょうど二年後の七月二十六日に、事件を起こし、十九名の命を奪った者が抱いていたのとまったく同じ根を持つ優生思想の主張が波紋を呼び、さらには国家による命の選別である死刑の暴力が、一度に六名の確定死刑囚に対して牙を剝いたことに、偶然とは思えない符合を感じ取って書かれたものである。本書に収録するに際し、表題を含めて一部の文言に修正を加えた。

本稿では、やまゆり園事件における元職員の凶行を、ナチス・ドイツにおいて障害者に対する「安楽死」の強制として表われた優生思想と単純に結びつけて理解した気になることに批判的な見方を示したが、その一方で、二十世紀のドイツにおける優生思想の歴史を掘り下げたところから、日本列島に根深く残る優生思想を照らし出すことは有意義と思われる。現在の社会の仕組みの下での「生産性」から人間の価値を量る考え方は、今も社会のマジョリティに浸透していて、マイノリティを絶えず恐怖に陥れている。「安楽死」のような言葉が人当たりのよい顔で現われるのに対しては、警戒を怠らないようにしたい。

生存の文化の拠点としての「倉庫」の再生のために

峠三吉の詩「倉庫の記録」は、被爆し、重い火傷を負いながら避難してきた人々が収容された当時の陸軍被服支廠倉庫の片隅で、七日間にわたって繰り広げられた死の光景を描く。「その日」、すなわち原子爆弾が投下された一九四五年八月六日の「記録」は、次のように始まる。「いちめん蓮の葉が馬蹄型に焼けた蓮畑の中の、そこは陸軍被服廠倉庫の二階。高い格子窓だけのうす暗いコンクリートの床。そのうえに軍用毛布を一枚敷いて、逃げて来た者たちが向きむきに横わっている。みんなかろうじてズロースやモンペの切れはしを腰にまとった裸体」。

その後、倉庫の二階の一角には、徐々に闇に覆われるように死が積み重なっていく。これが、収容された人々の身体のすみずみに放射性物質が浸透し、その有機的な統一を根幹から破壊した結果であることも、峠は克明に描いている。その過程はさらに、精神の錯乱も伴っている。まさにそれとともに、倉庫の光景が総力戦としての戦争のなかに位置づけられる。収容者の一人、K夫人の死の兆候を、峠はこう描き出す。「硫黄島に死んだ夫の記憶は腕から、近所に預けて勤労奉仕に出てきた幼児の姿は眼の中からくずれ落ちて、爛れた肉体からはずれゆく本能の悶え」。

「その日」から七日のあいだに、剝き出しの身体をさらして二階の一角に横たわっていた人々は、一人残らず死ぬ。休息の一日を含めた七日間の創造を裏返すかのような死の「記録」を書くとき、キリスト者だった峠――詩人は一九四二年に洗礼を受けている――の脳裡に、聖書の言葉はどのように去来していたのだろう。もしかすると、「創世記」が物語る神による創造の過程を安易に連想させることを避ける意味もあるのかもしれないが、峠は、死の闇に覆い尽くされる七日目の後に、「がらんどうになった倉庫」を描く「八日め」を置く。

峠の「倉庫の記録」は、このように結ばれる。「K夫人も死んだ。／――収容者なし、死亡者誰々――／門前に貼り出された紙片に墨汁が乾き／むしり取られた蓮の花片が、敷石の上に白く散っている」。誰もいなくなった廃墟としての「倉庫」。そこには峠が「記録」した破壊と死が、消しがたく刻まれている。広島駅と宇品の港のほぼ中間に、今も禍々しい威容を示しながら立っているかつての陸軍被服支廠倉庫の建物を、そのところどころ曲がった「格子窓」を、峠の詩を通して前にするとき、このことを思わないわけにはいかない。「八日め」は今も続いている。

現存する最大の「被爆建物」であるこの旧陸軍被服支廠倉庫について、その三棟を管理する広島県の当局は、うち二棟を「安全対策」を理由に解体するとの方針をまとめつつあると聞く。この建物を解体するとは、貴重な赤煉瓦の建築物を、取り返しのつかないかたちで壊すことを意味するだけではない。それは、戦争とそのなかの被爆の記憶の痕跡を消し去ってしまうことをも意味する。このことには断固として異議を唱えざるをえない。一棟でも残せばよいという話ではない。そもそも壊すこと自体が、戦争の記憶の痕跡の抹殺という重大な問題を含んでいる。

峠三吉がいち早く詩のかたちで伝えているように、旧陸軍被服支廠倉庫は、軍都の記憶と被爆の記憶を一つながらに今に突きつける建物である。まず被爆以前、その内部では、宇品の軍港から朝鮮半島へ、中国大陸へ、シベリアへ、あるいは南洋の島々へ出征していく将兵の軍服や軍靴が不断に製造されていた。そのための厳しい労働に、戦後峠と協働することになる詩画人四國五郎も従事していたという。被服支廠の工場での過酷な労働を強いられていた朝鮮人もいたと聞く。これらのことが示すように、植民地も巻き込んだ総力戦としての戦争のなかの人々の労苦が、倉庫の赤煉瓦には染み込んでいる。

そして被爆後には、この場所で熱線と爆風に晒された、あるいはその周囲で重傷に倒れて運び込まれた人々の苦悩が、破壊の痕跡とともに倉庫の建物に刻まれたことは言うまでもない。これらのことが「八日め」を出現させている。そのことを受け止めながら、広島を拠点とする近代日本の戦争の歴史と、その過程に生じた原爆の被害とを考え合わせながら問い続けることは、今まさに求められているはずである。これらに含まれる問題が過ぎ去っていないことを、福島第一原子力発電所の過酷事故以後もなお、「オリンピック」の狂躁へ突き進む列島の破滅的な現況は示している。

戦争と被爆を、歴史の積み重なった現在を照らし出すかたちで記憶すること。そのような現在に生きていることを忘れさせることで、生きること自体を脅かす過ちが繰り返されている——地元の電力会社は、今も原発の建設を進めようとしているではないか——なかでは、このような想起の営みは生存のための課題ですらある。そのことを省みる契機となる遺物を壊す行為は、広島にこそ求められる歴史への真摯さにもとる。とはいえ、建物を残せばよいという話でもない。やはり、記憶の継承の試みが繰り広げられる場所として活用されてこそ、「倉庫」は想起を喚起し続けるにちがいない。

旧陸軍被服支廠倉庫が置かれている現在の状況を聞いて、最初に思い出されたことの一つが、そこを会場に開催されたヒロシマ・アート・ドキュメントである。この現代美術の展覧会は、インディペンデント・キュレーターの伊藤由紀子を中心に、被爆建物を主な会場として開催されている。この展覧会に、世界のアーティストが作品を寄せているのは、やはり被爆の記憶が沈澱した場所の磁力ゆえだろう。「倉庫」でその展示が行なわれたとき、建物は普段とは異なった相貌を示しながら、別の場所の記憶と結びつく可能性を示していた。

旧陸軍被服支廠倉庫の建物を継続的に活用する方途の一つとして、アーティストがアトリエとして建物のなかの空間を使って作品を創り、展示する、滞在型のアート・スペースとして整備することが考えられる。耐震工事を施して広い空間を確保するなら、規模の大きな作品の制作も可能になるはずだ。そして、こうした制作と展示の空間が歴史的な建築物の内部にあることは、世界中のアーティストにとって魅力的と思われる。他方で、その作品に接する者も、広島の記憶を世界的な視野の下で見つめ直し、他の場所の記憶と照らし合わせることができるだろう。

他方で、軍需施設としての建物の歴史を踏まえたその活用法も考えられるべきだろう。その一つとして、明治期から帝国日本の植民地主義と戦争の拠点として発展した広島の歴史を、アジアの歴史を視野に入れながら省みるための史料を、倉庫の建物の一つに可能なかぎり集め、閲覧できるようにすることが考えられる。そうすれば「倉庫」は、宇品港を尖端の一つとして持った帝国主義によってアジアの各地域が結びつけられてしまった歴史を踏まえたうえで、その対極にある仕方で各地域が、そこに住む人々が結びつく可能性を、アートを媒介に構想する場として甦るのではないだろうか。

こうした可能性以外に、演劇をはじめとする舞台芸術の制作と上演の空間として建物を再生させることも考えられよう。そして、一九九二年六月にまとめられた「赤れんが　生きかえれ!」をはじめ、旧陸軍被服支廠倉庫を文化の発信の拠点として再生させる案が、すでに民間から示されてきた。しかし、それが踏み込んだかたちで議論されてきたようには見えない。このことを省みたうえで、軍都にして被爆地である広島の歴史に対する真摯さを内外に示すような「倉庫」の建物の積極的な活用策を探ることが今、まず県当局に、そして広島の街に住む者に課せられているはずだ。

ただし、旧陸軍被服支廠倉庫の再生の可能性は、近代日本の歴史と被爆の経験を引き受けるなかから平和を希求する広島という都市において、文化の営為にどのような可能性があるか、またそれを実現するためにどのような施設の整備が必要かという問題を、広い視野の下で検討するなかで探られるべきだろう。現在その建物の保存をめぐって見解を異にしている広島県と広島市が、これらの問題に対する意識を共有し、市民を議論に巻き込みながら連携することがなければ、「倉庫」の長期的に有意義な活用策は生まれないのではないだろうか。

峠三吉が「倉庫」の一角の七日間の死の「記録」の後に置いた「八日め」。それは今も続き、その建物を見る者を死者の苦難に向き合わせている。このことを建物の再生へ向けてどのように受け止めうるかが問われている。旧陸軍被服支廠倉庫は、死者の記憶を呼び覚まし、現在を照らし出す想起の空間として、さらには広島の死者の記憶を、他の場所での苦難の経験と呼応させる芸術の場として甦りうるはずだ。このように赤煉瓦の「倉庫」を再生させるとは、戦争、核開発、植民地主義の歴史を他者とともに見返し、それに抗う生存の文化の拠点を広島に創ることにほかならない。

付記

本稿の初出は、旧陸軍被服支廠倉庫の保存と活用を求める「被服支廠キャンペーン」が設けたnoteの「わたしの視点」（二〇一九年十二月二十三日掲載）。二〇一九年十二月四日、現存する最大の被爆建物である被服支廠倉庫（一九一三年竣工）の四棟のうち三棟を所有する広島県が、大地震で倒壊する危険があることや、耐震補強費用の膨大さなどを理由に、二棟の解体案を県議会で示したのに対し、関心ある若い人々がすぐにこのキャンペーンを立ち上げた。その求めに応じて書かれたこのエッセイは、旧陸軍被服支廠への関心を継続して喚起するために設けられたHihukusho LAB.のウェブサイトにも転載されている。その倉庫の遺構の「解体」問題に反応したのは、まず解体によって軍都の記憶と被爆の傷痕を一つながらに伝える貴重な建物が取り返しのつかない仕方で失われてしまうことに深刻な危機感を抱いたからである。同時に、解体を押し進めようとする動きに、帝国の軍都の歴史と戦争の記憶を抹殺しようとする、歴史修正主義的とも言える企図も感じ取っていた。

その後、被服支廠の三棟の倉庫は、市民や被爆者団体などから解体に反対する意見が数多く寄せられたことなどから、耐震工事を施して保存することになった。広島県の当局は、建物の「重要文化財」指定も視野に入れつつ、その活用法を議論する「有識者の懇談会」を設ける方針と聞く。その活用法についての考えは、ここで述べたのと今も基本的には変わらない。同様の趣旨のことは、二〇二〇年二月十四日に発行された『週刊金曜日』誌所載の「戦争と被爆の記憶が刻まれた建築をアジア各地域が連帯する芸術拠点に」と、県当局が被服支廠倉庫の「解体」案に関して募集したパブリック・コメント（筆者ウェブサイト『Flaschenpost――柿木伸之からの投壜通信』所載）でも述べた。先に紹介したHifukusho LAB.が運営するウェブ上のラジオ局Hihukushoラジオでも、広島の文化に対する問題意識や、それを背景にした被服支廠倉庫の将来について考えを話す機会を二度にわたりいただいた。今はウクライナでの戦争を前にして、人道の危機に応じてアーティストを、その活動を含めて受け容れるアートのアジールとしても、被服支廠の遺構は活用されるべきではないかと考えている。

終わりの始まりへ
──核兵器禁止条約の発効によせて──

二〇二一年一月二十二日、世界の五十一の国と地域の批准にもとづき、核兵器禁止条約（Treaty on Prohibition of Nuclear Weapons: TPNW）が発効しました。これは、核兵器の存在そのものを非人道的と規定し、その使用、保有、開発、実験などを禁止する国際条約です。二〇一七年七月七日に国際連合本部で開かれた「核兵器の全面廃絶に向けた核兵器禁止のための法的拘束力のある文書を交渉する国連会議」で採択されたこの条約が、国際社会において効力を持つに至ったことは、まず人類の生存へ向けて歓迎されるべきと思います。そして、ここに至るまで各国の政府などに粘り強く働きかけてきた人々の努力にも、心から敬意を表わしたいと考えています。

核兵器禁止条約の発効は、核兵器の歴史、ひいては核の歴史の終わりの始まりにならなければなりません。そのためには、条約の実効性を高めていく努力が不可欠です。そして、それに厳しい闘いが伴わざるをえないのも確かです。地球上には、計算上は人類を何度も滅亡に追いやって余りある数の核弾頭が今なお存在していますし、また核兵器開発のための核実験も繰り返されています。さらに、核兵器を保有する国々や、その「核の傘」の下で「安全保障」を得ていると自認している国々は、核兵器禁止条約を批准していません。そのような国々の代表者が条約に署名することがなければ、「核兵器禁止」が「核なき世界」を開く力を発揮することは困難でしょう。

「唯一の戦争被爆国」と名乗る日本も、核兵器禁止条約を未だ批准していない国の一つです。日本政府が「非核三原則」を掲げ、「戦争被爆」が繰り返されてはならないという立場にあるのならば、真っ先に条約を批准し、核保有国の政府の代表者に、核を手放して条約に署名するよう働きかけるのが筋であるはずですが、アメリカの「核の傘」にしがみつき、条約を「現実的ではない」などと言い募りながら、批准を拒み続けています。条約の前文には、これが広島と長崎の「ヒバクシャ」の苦悩を踏まえてまとめられたことが明記されています。そのような条約に背を向ける政府の態度は、原子爆弾の犠牲者に対して説明のつかないものと言わざるをえません。

「核なき世界」を望む世界の人々も、日本が核兵器禁止条約に参加しないことに失望しているでしょう。この条約には、核保有国による核実験の被害を受けている地域の国々も数多く参加しています。条約を批准しないことは、そうした国々の人々の願いを無視し、これらの政府との核兵器廃絶へ向けた連帯の回路をみずから閉ざしてしまうことを意味します。そのほうがよほど非現実的ではないでしょうか。このように、幾重もの意味で恥ずべき日本政府の姿勢を糺すためには、何よりもまず、ここに至った国家の歴史を、その国民であることに同調するのとは別の視点から見返す必要があります。このような視点に立たせてくれるのは、核の犠牲になった一人ひとりの記憶です。

広島で被爆し、生き残った経験を語り続け、ＩＣＡＮ（核兵器廃絶国際キャンペーン）とともに核兵器禁止条約の採択へ向けた国際的な世論の形成に貢献したサーロー節子さんは、ノーベル平和賞授賞式でのスピーチのなかで、広島と長崎で被爆し、命を落とした犠牲者それぞれに名があり、それぞれの生涯があったことに注意を促していました。そのような一人ひとりの犠牲者の名を呼び、その生と死に思いを馳せるならば、まず原爆が生そのものを破壊するものであることを、あらためて思い知ることになるでしょう。同時に、総力戦としての戦争に巻き込まれるなか、被害者であることと加害者であることが複雑に絡み合った生きざまにも向き合わされざるをえません。

そのような生の記憶の物語を紡ぎ、複数の物語を結び合わせることによって、戦争のなかで原爆に遭うことに迫るとともに、そこに至る過程に絡む暴力を細やかに分節しながら問うならば、広島と長崎の人々の記憶を、今も軍隊の暴力に苦しんでいる沖縄の人々の記憶や、核開発の被害に苦しむ福島の人々の記憶と結びつけ、照らし合わせる回路が開かれるでしょう。そして、戦争の過程で原爆に遭うことに内在する問題がけっして過去のものではないことにも気づかざるをえないでしょう。これらをつうじて、戦争も原爆も過ぎ去っていない現在を、「唯一の戦争被爆国」の神話の覆いを引き剝がして照らし出すとき、現在の日本政府の姿勢を問いうる位置に立ちうるはずです。

核兵器禁止条約への対応に関しては、政府が署名するか否か以前に、署名しようとしない態度が何にもとづいているかを糺すことが重要と思われます。あらゆる行政的な手続きは、戦争放棄と生存権をはじめとする基本的人権の尊重を謳った現憲法に則って行なわれなければならないはずですが、現在の政府は、戦争で使われる兵器の配備も、生命体の組成を根幹から破壊する核の使用も、結局のところ否定していません。アメリカから高価な武器を購入し、沖縄の人々の声を無視して辺野古などへの基地建設を強行しようとしていますし、また福島第一原子力発電所の事故の被害が拡がり続けていることを隠蔽しながら、各地の原発の再稼働を進めています。

こうしたことのために使われた莫大な費用は本来、列島に生きる人々がパンデミックを生き延びるために充てられるべきでしょう。しかし、現在の政府にはそのような予算編成の余地はないようです。それを動かす人々にとっては、列島で生活する人々の生の安寧よりも国家の「安全保障」のほうが重要であり、それに伴う利権の確保こそが政治の目的なのでしょう。そのために人々に犠牲を強いることに対し、何の疚しさも感じていないようですらあります。このような恥知らずの政治がこのまま続くことは、まさに破滅的です。そして、福島第一原発の過酷事故に至るまで、さらにはその後パンデミックのなかでも、破局は繰り返されてきました。

例えば水俣で生命の破壊に晒された人々のことを想起し、近代日本の破局の歴史を見返すこと。これが、核兵器禁止条約に署名しようとしない政府の姿勢を糺すことの内実である必要があります。その政治がまず終わらなければなりません。そうでなければ、たとえ条約が批准されたとしても、「核兵器禁止」に対する態度は欺瞞的なままでしょう。その欺瞞は、「復興」を謳いながら破局の傷痕を覆い隠した上に古代ローマのコロッセウムよろしく造られた建築物を使って、犠牲のスペクタクルを繰り広げることに、この期に及んでも執着しています。核兵器禁止へ向かう姿勢は、このような欺瞞の政治の終わりの先に、列島に生きる人々のものとして闘い取られるべきと思われます。
核兵器禁止条約が発効した二日前には、アメリカ合州国の新しい大統領が就任しました。その核問題と沖縄の軍事基地の問題への対応については、たしかに楽観はできません。しかし、前任者がワシントンを去ったことには象徴的な意味があります。その人物がウェブ上で繰り返し、議論が不可能になるまでに人々の分断を深めた欺瞞がまかり通るような政治の終わりの兆しを示しているからです。まもなく東日本大震災と福島第一原発の事故が起きてから十年になります。この節目を、原発の過酷事故を引き起こすに至り、その後も列島に生きる人々に犠牲を強いている政治の終わりの始まりにすること。これが破局の歴史を死者とともに生き延びるための出発点であると考えています。

二〇二一年一月二十五日、広島にて

付記

本稿の初出は、筆者のウェブサイト『Flaschenpost ——柿木伸之からの投壜通信』。本書に収録するにあたり、一部の文言に修正を加えた。発効した核兵器禁止条約の前文に、広島と長崎の被爆の犠牲を踏まえてまとめられた条約であることが明言されていることを知って、またそのような条約に対する日本政府の恥ずべき姿勢を目の当たりにして、本稿の内容はどうしても述べておかなければならないと思ったのが執筆の動機である。二〇一九年に、当時広島市立大学広島平和研究所に属していた直野章子さんの尽力により、広島を訪れていた被爆者サーロー節子さんの話を聞く機会を得たことも、執筆の背景にある。

ロシアによるウクライナの侵略のなかで原子力発電所を含む核施設が攻撃の対象になり、ロシアが「核抑止力」を臨戦態勢に置いている状況下で、核による破局は深刻な現実性を帯びつつある。このような危機を前にして、「核兵器禁止」に対する態度があらためて問われている。同時に、「核兵器禁止」はまず必要な段階だとしても、それだけでは不充分であることも明らかになりつつある。核の歴史を止めることに生存そのものが懸かっているという認識を深めることが、現実的な課題になっているのではないだろうか。

広島市中央図書館「移設」問題によせて

広島でその謦咳(けいがい)に接することが叶わなかった一人に、好村冨士彦氏がいる。二〇〇二年に広島に赴任したとき、エルンスト・ブロッホの主著『ユートピアの精神』の訳者であり、私が研究するヴァルター・ベンヤミンの思想を早くから紹介してきたドイツ文学研究者の話を聴く機会が遠からず訪れるものと思っていた。しかし、同じ年の初秋に飛び込んできたのはその訃報だった。それを前にして、好村氏が「広島文学資料保全をすすめる会」の立ち上げに関わり、文学館の建設を求める運動の先頭に立っていたことを知った。

二〇〇一年から「広島に文学館を！市民の会」と名称を変え、現在は「広島文学資料保全の会」として活動を続けている市民の組織は、一九九〇年に峠三吉の未公刊原稿などを発掘して広島市中央図書館に寄贈している。佐々木基一が保管してきた原民喜の原稿や書簡が図書館に寄贈されるのを仲立ちしたこともあった。これらの資料は、峠と原の作品を読み直すための基礎である。ここに立ち返ってこそ、詩人が書き残した言葉の原石としての輝きを新たに見いだせる。

こうした発見を市民が共有するならば、詩人の作品集を、あるいはその詩に関連する書物を図書館に求めるにちがいない。それをつうじて作品が読み継がれてこそ、原の「鎮魂歌」のように死者の嘆きを反響させる言葉や、峠の詩のように原爆の犠牲者の奥底から湧き上がる叫びを声にする言葉が、広島からの文化を創るのに生かされうる。そのように考えて、好村氏たちは文学者の資料の中央図書館への寄贈を進めてきたはずだ。峠と病室を共にしたことのある好村氏は、並々ならぬ使命感を持ってその活動に取り組んでいたと思われる。

しかしながら、こうして中央図書館に送り届けられた貴重な資料は、保全の会によると、十分に整理されないまま収蔵されているという。これらの資料を、文学研究者をはじめ関心ある人が現物を含めて閲覧できるよう整理を進め、ディジタル・アーカイヴを公開するだけでなく、資料の意義をさまざまな角度から伝える展示の場も充実させることは、そのための専門的な人的組織を整えるところから構想されなければならない。このことは、現在「移転」が市当局で検討されている中央図書館の将来像を議論する際の出発点に置かれるべきことである。

図書館とともに「移転」が取り沙汰されている広島市映像文化ライブラリーが所蔵している資料の意義も、十分に知られているとは言いがたい。とくに日本映画のコレクションは重要だが、その映像は、日本における映画芸術の草創期からの展開のみならず、広島と長崎の被爆を含む歴史的な出来事と人々の関係も、公の歴史やマスメディアが伝ええない光景とともに映し出している。こうした映像のアーカイヴの発展を、広島の文化の創造にどのように生かせるか、そのために施設がどうあるべきかを検討することが、ライブラリーの場所をめぐる議論に先立つべきである。

広島市は、中央図書館と映像文化ライブラリー、そして子ども図書館を、広島駅前の商業施設に「再配置」する方針を示している。そこに至るまでに、広島の文化の将来を見据えたこれらの施設の姿は、どれほど議論されたのだろうか。むしろ駅周辺の再開発と結びついた、文化とは無縁の「活性化」の一環として、現在の方針が打ち出されているとしか思えない。現地での建て替えと駅前商業施設への移設を、費用や利便性などの観点から比較したデータも出されたようだが、これを文化施設を活用した文化の理念を語る前に提示するのは、議論の進め方として不適切である。

好村氏は、原と峠に加え、大田洋子や栗原貞子の作品にも触れて、被爆を引き受けることによって文学そのものの可能性が拓かれたと論じている。筆者も、ヒロシマ平和映画祭の活動に関わった経験から、被爆に向き合った映画がこの芸術の歴史に決定的な足跡を残したことを痛感している。このような作品の力を市民のあいだで生かすことによって、現在続いている戦争などの暴力に抗しうる生存の文化を、被爆をはじめ近代史の出来事が刻印された広島の地からどのように創造するか。中央図書館と映像文化ライブラリーの将来に関する議論は、この問いに向き合うところから出直されるべきである。

付記

本稿の初出は、二〇二二年三月五日付の中國新聞朝刊のオピニオン欄「今を読む」である。新聞紙面に掲載された時期に、浅野図書館を前身として一九七四年に、当時西日本最大の図書館として開館した広島市立図書館、本稿にも記したとおり日本映画の重要なコレクションを有する広島市映像文化ライブラリー、そして海外在住の広島出身者の被爆地で育つ子どもへの思いが込められた広島市子ども図書館という三つの施設について、現在の広島市中央公園――広島城の南側に広がる緑豊かな場所である――から、広島駅前の商業施設「広島駅前エールエールA館」に移転させるという広島市の案が、市議会で議論されていた。

市当局は二〇二〇年三月までは、老朽化の進んだ建物を現地で建て替えるという案を示していた。しかし、それからわずか一年半後に、この商業施設への「移設」の案を出してきたのである。そこに至るまでに、広島の文化の基盤となる施設のこれまでのあり方の検証と、そのあるべき将来像についての議論が、しかるべき立場から重ねられてきたとはとても思えない。そのことは、「移設」の理由として持ち出されるのが、再開発が進む広島駅周辺の経済的な「活性化」、駅と隣接した「利便性」、そして現地建て替えと比較した「コスト」という、これらのライブラリーの文化的な意義とはおよそ無縁の事柄でしかないことが如実に表わしている。

ちなみに、現在福屋百貨店などが出店している商業施設を経営しているのは、広島市の第三セクターである広島駅南口開発株式会社で、その経営状態は芳しくないと聞く。その「要望書」が二〇二一年九月十三日に市当局に提出されたところから「移転」の検討が始まったとのことだが、「要望書」そのものは公表されていない。そして、その後市議会で検討を主体的に進めたのが文教政策担当の委員会ではなく、「都市活性化対策」を扱う委員会だったことにも、不透明な背景が滲み出ている。「移転」案を含む予算案が市議会を通過した直後の三月十九日に出された中國新聞の社説も、図書館をめぐるこれまでの議論が「本末転倒も甚だしい」疑いがある以上、議論は最初からやり直すべきと明確に論じている。

本稿の執筆に際して、好村冨士彦氏の「追悼・遺稿集」、『考えるとは乗り越えることである』(三元社、二〇〇三年)に収録されている原爆文学に関する文章や資料を参考にした。好村氏らが建設を求めていた文学館も、拙著『パット剝ギトッテシマッタ後の世界へ――ヒロシマを想起する思考』(インパクト出版会、二〇一五年)でその必要性を訴えた音楽専用ホールも、現在のところ造られそうには見えない。それ以前に、文化の基盤を担う図書館の扱いがこのような体たらくでは、広島の文化の将来を真剣に心配せざるをえない。本書に収録するにあたり、紙幅の都合で削った文面を元に戻し、一部の文言を表記を含めて修正した。表題も変更している。執筆の機会を作ってくださった中國新聞社の森田裕美さんに心より感謝申し上げる。

第四部

記憶の交差路へ

旧陸軍広島被服支廠倉庫

殿敷侃——逆流の生まれるところ

殿敷侃は一九七〇年代に、恐ろしいまでに細密な描写を特徴とする多くの具象的な作品を残している。そのモティーフの軸をなしているのは、父母の遺品をはじめ被爆の記憶が沈澱した物たちである。なかでも、殿敷が原爆ドームの廃墟から拾ってきた煉瓦は、彼が点描画に、あるいは銅版画に繰り返し描いた「モノ」の一つであるが、それと向き合うことについて彼は、「言葉を持たない〝モノ〟と向かい合って話していると、何か別のもの、八月六日のすべてのものと話をしているように思える」と語っている。ここにある密やかな対話。それは画面に、あるいは銅板に無数に穿たれ、「モノ」を浮かび上がらせる点の一つひとつに込められているはずだ。

一九九二年に殿敷が没してから四半世紀が経つのを機に、広島市現代美術館で開催された彼の回顧展「殿敷侃——逆流の生まれるところ」は、この微小な点が形を変えながら、やがてアトリエを突き抜ける巨大な「逆流」を形成するに至る過程を浮かび上がらせるものと言えよう。二〇一三年の夏に、はつかいち美術ギャラリーで第十七回の平和美術展として開催された「殿敷侃——現代社会への警鐘(メッセージ)」をはじめ、殿敷の作品を精選して取り上げた展覧会はこれまで幾度も開催されてきたが、独自の様式を模索する最初期の作品群や、規模の大きなシルクスクリーン作品に加え、彼の書簡なども展示して、殿敷の芸術の全貌に迫ろうとした展覧会は、今回が初めてと思われる。

このように今回の殿敷侃展は、およそ三十年にわたる殿敷の作家活動のなかで、数年ごとに作風を大きく変えていった過程の全体を描き出そうとするばかりでなく、それを貫く問いにも迫ろうともしている。その問いに近づく手がかりとして選ばれたのが、展覧会のサブ・タイトルが示すように、殿敷が早すぎる晩年に編んだインスタレーションの記録写真集『逆流する現実』（SOS Plan 刊、一九九〇年）の表題から取られた「逆流」の語と考えられる。ここで「逆流」は、たしかに直接には、今回の展覧会にもその記録が展示されたインスタレーションが示すように、現代の生活のなかで不要になって廃棄されたものを、芸術の力で今ここに回帰させる行為を意味している。

しかし、この行為を殿敷が「逆流」と呼んだ背景には、彼の身体を死に至るまで蝕んだ被爆の傷に、原爆の記憶が時間が逆転するかのように絶えず回帰していたことがあるはずだ。実際、『逆流する現実』に収録された論考の一つも、環境芸術的なインスタレーションにも、幼い殿敷の記憶に焼きついた焦土の影が付きまとっていることを指摘している。そして、今回の回顧展の展示を辿るとき、彼の芸術が、「は」シリーズに代表される初期から一貫して、被爆の記憶が執拗に甦ってくるのを、密やかな対話によって受け止めながら、戦後の復興の過程で弔われることなく捨て去られ、忘れられたものたちの存在を、今ここに突きつけていることがひしひしと伝わってくる。

そのような殿敷の芸術の姿が最も凝縮された姿で表われているのが、先に触れた両親の遺品や原爆の遺物を描いた一連の具象的な作品であろう。とりわけ彼の点描は、足袋や襦袢などの皺や染みに至るまで執念深く浮き彫りにすることで、それを身に着けていた者の身体的な存在の痕跡を示すとともに、その存在の喪失をも伝えている。また、こうした一連の作品の重要なモティーフの一つである父親の爪が、その霊が、地の底から呼び起される「霊地」の空間そのものを構成するばかりでなく、絶えず新しさを求めて前へ向かおうとする時間の生き方を象徴する、新聞や広告の紙面を覆い尽くしていくさまを、今回の展覧会で一つの過程として見ることができたことは、とくに強い印象を残した。

殿敷にとって父親の形見の爪は、自分のなかに傷として残る被爆の記憶の痕跡を象徴するものであったと同時に、過去を棄てて前へ進もうとする時の流れに食い込んで、それを押し止める力を象徴するものでもあったのかもしれない。それが現在に亀裂をもたらすとすれば、無数の爪は、初期の「は」シリーズにおける街路に開いた口と通底するものをも具えていよう。そして殿敷は、廃物を用いたインスタレーションによって、自分のなかの時間の逆流を一種の執拗低音（オスティナート）として引き受けながら、前へ進む時間の流れを食い止める力を、「技術革新」の流れのなかで打ち捨てられ、忘れ去られたものたちの「逆流」として、今ここに出現させようとしたのではないだろうか。

こうした殿敷の逆流の芸術には、病のなかでなお生に踏みとどまろうとする彼の強い意志とともに、現在への鋭い問いかけが込められている。彼の芸術は一貫して、彼に癒しがたい傷を負わせた原子爆弾を開発したばかりでなく、今なお核開発を止めようとしない技術文明の「進歩」の過程が、このまま続くことに対する根本的な問いを喚起し続けたと考えられる。この問いの内実は、後期のインスタレーションに大きな影響を与えたと言われるヨーゼフ・ボイスなど同時代の芸術も視野に収めつつ、殿敷の芸術を新たな文脈のなかで検討することによってこそ、掘り下げられるはずである。広島市現代美術館での殿敷侃展は、こうした研究を含むかたちで殿敷の芸術を再評価する気運を高めたにちがいない。

［二〇一七年三月十八日（土）～五月二十一日（日）／広島市現代美術館］

付記

本稿の初出は、広島市文化財団が広島の美術年鑑として発行している『美術ひろしま』の第三十号（二〇一八年十二月刊行）。広島市現代美術館での「殿敷侃――逆流の生まれるところ」に際して行なった講演（講演原稿を本書第一部に収録）で話した内容を背景としながら、展覧会をつうじて殿敷の芸術について考えたことと、展覧会自体の意義について、展示の印象を含めてまとめ直した展覧会評である。殿敷の芸術については、第一部でも述べたとおり、日本の戦後美術を含む同時代の美術の展開を視野に入れながら、そのなかでの位置を含めて引き続き考えていきたい。

地図の余白から
——記憶の交差路としての広島へ——

原爆によって、人々が「八・六以前」の記憶を喪失したことで、人々のリアリティもまた砕け散り、錯綜したまま交点を失い、今にいたった。

鄭暎惠「交差するヒロシマ」

I　倉庫の記憶

旧陸軍被服支廠倉庫の建物が伝えるもの

広島駅と宇品港のほぼ中間に、巨大な建物が立ち並んでいる。旧陸軍被服支廠の倉庫だった建物である。住宅地の狭い路地を建物に沿って歩くと、L字型に並ぶその四棟の不気味な威容が肌で感じられる。錆びついた鎧戸には、原子爆弾の熱線と爆風が痕跡を残している。外壁に赤煉瓦が張られていることから建物は「赤レンガ倉庫」とも呼ばれているが、実際にはコンクリート造りである。一九一三年に竣工し、原爆に耐えた倉庫に関しては、初期のコンクリート建築の例を示す点で貴重とも言われているが、何よりもまず、戦争と被爆の記憶を一つながらに伝えている点が重視されるべきだろう。[1]

被服支廠では軍服や軍靴をはじめ、将兵が身に着ける装備のほとんどが製造されていた。そこでの昼夜を通しての労働の過酷さを、詩画人四國五郎が画文集『わが青春の記録』に綴っている。「夜勤と云うのは午後八時から翌朝六時迄途中一時から三十分間夜食の休みがあるだけで、ぶっつづけに働くのだった。〔中略〕私に与えられた仕事と云うのは釘抜で靴底の假止(かり)の釘を抜きとることで、狂的な機械の騒音のなかで一晩中はたらくと頭がガンガン鳴って自分の躯(からだ)の存在すら忘れるほどだった」[2]。彼は、病に倒れた父親に代わって家計を支えるため、十五歳の時に被服支廠に就職していた。

一九四五年八月六日に原子爆弾が広島の上空で炸裂してその市街が壊滅した直後には、建物疎開に動員されていた女学校の生徒をはじめ被爆した人々が、爆心から二・七キロメートル離れた被服支廠の敷地に避難した。そして、多くの負傷者が、臨時の救護所となった倉庫に収容された。[3] 広島の初期の平和運動で四國と協働した詩人峠三吉は、倉庫のなかで重傷者が死んでいくさまを、「倉庫の記録」という詩に浮かび上がらせている。「その日」の記録は、こう結ばれている。「灯のない倉庫は遠く燃えつづけるまちの響きを地につたわせ、衰えては高まる狂声をこめて夜の闇にのまれてゆく」[4]。

それからの一週間、倉庫に横たわる人々は次々に息を引き取っていく。そして、「八日め」の記録は次のように始まる。「がらんどうになった倉庫。歪んだ鉄格子の空に、きょうも外の空地に積み上げた死屍からの煙があがる」[5]。その後倉庫の建物はさまざまに転用された後、一棟は広島大学の学生寮、薫風寮として、他の三棟は日本通運の倉庫として長く利用されてきたが、一九九七年からはまったく使われていない。二〇一一年までいくつか再利用計画が持ち上がったものの、いずれも立ち消えになった。その大きな要因に、相当な費用を耐震補強に充てなければならないことがある。

二〇一九年十二月四日、現存する被服支廠倉庫の四棟のうち三棟を所有する広島県は、震度六程度の地震で倒壊する危険があると指摘されていることや、耐震補強費用の膨大さなどを理由に、二棟の解体案を県議会で示した。そのうえで一棟の外観だけを残して、残りの二棟を二〇二二年度までに解体するという計画に関してパブリック・コメントを募ったところ、過去最多の回答が寄せられ、反対意見が六割以上を占めた。被爆者団体なども、この被爆建物の全棟保存を求める署名や要望書を提出している。これらを受けて広島県知事は、二〇二〇年二月十七日に解体計画の先送りを表明した。

さらに、同じ年の九月四日に県知事は、二棟の解体案の前提として示されていた、一棟を保存するために二十八億円の耐震化費用が必要との県の試算について、三分の一程度に減らせる可能性があると表明した。調査のために一部撤去した煉瓦塀の強度が、三年前の調査結果よりも二・六〜七倍あることが判明したためという[6]。では、以前の調査は何だったのか。不審な点の残る前提にもとづく調査結果を楯に、二〇一九年冬に県の「解体計画」が唐突に出されるという動きには、被服支廠倉庫の建物を何とかして心象地図から消し去ってしまいたいという欲望のうごめきを感じないではいられない。

総力戦の縮図として

では、ある人々にとって旧陸軍被服支廠の倉庫の残存はなぜ目障りなのか。それは一つには、この建物が近代日本の戦争の記憶を物語っているからだろう。倉庫は、アジアの帝国であろうとする日本の戦争遂行を支えていた。被服支廠は、日清戦争の直前に広島駅と宇品港のあいだに敷設された鉄路に沿って設けられている。その被服支廠の駅では、敷地内の工場で製造され、倉庫に備蓄された装備品が列車に積み込まれ、宇品へ運ばれていった。そして、被服支廠の製品は、軍港から兵士とともに船でアジア各地へ運び出された。日露戦争へ出征した将兵の多くが、宇品港から出発したとされる。[7]

日清戦争の際に大本営が置かれた広島は、台湾、朝鮮半島、中国大陸と植民地支配を拡大していく戦争の拠点であり、そのなかで宇品港は、アジア侵略の尖端の役割を果たしてきた。このことを顧みるなら、広島は帝国の軍都と呼ぶに相応しい。[8]そして被服支廠は、その縮図を表わしていたとも考えられる。敷地内の保育所に預けられた経験を持つ被爆者切明千枝子（きりあけちえこ）は、被服支廠全体がさながら一つの街だったと語っている。[9]ただし、この街にあったのは、自由によって形づくられる都市ではない。被服支廠で働く人々は、強固な軍隊組織に組み込まれていたことを四國五郎は伝えている。[10]

そのために中学校の夜間部に通う望みを断たれた彼は、アジア太平洋戦争が激しさを増し、被服支廠で働く男性が次々と戦場へ送られていくなかで、動員学徒を含む若い女性が工場で働くようになったことも記録している。[11]切明もその一人だった。彼女にとって幼少期から楽しみだったのは、工場で飼育されていたウサギに餌をやることだったという。そこでは軍服の素材となる毛皮の保温性の調査などのために、いくつもの種類のウサギが飼われていた。生あるものすべてを巻き込み、その命を使い尽くすことによって遂行される総力戦としての戦争。被服支廠は、その縮図も描き出していた。

この総力戦には、植民地支配下に置かれた者たちも動員されていた。被服支廠で朝鮮人が働いていたという証言もあるが、宇品港に隣接するかたちで海を埋め立てて建設された三菱重工業広島機械製作所と広島造船所の工場には、一九四四年の五月から十月にかけて、「白紙」と呼ばれる徴用令状によって連行された朝鮮半島南部に住む二十二歳の青年が約二千八百人送り込まれていた。[12] 一九四五年七月にこの「応徴士」の指導員として三菱に入社した深川宗俊は、工場で彼らとともに被爆した後、その後の徴用工の足跡を辿るなかで、徴用の記録も丹念に発掘している。

戦後、峠とともに詩人として活動した深川は、縁者から証言を集めながら、原爆を生き延びながら対馬海峡で消息を絶った二百四十六名の三菱の徴用工の行方を追い続けた。その作業は困難を極めたというが、その大きな要因は、三菱が朝鮮人徴用工の名簿を処分してしまっていたことだった。[13] そのことが象徴するように、植民地主義と絶えず結びついてきた近代日本の戦争の歴史を伝える遺物は、広島では被爆後の都市整備の過程で消し去られていった。戦争の痕跡として旧陸軍被服支廠の敷地に残存していた建物も壊されていき、現在残っているのは、すでに見たとおり四棟の倉庫だけである。

これをも取り壊してしまいたいという欲望は、旧陸軍被服支廠の記憶が凝縮されたかたちで伝える総力戦とその拠点としての軍都の歴史を否認しようとするものでもある。そのような欲望をのぞかせる身ぶりは、近代日本に刻印された植民地主義の責任を引き受けようとしない国家にとって都合のよい仕方で、広島を「唯一の戦争被爆国」の象徴に仕立て上げようとする。そうしてマジョリティに認められようとする「日本」の体制翼賛型少数者（モデル・マイノリティ）の求愛の身ぶりは、ここで触れた朝鮮人徴用工をはじめ、周縁化されながら戦争遂行を担わされた広島のマイノリティの記憶を消し去ろうともしている。[14]

そのような欲望の下で差別の歴史が継続するなか、広島の記憶は、つねにアメリカ合州国に付き従う、それ自体として体制翼賛型少数者であるような国家によって飼い馴らされ、それとともに今も被曝の影響に苦しむ、あるいは戦争の暴力に晒されているマイノリティたちから閉ざされる。こうして、植民地主義を背景とする差別の問題を含んだ広島の被爆の問題が過去のことにされてしまうのだ。被爆した人々とその末裔のなかでは、原爆はけっして過ぎ去っていないにもかかわらず。以下では、この問題を検討しながら、他者たちの記憶が交差する路（パサージュ）として広島の街を捉える可能性を探ってみたい。

II　地図の空白

心象地図の空白としての軍都

平和記念公園の丹下健三による設計は、様式的には「大東亜建設記念営造計画」のための国家神道的な礼拝空間の構想と合致する。[15] このことを井上章一が指摘していることに注意を促したうえで米山リサは、「広島の記憶は、戦前の大日本帝国、その植民地主義的行為、そしてそれらの帰結の深刻な曖昧化の上に成立している」と述べている。[16] それに続いて、「曖昧化」の表われとして分析されるのが、祝祭的催事を軸とした「明るい」広島の設計による「記憶景観の馴致」である。[17] ここにある「未来志向」が、「原子力の平和利用」との曖昧な関係に結びついたことも想起されるべきだろう。[18]

これらの帰結として米山が指摘するのが、「社会の主流における大日本帝国の記憶の不在」である。[19] それは広島においては、帝国の軍都の記憶の不可視化として現われている。一九五〇年代初頭には、広島城の大本営跡を「東洋和平国際親善」の旗が掲げられた「平和主義の発祥地」として保存するべきとの帝国主義を剝き出しにした主張も聞かれた。[20] その一方で、広島がその拠点の役割を果たした近代日本の戦争と植民地主義の歴史を繰り返し省察するために、軍都の中心を保存しようという議論は興らなかった。現在、礎石の一部だけが残る大本営跡には、石碑が立つのみである。

そのことが象徴するように、現在の広島には、この街が帝国の軍都だったことを思い起こさせるものはほとんど残されていない。かつて「陸軍三廠」と呼ばれた軍需施設——被服支廠以外に、兵器支廠と糧秣支廠があった——にしても、被服支廠の四棟の倉庫以外には、缶詰工場だった糧秣支廠の建物の一つが、広島市郷土資料館として用いられているのみである。そして、これらの軍都の遺構は、「被爆建物」として語られることはあっても、広島城に拠点を置いた陸軍第五師団の中国大陸から東南アジアにわたる侵略の戦跡を振り返るかたちで話題に上ることはきわめて稀である。

軍都としての広島が心象地図から消されていくことによって、そこが被爆に至るまで帝国日本の侵略戦争の拠点であり続けていたことも、この戦争の継続が被爆の重要な要因であることも忘却されていく。

そのことと表裏一体のかたちで、原爆被害が、それに対する日米両国の責任を不問にしたまま強調される。このような広島の「社会の主流」の方向性からは、侵略と植民地支配の責任を曖昧にし、アジアの隣国との関係を、さらには核廃絶をもなおざりにしたまま、アメリカとの軍事的「同盟」関係を最優先にする国家の政策に追随する姿勢を、容易に見て取ることができる。

　そこにある大勢順応主義(コンフォーミズム)は、二〇一六年五月二十七日に当時合州国大統領だったバラク・オバマが広島を訪れ、スピーチを行なった際に露骨に表われていた。順応主義の姿勢を日本政府はつとに、「唯一の戦争被爆国」の自己演出に利用してきたわけだが、このとき広島で示された歓迎の身ぶりは、直前に起きた軍属のアメリカ人男性による沖縄の女性の暴行惨殺事件の問題を覆い隠す効果も発揮した。[21] そのことは同時に、広島と沖縄の記憶を結ぶ回路が塞がれることも意味する。国家の体制翼賛型少数者であろうとする姿勢は、周縁に置かれた者どうしの連帯の可能性をみずから閉ざしてしまうのである。

　ここで確かめておかなければならないのは、そのように広島が国家との関係において呈する大勢順応主義の態度が、けっして戦後に始まったものではないことである。むしろこの政治的な求愛の身ぶりこそが、広島が軍都であることを支えていた。鄭暎惠(チョン・ヨンヘ)によれば、「国策の優等生」ぶりはさらに、広島が日本一の移民県である――広島だけが十万人を超え、沖縄がそれに次ぐ――ことにも貫かれている。[22] むろんその背景には、独自の大規模な近代産業がなく、また山間地が多いうえに瀬戸内海沿岸にも山が迫っていて、耕地が不足せざるをえないことがある。

　被爆まで軍都を成り立たせてきた体制翼賛型少数者の身ぶりは、絶えず余剰労働力を海外へ送り出しながら、軍事施設と軍需産業を広島の街に誘致してきた。そのことによって生じた働き手の不足は、とくに朝鮮半島から、戦時中には中国大陸からも労働力を導入することよって補われてきた。[23] それは日中戦争中の一九三八年に成立した国家総動員法の下、戦争末期に広島の三菱に送り込まれた「応徴士」の場合のように、強制的な徴用のかたちで行なわれることもあった。そして、こうして過酷な労働を強いられた人々の生活と身分は、戦時中も、そして戦後も保証されることはなかった。

　そのために行き場を失った人々が廃墟と化した広島で辿り着いた場所の一つが、原爆の投下目標だったT字型の相生橋の北に広がる元安川の土手だった。戦後の広島の地図において、文字通り空白になっていた相生通りである。そこに続々と建てられたバラックに住む朝鮮人の姿は、絶えざる棄民としての植民地主義を、そして広島がその拠点であり続けていることを問いただしている。相生通りのバラック群を「原爆スラム」と呼んで目の敵にした人々は、自分が国内外に植民地を作り続け、人間を使い捨てていることを、何とかして隠し通そうとしたのではないだろうか。

戦後の地図の空白

　山代巴（やましろともえ）が「広島研究の会」の最初の成果として一九六五年に編んだ『この世界の片隅で』は、文沢（ふみざわ）隆一（りゅういち）が綴った「相生通り」の光景から始まる。平和公園の斜向かいに元安川に沿って広がる地図上の空白地帯。そこには川に落ちかからんばかりに廃材の家屋がひしめいている。その一軒一軒が迷宮のように入り組んでいる様子を描いた後、相生通りに住み込んでフィールドワークを行なった文沢が最初に登場させるのは、一人の朝鮮人である。そこには一九六〇年代前半には、約六百五十名の朝鮮人が住み着いていたとされる。[24]その多くが、戦争中に徴用の労務者として広島へ連れて来られた。

広島の街が原爆で灰燼に帰した後、朝鮮半島へ引き揚げる機を逸した――深川宗俊が追った三菱の徴用工がそうであったように、引き揚げの機を得た者も帰郷できたわけではないのだが――人々が、相生通りに吹き寄せられていた。大田洋子は『夕凪の街と人と――一九五三年の実態』のなかで、東京から帰郷したという設定で登場する、作家自身と見られる主人公篤子に、こう語らせている。「堤防の入口は、市の繁華街に近かった。相生橋のたもとから入ってくるのである。三年前はその繁華街にちかい入口の土手際にだけ、ごたごたとした家が乱雑に並んでいた。朝鮮人ばかりであった」。[25]

このような「実態」の記述は、相生通りに当初からいかに多くの朝鮮人が住み着いていたかを物語っていよう。文沢が紹介する呉庚判（オ・ギョンパン）は、引き揚げを考えて「田舎から」出て来たと語っているところを見ると、戦争中は中国山地の土木事業に駆り出されていたのかもしれない。彼は、一九四八年に相生通りに流れ着く前は、港に近い江波や南観音町を転々としたというが、そこには三菱に徴用されていた朝鮮人が住んでいた。それから十六年の時を経て、かつて陸軍の拠点が置かれた基町の再開発が進むなか、彼の許にも市役所から立ち退きの「調査書」が届いていた。[26]

文沢のルポルタージュに描かれる相生通りの朝鮮人の生きざまは、戦前から軍都の開発に、そして戦後も復興事業に、朝鮮人の労働力が使い捨てられ続けていたことを暗示している。鄭暎惠は、「非人間的で経済中心の国家主義において、まさに廣島は最先端を走っていた」と述べているが、軍都廣島が「国際平和文化都市」広島になっても、その点は変わらなかった。[27] 元安川沿いのバラック群と軍都の遺構を視界から消し去ろうとする言動は、その主体(サブジェクト)――むろんそれは同時に従属者(サブジェクト)でもある――が国家へ向けて示す求愛の身ぶりとともに振るうこの「非人間的」な暴力を否認するものと言える。

この暴力にじかに晒され続けたのが、広島の朝鮮人だった。そのなかで剝き出しの暴力にも脅え続けていたことを、文沢が引き出しえたのは、彼が相生通りで起居しながらそこに住む朝鮮人の声に注意深く耳を傾けていたからだろう。当時朝鮮総連の副委員長を務めていた金銹玄(キム・スヒョン)は、原爆に遭った日の記憶を、次のように伝えている。「救護所のテントには日の丸の旗が立っていた。憲兵もいた。危険を感じて近づかなかった。なにも悪いこととしてない〔ママ〕が、用心した。みんなの気が立っていた。〔関東大〕震災のとき、朝鮮人を虐殺した話きいてた〔ママ〕。その晩は近くの山で寝た」[28]。

このような恐怖を朝鮮人のなかに呼び起こしながら続いた植民地支配が、日本の敗戦まで半島を戦争に巻き込むかたちで続いたことを背景に朝鮮戦争が起き、それによって半島は分断された。このことも相生通りに影を落としている。金は、彼のように朝鮮総連に属する人々と、在日本大韓民国居留民団〔現在の在日本大韓民国民団〕の側の人々のあいだの抗争がこのバラック街でも激しかったと語っている。その一方で彼が、植民地支配の責任を曖昧にする日韓基本条約の阻止へ向けた運動にも関わっていたことも、文沢は伝えている。[29] 現在広島の人々の心象地図からは脱け落ちている記憶である。

四國五郎《相生橋》1984年

III　記憶の交差路

片隅の人々の連帯の可能性へ

四國五郎の《相生橋》は、相生通りから原爆ドームを望む風景を澄んだ筆致で描き取る。肩を寄せ合うように家々が立ち並ぶ様子を、元安川の穏やかな水面とともに静謐な画面に構成したこの作品の額縁には、バラックの材木が使われている。[30] 父親を原爆で亡くし、壊滅した街でその行方を追った母親も原爆症で亡くしたことから被爆の問題にこだわり続けた美術作家殿敷侃の初期の絵画作品にも、相生通りを描いたと見られる一枚がある。川にせり出すように建つ家々が、灯のなかに浮かび上がる。[31] これらの作品に通底しているのは、元安川の土手に吹き寄せられた人々の暮らしへの深い共感である。

相生通りからの文沢のルポルタージュも、そこに住む人々のしたたかな暮らしぶりを、共感を込めて描く。「それにしても、ここに住む人たちは雑草のように根強い生活力をもっている。職業的にみて、失業対策事業や日雇人夫に出ている人が一番多い。〔中略〕かと思うと、廃品回収業の藤井商店は、三十人からの子飼いの屑屋をかかえ、一千万円の貯金をしているという話だ。また、夫婦が失対に出るため離婚手続きをして失対手帳を交付してもらっている者もいる。〔中略〕いずれにしても、塩っぱい水をのみ、一種異様な雰囲気に耐えて生きていく人たちの生活の知恵である」[32]。

山代巴が編んだルポルタージュ集は、ここに引いたような相生通りでの「生活の知恵」としても現われる、「労働力」として使い捨てられることに対する抵抗が、別の場所での抵抗と交差しえたことも伝えている。多地映一によるかつて未解放部落だった福島町についての記述は、部落差別と、原爆の犠牲者に対する差別という二重の差別に苦しむ人々の姿とともに、この地域の生活環境を改善しようとしない行政に対するしたたかな抵抗のありさまも描く。それとともに、被爆に含まれる差別の問題への洞察を含んだ抵抗の思想の獲得過程が浮き彫りになっている。

多地を福島町に受け入れた木崎久夫が語る次の言葉は、差別に対する抵抗を起点とした連帯の可能性を暗示している。「比治山のABCCが広島市民を実験動物扱いする、これも差別のひとつじゃないか。ドイツに落ちなかった原爆が日本に落ちる、これも差別の一種じゃないか。となると、私らの相手は部落差別だけじゃない。被爆者と非被爆者。原爆を落とす者と落とされる者。働く者と働かせる者。白人と有色人。そういうふうに、人間が人間を差別するあらゆるやり方、あらゆる考え方を相手に、部落解放運動以外の人らと手をつないで、大けな大けな〔ママ〕闘いをして行かにゃならんのだ」[33]。

ちなみに『この世界の片隅で』という書名は、このような思想を含んだ福島町の人々の粘り強い抵抗との連帯へ向けて付けられたものである[34]。そのことも踏まえるならば、このルポルタージュ集は、いくつもの場所で苦悩する人々が地域の境界を、さらには海を越えて結びつく可能性へ向けて編まれていると考えられる。実際、その最後に収められているのは、大牟田稔が「沖縄の被爆者」を追った一篇である。たしかに「広島研究の会」の人々が掘り起こしているのは、いくつもの被爆体験である。とはいえ、この複数の体験には、すでに見たように差別の苦悩も染み込んでいる。

ここであえて差別とは何かを述べるなら、それは他者から個としての人格の尊厳を奪いながら、この他者を虚構としての類的集合の一員として蔑視の対象とし、社会の周縁に排除するとともに、その生命を使い捨てにすることをもいとわない言動である。その暴力に荷担する身ぶりには、つねに自己の優位を確かめようとする大勢順応主義が含まれている。そして、この差別の言動は近代において、絶えず「死のなかへ廃棄する」暴力を含んだ生＝政治（ビオ＝ポリティック）の下、それぞれの国民国家自体のうちに制度的に組み込まれていった[35]。その帰結の一つが近代の植民地主義であることは、もはや言うまでもない。

差別にもとづく植民地主義が、広島を軍都として成り立たせていたと同時に、その壊滅をもたらした核開発をも貫いてきた。核開発と植民地主義の結びつきは例えば、コンゴにおけるウラン鉱石の採掘が、植民地支配を背景に現地住民を使い、被曝させるかたちで行なわれていたことを顧みれば明らかである[36]。しかも、植民地主義の問題は、戦後も、復興のなかでも清算されていない。『この世界の片隅で』は、被爆に苦しむ人々が棲む片隅の地面からこのことを問いただすとともに、「普通の生活」が不可能な片隅に生きる者たちが、記憶を通い合わせて連帯する可能性も示唆している。[37]

記憶の交差路としての広島へ

小田実（おだまこと）の小説『ＨＩＲＯＳＨＩＭＡ』においては、広島の移民史、軍都廣島を拠点とする日本の植民地主義の歴史、コンゴでのウラン採掘の歴史、さらには核兵器開発に晒されたアメリカの先住民族の物語が交錯する。そして、いくつもの場所で重層的なアイデンティティを生きる人々を巻き込みながら人の住む街を灰燼に帰すに至った出来事が、人類史上の「世界の終わり」であることを描き出すこの小説のなかで、加害者であることと被害者であることが絶えず反転する。アメリカ南部の核実験場の近くで育った主人公は空軍の兵士となるが、搭乗機が撃墜されて捕虜となり、広島で被爆する。

この小説のなかで唯一被爆した広島が描かれる短い第Ⅱ部では、被爆した捕虜が同じく被爆した「亡者」の群れによって、おそらくは相生橋の上で殺される。病室を舞台とする近未来的な第Ⅲ部も、「みんな死んだ」という言葉で結ばれる。しかし、「世界の終わり」を印づける死へ向かう小説の全体が、ホピ族の予言の書を踏まえつつ、一篇の「叙事詩（エポス）」——扉には表題の下に「ト・エポス」とギリシア語で書かれている——として語られるとき、その物語は、それぞれ異なった経緯で「ＨＩＲＯＳＨＩＭＡ」に巻き込まれた、周縁に生きる人々の記憶が交差する可能性も暗示していよう。[38]

小田の小説が伝えようとしているのは、「ＨＩＲＯＳＨＩＭＡ」の名で象徴される歴史に、人類が巻き込まれていることである。そして、この核の普遍史とも言うべき歴史と、植民地主義——それはアメリカにおいては、内側へ折り返され、先住民族の隔離と収奪として表われる——の歴史が不可分であることも、小説には描かれている。このような歴史への洞察を踏まえながら、「世界の片隅」で生きる人々の記憶が通い合う可能性を広島から見通すためにはまず、この街がアジアの帝国の軍都として歩んだ過程を掘り起こし、そこにどのような人々が巻き込まれたかを明らかにする必要がある。

そうして初めて、広島の被爆に至る過程に対する日米両国の責任を、国家の周縁からあらためて問うことができる。同時に、植民地侵略の拠点としての軍都の歴史を、それ自体植民地主義と不可分である核の普遍史の前史として捉え返すこともできるだろう。そして、その視点からこそ、この歴史を前史から貫く他者の差別と非人間化の問題を、放射能被害の問題とともに、現在の問題として糺すことができるはずだ。これらの問題は、まさに現在の問題である。植民地主義は今、新自由主義に溶け込みながら、また核開発の継続とも結びつきながら、命を使い捨て続けているのだから。

このようにしてアジアに開かれた視野の下で軍都の発展を貫いた植民地主義を問い、それとともに原爆の犠牲者一人ひとりの被爆の記憶を歴史的な背景から浮き彫りにするなかで、その記憶を他者の記憶と呼応させる回路が開かれるにちがいない。広島で被爆した人々の物語が、他の場所で被曝の影響に苦しむ人々の物語や、沖縄をはじめ戦争の暴力に晒され続けている場所の人々の物語と結びつけられるのだ。それとともに形づくられる苦悩の記憶の星座（コンステレーション）の閃きによって、今も生あるものを生命の根幹から脅かし続けている核の普遍史を見返すことができるはずである。

この可能性を、いくつもの「片隅で」生きる人々の被爆体験を、それにまつわる未清算の歴史的な問題とともに浮き彫りにしたルポルタージュ集と、核兵器の実験場近くに住むアメリカの先住民の物語を、広島の朝鮮人や「南方留学生」のそれと交差させる文学作品は、今に語りかけているのではないだろうか。そして、この可能性を歴史の積み重なった今ここに生きる見通しへ向けて摑むとは、広島を「唯一の戦争被爆国」の象徴に仕立てる神話の覆いを引き剝がし、その街に他者たちの記憶が交差する路(パサージュ)を開くことである。そのことは、広島の人々の物語のなかに耳を開くことから始まる。[39]

帝国の軍都の歴史を前に、今も残るその問題に向き合う空間とともに、さまざまな場所の苦難の記憶が芸術の媒介によって行き交う空間を開くものとして、被服支廠の倉庫は生かされうるのではないだろうか。かつて軍都の縮図を示していた被服支廠の一部をなし、今も原爆の犠牲者の死の記憶を壁のなかにとどめている倉庫。世界の芸術家を惹きつけてきたその遺構は、歴史を省察するなかから広島に記憶の交差路を開く可能性へ向けて保存され、活用されるべきである。[40] それによって、核の普遍史に抗い、他者とともに生きることに踏みとどまるための拠点を手にすることができるだろう。

註

1 以下を含め旧陸軍被服支廠の沿革ならびにその建物の戦後史については、次の証言集を参照した。旧被服支廠の保全を願う懇話会編『赤レンガ倉庫は語り継ぐ――旧広島陸軍被服支廠被爆証言集』、二〇二〇年三月一日発行。

2　四國五郎『わが青春の記録（上巻）』三人社、二〇一七年、一四六頁以下。

3　女学校の生徒が被服支廠の敷地に避難した様子を、峠三吉は「仮繃帯所にて」という詩に、次のように描いている。「焼け爛れたヒロシマの／うす暗くゆらめく焔のなかから／あなたでなくなったあなたたちが／つぎつぎととび出し這い出し／この草地にたどりついて／ちりちりのラカン頭を苦悶の埃に埋める」。峠三吉『原爆詩集』岩波書店、二〇一六年、二七頁。

4　前掲書、三三頁。

5　前掲書、三七頁。

6　このような旧陸軍被服支廠倉庫の「解体案」をめぐる経緯について、以下の新聞記事を参照。「揺らぐ前回の妥当性」、『中國新聞』二〇二〇年九月五日付。次の記事も参考にした。宮崎園子「解体計画に揺れる広島・被服支廠——加害と被害、二重の記憶をとどめる戦争遺構」、『週刊金曜日』一二六八号、金曜日、二〇二〇年二月十四日、四二頁以下。

7　宇品港の歴史については、以下の資料集を参照。広島市郷土資料館編『宇品港——広島の海の玄関の物語』、二〇一八年二月。

8　このような視点は、すでに以下の拙論で提示している。「広島の鎮まることなき魂のために」、『パット剝ギトッテシマッタ後の世界へ——ヒロシマを想起する思考』インパクト出版会、二〇一五年、一〇頁以下。

9　前掲『赤レンガ倉庫は語り継ぐ』、八二頁以下。切明は、被服支廠倉庫の現存する四棟の全棟保存を求めて、証言活動を続けている。「国の言うことを無批判に、無心に信じ続けてきた。そのことが、本当におそろしい。その歴史が、あの建物に残されている。そこまで伝えてほしい」（八三頁）。

10　四國は『わが青春の記録』に被服支廠の組織図を記している。前掲書、二〇二頁。

11　入学試験に合格していたにもかかわらず、被服支廠の部長を務めていた主計少佐は、夜学に通いたいという四國の要望を突っぱねた。一九四三年後半からは、工場で働くようになった若い女性についての記載が増えている。前掲書、一四九頁以下、二六〇頁以下。

12　深川宗俊『鎮魂の海峡――消えた被爆朝鮮人徴用工246名』現代史出版会、一九七四年、一六頁以下。二〇二一年一月二十四日に広島県男女共同参画財団エソール広島研修室で開催された、広島・ジェンダー・「在日」資料室準備会の主催による連続講座「ジェンダー×植民地主義――交差点としての『ヒロシマ』」の第一回で、切明千代子が被服支廠で朝鮮人が働いていたと証言していた。旧陸軍船舶司令部（通称暁部隊）所属の朝鮮人兵士の同様の証言を伝えているのは、元広島市職員の戸村良人が制作した「ヒロシマの今から過去を見て回る会」のウェブサイトの旧陸軍被服支廠倉庫の案内のページ（http://tomura.lolipop.jp/9/2ujinahijiyama/08.hihukushou.htm――二〇二〇年九月八日最終閲覧）である。

13　深川、前掲書、五三頁以下。

14　模範的少数者と訳されることの多い model minority の語を、「体制翼賛型少数者」と訳す見方については、以下の論考を参照。酒井直樹『希望と憲法――日本国憲法の発話主体と応答』以文社、二〇〇八年。それによると、「体制翼賛型少数者」とは、「自らの劣性を自分たちの中の能力や資格の欠如と誤認し、劣位を体制迎合的な努力によって超克できると考えて、『多数者』による認知を求めて『まともな国民』になろうとする人たちのことである」（七九頁）。

15　井上章一『戦時下日本の建築家――アート・キッチュ・ジャパネスク』朝日新聞社、一九九五年、二六六頁以下参照。

16　米山リサ『広島　記憶のポリティクス』小沢弘明他訳、岩波書店、二〇〇五年、四頁。

17　前掲書、七五頁以下。

18　広島で一九五〇年代後半に、二度にわたって「原子力平和利用」の大規模な展示が行なわれ、その後原爆資料館でもこれに関する展示が続いたことについては、以下を参照。田中利幸、ピーター・カズニック『原発とヒロシマ――「原子力平和利用」の真相』岩波書店、二〇一一年。

19　前掲書、四頁。

20　一九三八年から翌年にかけて広島県知事を務めた飯沼一省のこのような主張を詳しく紹介している論考として、以下を参照。福間良明『「戦跡」の戦後史――せめぎあう遺構とモニュメント』岩波書店、二〇一五年、二三頁以下。

21　この問題は、すでに第一部の「そこに歴史はない――ベルリンからグラウンド・ゼロとしての広島を思う」で指摘した。

22　鄭暎惠「交差するヒロシマ」、『〈民が代〉斉唱――アイデンティティ・国民国家・ジェンダー』岩波書店、二〇〇三年、七六頁以下。

23　西松建設が請け負った中国電力安野発電所建設工事への中国人の強制連行については、以下の資料を参照。強制連行された中国人被害者との交流をすすめる会編『マップ安野――中国人強制連行の歴史を歩く』一九九七年。

24　文沢隆一「相生通り」、山代巴編『この世界の片隅で』岩波書店、一九六五年、二頁以下参照。

25　大田洋子『夕凪の街と人と――一九五三年の実態』、長谷川啓編『大田洋子集原爆作品集――人間襤褸／夕凪の街と人と』小鳥遊書房、二〇二一年、二一一頁。

26　前掲『この世界の片隅で』、四頁。

27　鄭、前掲書、七七頁。

28　前掲『この世界の片隅で』、二八頁。

29　前掲書、二九頁以下。

30　四國五郎の《相生橋》（一九八四年）には、二〇一五年四月二十日まで日本銀行旧広島支店で開催された「四國五郎追悼・回顧展」の会場で出会った。作品画像の掲載を、画家の子息の四國光氏にご許可いただいた。記して感謝申し上げる。

31　ここで念頭にあるのは、殿敷の《川岸》（一九六五年）である。この作品は、二〇一七年三月十八日から五月二十一日にかけて広島市現代美術館で開催された展覧会「殿敷侃——逆流の生まれるところ」で目にしている。本書の装幀に使用しているこの作品については、第一部の「逆流の芸術」も参照。

32　前掲『この世界の片隅で』、一〇頁。

33　多地映一「福島町」、『この世界の片隅で』、五六頁。「ABCC」とは、一九四六年にアメリカ合州国が原子爆弾によって人体に生じた傷害を調査するために広島の比治山に設けた原爆調査委員会（Atomic Bomb Causality Commission）のこと。その医学的調査が、原爆被害者に治療を施すことなく「モルモット」扱いしていることは、つとに批判の対象になってきた。この委員会は、一九七五年に日米の共同出資により運営される財団法人放射線影響研究所に改組されている。

34　「この本の名を、『この世界の片隅で』ときめました。それは福島町の人々の、長年にわたる片隅での闘いの積み重ねや、被爆者たちの間でひそやかに培われている同じような闘いの芽生えが、この小篇をまとめさせてくれたという感動によるものであります。現地の片隅での闘いが私たちを変化させた力は大きく、『広島研究の会』は、どこまでも現地に密着して、中断することのない研究を進めなければならないと思われます」。『この世界の片隅で』まえがき。

35　近代の生゠政治の下で構造化される差別とその暴力については、この政治の概念を提起したミシェル・フーコーの『性の歴史Ⅰ——知への意志』（渡辺守章訳、新潮社、一九八六年）とともに以下の論考を参照。中村隆之『野蛮の言説――差別と排除の精神史』春陽堂、二〇二〇年。

36　ベルギーとアメリカの密約の下、当時ベルギー領だったコンゴで、支配下の現地住民を使って、原子爆弾に使われることになるウラン鉱石が採掘されていたことに関して、以下の論考を参照。藤永茂『『闇の奥』の奥――コンラッド／植民地主義／アフリカの重荷』三交社、二〇〇六年、二二〇頁以下。

37　こうの史代の漫画『この世界の片隅に』（双葉社、二〇〇八／九年）において強調されることの一つに、戦時中にも「普通の生活」があったことがある。作者も、それを基にした映画の公開に際し、インタヴュー（『朝日新聞』二〇一六年十一月十一日付）に答えて次のように述べている。「『この世界の片隅に』では、戦時中の普通の生活を見てほしいと思って、あえて穏やかな暮らしを描きました」。ここまでの議論を踏まえて言うなら、「世界の片隅」とは、感情移入できるような「普通の生活」が不可能な場所のことである。

38　小田実の『HIROSHIMA』（講談社、一九八一年）の読解に際しては、ジョン・W・トリート『グラウンド・ゼロを書く――日本文学と原爆』（水島裕雅他訳、法政大学出版局、二〇一〇年）所収の小田実論「原爆と核と全体性」を参考にした。

39　米山リサは、長年にわたって証言活動を続けた被爆者沼田鈴子が、旅のなかで他者の側からみずからの加害者としての位置を振り返り、それによって自身の被爆の物語を絶えず解体しながら精練させてきたことを論じている。米山、前掲書、一七一頁以下参照。

40　旧陸軍被服支廠倉庫の保存と活用の具体的な方向性については、すでに以下の記事で論じた。「戦争と被爆の記憶が刻まれた建築をアジア各地域が連帯する芸術拠点に」、前掲『週刊金曜日』一二六八号、四五頁。また、被服支廠跡が世界中のアーティストにとって一つの磁場であることについては、その敷地と倉庫の建物を会場に現代美術展ヒロシマ・アートドキュメントを開催したフリーキュレーター伊藤由紀子へのインタヴューも参照。『中國新聞』二〇二〇年四月八日付。

付記

本稿の初出は、広島市立大学国際学部叢書の一巻として刊行された同学部多文化共生プログラム編『周縁に目を凝らす――マイノリティの言語・記憶・生の実践』（彩流社、二〇二一年）。本書に収録するにあたり、一部の文言を修正し、この論集の校了後に得た情報を註に加えた。大田洋子の作品については、一般の読者が手に取りやすい作品集を挙げている。『屍の街』を中心とする同様の作品集もある。

ここで取り上げた小田実の『HIROSHIMA』という「叙事詩」が象徴する、植民地主義の歴史と結びついた核の歴史の「普遍史」としての特質を摑むには、そこで素材として取り上げられている出来事を世界史的な視野の下でさらに掘り下げることが必要と思われる。それに際し、小田の『難死の思想』（岩波書店、二〇〇八年）を広島でともに読む場を仲間と持つことができた道場親信さんの研究（「『核』の連鎖・『難死』の連鎖――小田実『HIROSHIMA』を読む」、原爆文学研究会編『原爆文学研究』第十三号、二〇一四年）や、最近『広島　抗いの詩学――原爆文学と戦後文化運動』（琥珀書房、二〇二二年）を刊行された川口隆行さんの研究（「被害と加害を架橋する――小田実『HIROSHIMA』の想像力」、日本社会文学会編『社会文学』第三十七号、二〇一三年）などを参照しながら、作品の内実も検討しなければと考えている。

広島の宇品港がその尖端だった帝国日本の植民地主義は、戦後はその暴力を日本列島の内部へ、さらには人々の内部へと折り返し、「復興」の陰で棄民を繰り返した。そのありさまが山代巴編の『この世界の片隅で』に描き出されているわけだが、同時に、このルポルタージュ集と小田の「叙事詩」が暗示している、苦難の記憶の越境的な交差と、それにもとづく死者を含めた他者との連帯の可能性は、次の書き下ろしの論考でもう少し掘り下げられている。時空を越えて記憶を交わし合うことによって、破滅へ通じる核の普遍史に抗し、生存の道筋を開くどのような歴史が構想されうるかという問いは、第一部から提起してきた〈残余からの歴史〉への問いの核心にある。

なお、広島が軍都であることを歴史的に省察するうえで宇品港が決定的な意味を持つことは、『パット剝ギトッテシマッタ後の世界へ――ヒロシマを想起する思考』（インパクト出版会、二〇一五年）以来、再三強調してきたが、堀川惠子の『暁の宇品――陸軍船舶司令官たちのヒロシマ』（講談社、二〇二一年）は、「暁部隊」と呼ばれた陸軍船舶司令部の歴史から、宇品の港が日清戦争以来、戦争のなかでどのような役割を果たしてきたかを緻密に浮き彫りにしている。司令官の手記や、それに関連する記録や証言などから、日本軍中枢がとくにアジア太平洋戦争の過程で、人間性はおろか人命をも軽視するかたちで無謀な作戦の遂行を現場に強い、それによっていかに多くの民間の船と船舶人が犠牲にされたかを描き出す著者の叙述は、今を照らし出すものとして読まれるべきだろう。二〇二〇年夏の五輪の強行が象徴するように、無謀かつ無責任に犠牲を強いる構造は、現在の国家にも脈々と受け継がれているし、「民営化」されてもいる。『暁の宇品』の冒頭で、広島が原爆投下対象に選ばれた理由として、そこに「重要な陸軍の兵站拠点と乗船港 an important army depot and port of embarkation」があることが、アメリカの公文書にもとづいて挙げられていたが、これは銘記されるべきことと思われる。

震撼させられた者たちの連帯の場を開く
——核の普遍史を食い止めるために——

震撼させられた者たちの連帯は、戦争状態を永続させる動員装置に「否」と言うことができる。

ヤン・パトチカ

I　死者たちの希望の散楽

荒れ果てた蔵のような建物のなかで女が独り牡蛎(かき)を打ち続ける。殻を開いて身を取り出しながら、女は問わず語りに語り始める。真牡蛎の一つが海亀の甲羅でわが身を養ったことを。その亀が、壊れた発電所の沖に漂う一人の女を岸へ運んだことを。そして、真牡蛎の養分が、疲れ果てたこの海亀の産卵を助けたことを。このような、崩壊した世界が生んだユートピアを生きものたちの相互扶助から浮かび上がらせる物語とともに、広島アビエルト芝居小組(しょうそ)公演「荒屋敷散楽　牡蛎殻ステップ」(二〇二一年十一月二十六日～二十八日、カフェ・テアトロ・アビエルトにて）の幕が上がった。[1]

その舞台に繰り広げられるのは、人間以後の世界である。人間は、人工の世界のなかでしか「人間」として生きることはできない。しかし、その領域を押し拡げていく開発は、パンデミックを含む巨大な災害が示すように、世界を破壊する力を招き寄せてしまった。こうして世界が壊れてしまった後の地上で、人間が忘却してきたその記憶を集積しながら、生きものたちの結節点となるのが、蔵のような「荒屋敷」である。この廃墟に集まってくるのは、まつろわぬ者たち。蝿のように忌み嫌われ、人間の世界に居場所を持たない生きものたちが、海を越えて続々とやって来る。

そこではポトラッチ――北アメリカの太平洋沿岸地域の先住民の儀礼に見られる誇示的贈答――の饗宴が開かれようとしているのだ。「牡蛎殼ステップ」の桜井大造の台本は、彼のテント芝居の台本がつねにそうであるように、異なった語の音の重なりをドラマの展開に生かしている。「蔵」とは、クラ交易――ニューギニアとその周辺に見られる儀礼的贈答を伴った交易――が行なわれる場所でもある。[2] それが「荒屋敷」と呼ばれるわけだが、その名前は、仏教の唯識説に語られる「阿頼耶識」――森羅万象を生成させる力を持つ第八の識とされる――とも重ねられている。

万物の識でもある「荒屋敷」。その蔵とは、ある都市の集合的な記憶が、人々から忘れられたものとして保存されている場所なのかもしれない。その壁面には、シャツをはじめ何枚もの衣服が吊るされている。そこではかつて縫製が行なわれていたのだ。このことに思い至るとき、「荒屋敷」は広島の旧陸軍被服支廠、そして「蔵」はこの工場の製品を収める倉庫の廃墟として立ち現われてくる。そこは、「地図の余白から」で紹介した詩画人四國五郎の回想――彼は被服支廠で働いていた――も示すように、軍隊組織の縮図を示す場所だったが、まさにそのことによって、日本のアジア侵略を支え続けていた。

被服支廠では、軍服や軍靴をはじめ、将兵が身に着けるもののほぼすべてが製造されていたという。その素材となる毛皮を得るために、そこではウサギも飼われていた。アジア太平洋戦争が激化すると、女性の学生たちも工場に動員された。こうしてあらゆる種類の住民を巻き込みながら兵站(へいたん)の一翼を担った被服支廠には、軍用鉄道の駅が設けられていた。その鉄路は、帝国の尖端と言うべき宇品の軍港に通じ、そこからはアジア各地へ将兵が送り出されていた。明治以来アジアを蹂躙し、この地域に生きる人々を犠牲にしてきた日本の近代の奔流を衝き動かしてきた機関の一つが、被服支廠だった。

その寓意像(アレゴリー)である「荒屋敷」の「蔵」の壁には、舞台が進むにつれて海水が染み込んでくる。そこには、生あるものの命を呑み込んできた近代の流れが逆流してきているのだ。それに乗って、人界の果てに追いやられた生きものたちが集まってくる。「クラ」に集ったものたちは、やがて舞い始める。死者に捧げられる散楽を。そのステップは、人間の世界が滅びた後に宿る新たな生命の鼓動を伝えるとともに、近代の歴史の過程で潰えてしまった広島の地の希望を閃かせている。その一つは、さまざまな背景を負った者たちが、それぞれの物語を交わし合う場所になる可能性である。

II　暴力が交差する場としての広島

広島の原爆資料館には、「被爆した外国人」を紹介する一角がある。その多くを占めるのは、近代日本の植民地支配の拡大によって、広島に生活の場を求めることを余儀なくされた人々や、軍都の労働力として帝国の支配地域から強制的に連れて来られた人々、あるいは帝国のエリートになるべく東南アジアから広島へ留学していた「南方留学生」など、帝国日本の支配地域の拡大と、そのための戦争の影響によって広島に来ていたアジアの人々である。他方で、革命後のロシアから亡命してきた人々や、イエズス会士のようにキリスト教の宣教に勤しんでいた人々なども広島で生活していた。

両者を同列に紹介するとは、広島が帝国の尖端として軍都だったことを隠蔽することである。この点に違和感を覚えながら展示を眺めていると、広島に「大日本帝国」の「大東亜」の縮図があったことに思いを致さずにはいられない。その「東亜」は、広島から、その宇品の港から、帝国主義の列に連なるための戦争の暴力によって拓かれてしまった。広島は、「大東亜」実現の先兵の役を担うと同時に、日本の侵略戦争が継続するなかで、みずからのうちに「東亜」の縮図を作り始める。その要因の一つに、広島が「移民県」だったことの反動がある。

明治の初めから数多くの広島の人々が海を渡り、ハワイやカリフォルニアへ、あるいはブラジルをはじめラテン・アメリカの国々へ、後には「満蒙」の地へ新天地を求めた。広島が山がちで耕作地に乏しく、人口を賄うだけの食糧の生産が困難だったことなどがその背景にあるとされるが、こうして多くの人々が広島を離れていく一方で、広島城に作戦指揮の大本営が置かれた日清戦争以来、広島の市域は軍都として発展し始める。宇品港は、そこへ通じる軍用鉄道の開通とともに軍港として開発され、港からは朝鮮半島と中国大陸へ、シベリアへ、やがて東南アジアへも将兵が送り出された。

その間、沿線には兵站のための工場——被爆建物の一つで、現在郷土資料館として使われている建物は、缶詰が製造されていた糧秣支廠だった——が建ち並ぶようになり、そこに資材を卸す業者も増えていった。そのような軍都の活況のなかで露呈したのが、労働人口の欠乏だった。不足した労働力は、列島の外へ求められるようになる。そのことと帝国日本の植民地主義が連動していた。とくに日本に併合された後の朝鮮半島では、総督府の土地調査事業によって、土地の所有権を証明できない多くの零細農民が、祖先から受け継いできた土地を失った。こうして根こそぎにされた農民は、農地を増やした大地主の小作人になるか、あるいは新しい仕事を探すかのいずれかの道を取ることを迫られた。[3]

後者の道を選んだ半島の人々のなかには、海峡を渡った者が数多くいた。下関から上陸して広島を目指した者も少なくなかった。一九三〇年代末からは、国民徴用法の下で駆り出され、広島の軍需産業の工場で働かされる朝鮮の若者も増えてきた。アジア太平洋戦争の末期には、大陸から連行された中国人が、中国山地で安野発電所の建設のために厳しい労働を強いられることになる。工事を請け負った西松組は、日本人、朝鮮人、中国人を分断する支配体制を、日常的な暴力によって敷いていたという。[4] 朝鮮人が日本人を怖れていたことは、「地図の余白から」に引いた証言からもうかがえる。

複数の背景をもつ人々を分断しながら支配することによって生産体制を確立しようとする西松組など

のやり方が象徴しているのは、植民地支配の暴力が支配地域の拡大とともに内攻していったことであり、戦争が激しくなるにつれて、その暴力が苛烈さを増していったことである。それと並行して、軍需に規定された経済活動の下で生きてきた軍都広島の日本人も、いっそう深く総力戦の体制に組み込まれていく。さらには、「銃後」や「婦人会」の語が象徴するような、性による役割の分割が、「国民総動員」のなかに最初から折り込まれていたことも忘れられてはならないはずだ。

これらを考え合わせるなら、近代の広島、とりわけアジア太平洋戦争下の広島には、複数の背景を持つ人々が生活していた一方で、この人々は暴力によって分断されていたことになる。その暴力とは、植民地支配の暴力であり、それを貫く民族差別の暴力であり、総力戦の遂行へ人々を巻き込んでいく戦争の暴力であり、性差別の暴力である。軍都広島とは、これらが交差する場にほかならない[5]。複数のアイデンティティを負ってそこに生きるとは、暴力の交差に身を晒すことであり、その暴力を他者へ向けながら人は自己を規定してきた。こうして人と人が分断される暴力の歴史は、今も続いている。

たしかに、原爆によって目に見える軍都は壊滅した。しかし、交差する暴力を内面化しながら軍都を支えてきた「国民」の心性は、むしろ広島において権力のうえでマジョリティを占める人々のなかに脈々と息づいている。「国民」になるとは、一方ではミシェル・フーコーが論じた「生に対する権力」の「訓育（ディシプリン）」の結果であるが、他方ではその過程で自身に加えられる暴力を神話化することでもある[6]。それを暴力として問うことなく、一定の地位を持つ自己を規定してくれる力として引き受けながら他者を差別し続けるのだ。このことが現在に至るまで、国家への寄生として現われてきた。

広島が軍都であることを可能にしてきた国家への寄生が、敗戦後には同時にアメリカ合州国への従属と一体になることは、一九五〇年代後半から形を変えて繰り返された、原爆資料館における「原子力の平和利用」の展示としてさらけ出された。[7] そのことは約半世紀を経て、当時アメリカ合州国の大統領だったバラク・オバマの「核なき世界」のプラハでの口約束に呼応して広島市役所にも掲げられた「オバマジョリティー」――核のボタンを持つ立場に同一化してでも大勢に連なりたいのだ――なる語や、二〇一六年の初夏に実現した彼の訪問を歓迎する身ぶりにも表われていた。

ただし、これらを先導してきた広島の人々と、国家権力を握る人々の関係は、戦後に関しては共依存とでも言うべきだろう。つまり、広島の人々の側は「唯一の戦争被爆国」の象徴としての「国民」性を示そうとし、他方で権力者の側も、「唯一の戦争被爆国」のアリバイを示す場所として広島を必要としてきたのだ。そのような依存関係を象徴するのが、原爆忌の平和祈念式典である。こうした場で儀式的に「平和」を願う「国民」の身ぶりは、身近な社会的関係に構造化された暴力を問いただすことに結びつくことはない。「平和」ということで、人が暴力を免れて生きることは問われないのだ。

「日系人」労働者や「外国人技能実習生」の苦境は、広島ではつとに知られていた。また、広島の朝鮮学校は、高等学校の授業料無償化の対象から除外されたままである。[8] これらマイノリティが晒されている暴力の問題、さらには岩国の基地の米兵が広島で起こした性暴力事件とその経過に象徴される問題にはけっして向き合うことなく、「平和」を核兵器の廃絶と戦争の終結に還元し、それを願う格好を示す自分たちが国家公認のマジョリティであることを確めるには、「平和祈念式」が「厳粛のうちに」行なわれる必要があるようだ。[9] そのために最近「広島市平和推進基本条例」が定められている。[10]

こうして「平和」の概念を内容空疎なものにすることと、いくつもの暴力が交差する場としての軍都の記憶を抑圧し、その内的な存続を隠蔽することは表裏一体である。むしろ軍都の記憶の忘却の上で、国家に、そしてアメリカに求愛し続ける「大勢翼賛型少数者（モデル・マイノリティ）」の軍都根性は、平和に生きることを問い続ける思考を停止させ、その文化を蔑ろにしてきた。このことによって広島の街には、そこに生きる人々をも内側から侵食していくような空洞が造られた。この空洞を感じさせる希有な写真が、笹岡啓子が「PARK CITY」というテーマの下で撮り続けている一連の写真である。

Ⅲ　広島の空洞を抉り出す

笹岡啓子が二十一世紀に入ってから撮り続けている広島の写真は、二〇〇九年にいったん写真集『PARK CITY』にまとめられているが、そこに収められた一連の写真も、またその後撮影が続けられた写真も、被爆地としての広島でこれまで撮られてきた写真には見られない独特の眼差しを示している。[11] 笹岡の写真の方向性は、例えば土門拳が一九五八年に刊行された写真集『ヒロシマ』で示した、原爆の犠牲者の無数の傷を負った身体を接写したり、その周囲の人々の影を帯びた表情に迫ったりして、被爆の苦しみを抱える人の生きざまへ見る者を引き込むようなリアリズムとは対照的と言える。[12]

あるいは、土門の写真集から半世紀を経て、二〇〇八年に刊行された石内都の写真集『ひろしま』に収録された写真は、原爆資料館に収蔵されている犠牲者の衣服を純白の背景の上に浮き立たせ、あたかも人が身に着けているかのように映し出す。[13]それとともに、今も洒落た印象を与えるブラウスやワンピースが引き裂かれていたり、それらの生地に血痕が染みついていたりしているさまも浮かび上がるが、それを前にすると、これらで着飾って街を歩く人々の生が被爆の瞬間に断ち切られたことへ思いを致さずにはいられない。笹岡の写真は、そのような石内の写真とも対照的である。

土門と石内の写真は、表記は異なるものの、いずれも広島の地名を表題に掲げつつ、そこに生きた人間の存在を直接的に、あるいは間接的に伝えている。そして、被爆の瞬間に命を奪われた、あるいはその瞬間から心身に癒えることのない傷を抱えている人間への共感を誘うという点で、両者の写真には通底するものがある。この点を顧みるならば、土門と石内は、広島の写真のヒューマニズムの系譜を形成していると考えられるが、笹岡の写真はそこから遠く離れたところに位置している。そこには、両者の写真が示すような人間的な共感を掻き立てる要素は見当たらない。

『PARK CITY』に収められた笹岡のモノクロームの写真を見ていくと、ある一枚では、イサム・ノグチの設計による平和大橋のたもとで所在なげに信号を待つ女性の傍らを自動車が通り過ぎていく。別の写真では、修学旅行の一団が平和大橋の歩道を埋め尽くしながら通り過ぎていく。かつて軍都と軍国の教育を支えた広島高等師範学校の門柱を、日傘を差した女性が通過しようとする一瞬を捉えた写真も見られる。うら寂しい電車通りを人々が通り過ぎていく姿を捉えた一枚もどこか象徴的だが、これを含め、

笹岡啓子『PARK CITY』2009年

笹岡の写真において特徴的なのは、通り過ぎていく人々の姿である。

笹岡の言う「PARK CITY」、すなわち「公園都市」とは、修学旅行で来た生徒をはじめ旅行者と住民が、ただ通り過ぎていく場所としてぽっかり開けてしまった空間であるように見える。写真においては歩み去っていく人々の背中が印象的だが、その手前と向こうには、何もない空間が、空と呼応するかのように口を開けている。あるいは、平和記念公園を覆い尽くす――その下からは最近、人が住んでいた痕跡が発掘されている――白いコンクリートが象徴するように、何もないかのように覆われていると言うべきかもしれない。その上を人々が通過する日常が、当てどなく続いているのだ。[14]

そこにある空虚な反復をも暗示するかのような笹岡の写真において、通り過ぎていく人々の足取りは、広島を「公園」化し、その景観を資本主義に飼い馴らしていく営みを貫く忘却と歩調を合わせているようにも見える。かつての高等師範学校の門柱を女性が通り過ぎようとしている写真に立ち返るなら、門柱の

笹岡啓子『PARK CITY』2009年

傍らには高いクレーンが立ち、高層マンションの建設が始まっている。こうして「再開発」が進めば進むほど、街は幾重もの意味で空洞化していく。それとともに都市が市場と化してしまうことが「街の活性化」などと呼ばれるところには、軍都の亡霊が現われているにちがいない。

ちなみに、『PARK CITY』に収められた写真には、戦争の時代の亡霊が映る一枚もある。それを見ると、原爆資料館の日陰で涼む人の姿がまず目に入るが、そこから徐々に視線を上げていくなら、丹下健三が設計した資料館の柱廊の中央から、同じく丹下の設計による慰霊碑、そして原爆ドームが一直線上に並んでいるのが見える。平和記念公園を貫くこの直線は、丹下が戦争中の一九四二年に構想した「大東亜建設記念営造計画」の礼拝の軸線と合致する。[15] ただし写真では、「平和」の「記念」と「大東亜」の「記念」が重なる皮肉をよそに、軸線の上を観光客が写真を撮りながら通り過ぎていく。

こうして戦争と被爆の忘却が進むなかで遺棄されるものがあることも、笹岡の写真は伝えている。広島高等師範学校とともも

に現在の広島大学の前身をなす広島文理大学の一号館が、雑草の茂る空き地に廃墟を晒している一枚において、この被爆建物は、今にも自然の崩壊過程に呑み込まれそうに見える。その一方で、こうして忘れ去られていくもののなかで息を潜めている記憶があることを、笹岡は、今ここに回帰するその痕跡のかたちで示しているのではないだろうか。例えば、寺院の墓地の墓石が深い影のなかから浮かび上がるところからは、そのような記憶の気配が感じられる。

「PARK CITY」のシリーズにおいて笹岡はしばしば、建物の影へ、あるいは夜の空へレンズを向けるが、それによって映し出される闇は、不穏なまでに深い。そして、原爆資料館の内部を撮った写真のなかには、その闇のなかに潜む記憶に捕らえられた人の背中を見つめる一枚もある。その背中は、廃墟と化した広島の写真のなかに入り込んでいるかのようだ。笹岡の写真に現われる人の背中は、忘却しながら通り過ぎる者の後ろ姿であるばかりでなく、過去に取り憑かれてしまったことを示す後ろ姿でもあるように見える。それは、過去と現在が遭遇する一瞬を指し示していよう。

笹岡の「PARK CITY」シリーズの写真は、戦後の広島に、街の「公園」化によってぽっかりと開かれた空洞を凝視し、これを映像のうちに抉り出している。その映像は、空洞を人々のなかにも作り出した忘却の歴史も問うている。他方で笹岡の写真が映し出す深い、そして不穏な影は、まさにこの空洞の内部に想起の契機が潜んでいることも伝えている。このように笹岡は、あらゆる「人間的」な共感を斥けながら、広島の街のありさまをその両義性において浮き彫りにする一方で、東日本大震災の直後からその被災地に入って、地震と津波、さらには原子力発電所の事故の傷痕を凝視し続けている。

二〇二一年末に『Remembrance』という表題の写真集にまとめられた被災地の一連の写真は、震災の約一か月後に撮影された岩手県上閉伊郡大槌町の写真から始まる。[16] 笹岡は、「広島に落ちた原爆が落ちたみたいだ」という言葉を聞いてこの被災地へ赴いたという。[17] その海岸の克明なカラーの写真には、目に見える破壊だけでなく、不可視の喪失も刻まれていよう。そのほぼ中央には、津波ですべてが根こそぎにされた後、わずかに拓かれた道に佇む人の後ろ姿が見えるが、この人もまた、一面の廃墟と化したなかで失われたものの記憶に捕らえられているのかもしれない。

こうして被災地の記憶を被爆地のそれと静かに交差させながら、今も両方の場所を撮り続けているという点でも、笹岡啓子の写真芸術は示唆的である。それは、広島をいくつもの暴力が交差し続ける場所から、さまざまな土地の苦悩の記憶が交差する場所に変える糸口の一つを示しているのではないだろうか。そして、芸術を媒介に、いくつもの苦難の記憶の物語が縒り合わされる場を広島に設けることは、核兵器と戦争のみならず、これらを招き寄せてきた暴力からも解放される道筋を、この被爆地から切り開くうえで重要と思われる。そのためにこそ、軍都の廃墟が生かされるべきだろう。

Ⅳ　暴力の交差を記憶の交差に転換する

「復興とは、破壊の破壊であり、したがって破壊の極致である」[18]。一九五八年、原水爆禁止世界大会が開催された広島を訪れたギュンター・アンダースは、ここで起きた惨事を思い起こせないほどに、また他の都市と同じように復興した広島の街を見てこう喝破している。第二次世界大戦後は反核運動の先頭に立ったこの哲学者の言葉は、笹岡啓子が写真に捉えた広島の「公園」化とそれに伴う忘却をいち早く言い当てているように見えるが、これを現在の広島の街の姿と照らし合わせるとき、「復興」の過程でとくに徹底的に破壊されたのは、軍都の痕跡だったように思われる。

実際、広島が軍都だったことを想起させる遺構は、市内にはほとんど残っていない。「地図の余白から」で触れたように、広島城の大本営跡は礎石の一部を残すのみである。戦時中に陸軍の船舶司令部が置かれた宇品の巨大な凱旋館も、一九七〇年には取り壊されている。兵器支廠の最後に残った兵器庫も、一九九九年にいったん解体された。それまでに被服支廠のほとんどの建物も取り壊されてしまった。それゆえ、被爆後も残った旧陸軍の施設の遺構で今も形をとどめているのは、郷土資料館として使われている糧秣支廠の一部と被服支廠の倉庫のみということになる。

国が所有しているものを含め、四棟が残るこの倉庫の建物も、一時は解体の危機に瀕した。その後広島県は、所有する三棟について、二〇二三年度から順次、鉄骨の補強などによる耐震化工事を進める方針を示している。また、建物の重要文化財への指定も視野に入れるとともに、その活用法を検討するための「有識者の懇談会」も設けられるという。[19]ただし、そこでの議論が、かつては総力戦体制の縮図があった被服支廠の倉庫の近代史における位置を踏まえつつ、その歴史に向き合う場を開こうとするものでなければ、軍都の記憶の抑圧が続くだけだろう。

すでに見たように、軍都の記憶の抑圧は、広島が今なお、歴史的に植民地主義を背景に持つ民族差別や、性差別などの暴力が人々の身体において交差し、そこに軍隊組織の暴力さえも絡む場所であることの隠蔽と表裏一体である。そして、広島では市街中心の郊外化として表われる資本主義の進展と一体となった、交差する暴力の歴史の継続は、生命を使い尽くしながら環境という生存の基盤をも破壊しつつある。[20]こうして自滅へ向かいつつある暴力の歴史を、歴史として問いただし、それを食い止める道筋を探るところからこそ、他者とともに平和に生きる余地が拓かれるはずだ。

そのための試みが、広島からの文化を創るのではないか。その拠点として、被服支廠の倉庫の建物は活用されうるのではないだろうか。その前提として、軍都としての広島の近代史が、残存している史料にもとづいて伝えられなければならない。倉庫の一つにはそのための場所が設けられるべきだろう。宇品の軍港を持つ広島がアジア全域の侵略の尖端だったことを、植民地支配に晒されるとともに、それに抗する運動も起きたアジアの各地域の近代史とも照らし合わせて振り返るならば、帝国日本の戦争において広島が果たした役割が、より広い歴史的文脈から照らし出されるはずである。

すでに述べたように、近代のアジアは「東亜」として、帝国主義の列に連なろうとする近代日本の戦争の暴力によって、広島から拓かれてしまった。その暴力は、日本の植民地支配下に置かれた地域の人々だけでなく、広島で生活する人々をも引き裂いていった。この分断の歴史を、分断の要因を省察しながらつぶさに辿るなら、異なった背景をもつ人々のあいだに壁を造ってきた差別の暴力を、現在の問題として、さらには今日のヘイト・クライムなどとも結びつく問題として捉える視座が得られるはずだ。何よりもまず、そのための場が、ミュージアムのかたちで被服支廠の倉庫に開かれる必要がある。

このように近代史をつぶさに捉え返し、それが継続している現在を照らし出す思考を積み重ねてこそ、この歴史の過程で潰え去った希望を呼び起こすことができるはずである。それは、異なった背景を持った者たちが出会い、記憶の物語を交わし合うという、「牡蛎殻ステップ」の舞台が散楽によって響かせていた希望である。こうした舞台芸術を含む芸術の営みを介して、この希望を他者と分かち合う場としても被服支廠の倉庫は活用されうるのではないだろうか。その可能性は、倉庫とその周囲を会場に、二〇〇九年夏に行なわれた現代美術展ヒロシマ・アート・ドキュメントが閃かせていた。

日本銀行旧広島支店をはじめとする被爆建物を主な会場として、インディペンデント・キュレーターの伊藤由紀子の主導によって毎年開催されているヒロシマ・アート・ドキュメントは、広島が世界各地のアーティストを引き寄せる磁場であることを証明している。カタログにテクストを寄稿した二〇〇八年の展覧会には、レバノンに逃れているパレスティナ難民の女性のヴェールの写真を用いたジアッド・アンタールのインスタレーションが展示されていた。[21] この作品は、ヴェールの生地に沈着した苦難の記憶へ想像を誘いながら、広島で彼女たちの物語に耳を澄ます未来を指し示していよう。

内戦を含む戦争に巻き込まれたり、核実験や軍事演習などによる健康被害を被ったり、あるいは資本主義的な開発の影響によって年々苛酷さを増している自然災害に遭ったりした人々の苦悩の記憶が、語り伝えられうる姿に造形されていく場所として、被服支廠の倉庫は活用されうるにちがいない。そこは、こうした記憶を世代を超えて受け継いでいる人々の物語が、時間をかけて一つの作品として紡ぎ出される場でもありうるだろう。倉庫の広大な空間は、造形芸術作品や、舞踏などを含む舞台芸術作品の滞在型の制作のアトリエになりうるのではないだろうか。

被服支廠の倉庫をアトリエに制作するアーティストが、広島の住民に開かれたワークショップなどの機会を持つならば、住民の側も、軍都にして被爆地である都市の記憶を新たに呼び起こす契機を得るだろう。それとともに、アーティストの側も、広島の記憶に触れて制作の刺激を得る機縁を見いだすにちがいない。被服支廠の倉庫を、芸術作品の制作と展示、あるいは上演のための空間として活用するなら、この歴史的な建造物が芸術の創造の場に生まれ変わるばかりではない。かつての侵略の拠点が、広島の記憶が他の場所の記憶と結ばれながら絶えず更新される場へ変容するのだ。

このように、旧陸軍の被服支廠の倉庫が、世界各地から集ったアーティストが住民と交流を重ねながら作品を制作し、作品を発表する場所として活用され続けるなら、広島の記憶の物語が、他の場所の記憶の物語とともに新たに紡ぎ出され、少しずつ相互の物語が縒り合わされていくだろう。そこへ向けた試みが芸術の営為として積み重ねられ、人々が時空を越えて記憶を分有するようになって初めて、広島の街は、近代史を貫くいくつもの暴力が交差する場から、さまざまな場所の記憶が交差する場へと転換するのではないだろうか。倉庫の空間は、この転換の起点になりうるはずである。

社会学者の鄭暎惠は、「交差するヒロシマ」と題されたエッセイのなかで、世界各地の人々が越境をつうじて記憶を交換し合う「歴史の交差点」として広島を捉え返す視点をいち早く示している。[22]この「交差点」が、被服支廠の倉庫という歴史的な場所に現実に設けられ、そこで記憶が交差していくならば、人々の越境的で脱中心的な連帯も生じうると考えられる。この連帯は、チェコの哲学者ヤン・パトチカ（一九〇七〜七七年）の言葉を借りて、「震撼させられた者たちの連帯」と呼ばれるべきだろう。ここにありうるのは、近代史のなかで繰り返された、途方もない破局に晒された者たちの連帯である。

V　核の普遍史に立ち向かう連帯へ

パトチカは、チェコスロバキアにおける人間の基本的権利と自由の回復を訴えて一九七七年一月に反体制派知識人が発表した「憲章七七」の実現へ向けた運動の先頭に立ち、官憲の尋問によって横死に追い込まれた。彼は一九三〇年代に晩年のエドムント・フッサールから吸収した現象学を起点に、独自の哲学を展開しようとしたが、共産主義政権の下で最期まで研究活動の自由を奪われ続けた。そのような苦境のなかで書き残された『歴史哲学についての異端的論考』の末尾でパトチカは、「夜と戦争の時代」としての二十世紀の経験を踏まえて「震撼させられた者たちの連帯」を語っている。[23]

「震撼させられる」とは、パトチカの議論に従うなら、生存の見通しを与えていた世界が夜の闇によって閉ざされ、平和に生きる基盤が根底から揺さぶられることである。その出来事を彼は、戦場での「前線経験」を参照しながら、テクノロジーの進歩がもたらした圧倒的な力に剝き出しの姿で晒され、何を体験しているのかも理解できなくなることから説明しているが、彼が「広島」と「核兵器」に言及していることからもうかがえるように、その経験は兵士だけのものではない。今や地上のすべての人が生存の基盤を震撼させられうる。核の被害は、人間をそこから文字通り根こそぎにした。

パトチカの同時代人であるテーオドア・W・アドルノは、その哲学上の主著『否定弁証法』のなかで、「いかなる普遍史も野蛮から人道に至ることはなかったが、石斧から巨大爆弾に行き着く普遍史なら大いにありうる」と述べている。[24] これが一九六〇年代半ばの発言であることを考慮するなら、彼の言う「巨大爆弾」とは水素爆弾をはじめとする核兵器ということになろうが、その「全面的な脅威」が今や人類の現実になっているという意味で、「巨大爆弾」に至る歴史は「普遍史」なのである。この歴史が今も続いているわけだが、その行き着く先は全面的な破滅以外ではありえない。

第二次世界大戦前夜にベルリンのカイザー・ヴィルヘルム研究所で発見された核の巨大なエネルギーは、戦争のなかで兵器テクノロジーに利用され、広島で、次いで長崎で生身の人間へ向けて放出された。

それによって被爆した人々の経験が伝えているのは、生存を可能にする生体の能力を、核の力が根幹から破壊することである。にもかかわらず、核エネルギーは、兵器開発と「平和利用」が連動するかたちで利用され続け、今や世界各地に核弾頭と原子炉が散乱するに至った。その恐怖に人類全体が晒されているという意味で、核開発の歴史が「普遍史」であることは、今や言うまでもない。

ここで忘れられてはならないのは、広島と長崎に投下された原爆に使われたウラン鉱石が、当時ベルギーの植民地だったコンゴで、現地の人々を使って採掘されたことが示すように、核の歴史が植民地主義の歴史と地続きであることだ。さらに核の歴史は戦後、資本主義が経済的な格差を拡大しながら進展する過程とも深く結びついて、日本の原発労働者のような放射能の危険に晒される人々をも作り出していった。その過程は、植民地などでの核実験の現地住民の健康への影響や、福島第一原子力発電所の事故に至るまで繰り返された原発事故が示すように、破局に次ぐ破局によって貫かれている。

テクノロジーの暴力を含めた近代のあらゆる暴力を含んで世界を恐怖で覆い尽くす核の普遍史。それを貫く破局に巻き込まれた者一人ひとりが、パトチカの言う「震撼させられた者」である。そして、みずからの苦難を他者に伝えようとする者は、震撼させられたことを自覚するに至るだろう。そのような震撼の経験が交差する場所に生まれ変わるとき、かつて侵略の拠点だった広島は、初めて被爆地としての世界的な意味を持つはずである。その街で世界各地の「震撼させられた者」たちの記憶が、物語に紡ぎ出され、互いに縒り合わされるとき、連帯の回路が開かれ始めるにちがいない。

震撼の共振からここに生じる連帯は、かろうじて生き残った者たちに刻まれた、残してきた死者を追悼する記憶の交換にもとづく以上、破局の犠牲になった死者を含む「震撼させられた者たち」の連帯である。このあらゆる境界を越える連帯は、核の歴史が犠牲に犠牲を重ねながら破滅へ向かいつつあることを確かめ合いながら、その連続に立ち向かう。パトチカによると、この連帯は、世界を破壊し、生存を脅かす過程がこのまま続くことに対して「警告と禁止」を伝える。[25] ここにある批判を、笹岡の写真が示すような芸術の批評性とも結びつけるなら、連帯の表現を、人々を立ち止まらせる思考の契機と捉えることもできるはずだ。

「震撼させられた者たち」の記憶が交わされる場を街のなかに開き、核の普遍史に立ち向かう連帯の起点へと新生を遂げたとき、広島は軍都の呪縛から解放されるだろう。かつて侵略のための装備品が積み上げられていた場所で、広島が軍都として機能した近代の歴史をめくり返しながら破局の経験が語り交わされ、そこに死者の記憶が甦るなら、「荒屋敷散楽　牡蛎殻ステップ」の舞台が暗示していたように、生あるものを呑み込み続けている近代の歴史の流れが逆流し始めるにちがいない。核の普遍史に抗して近代を逆流させる起点を想起によって見いだすことには今、生存そのものが懸かっている。

註

1　以下の舞台の展開の叙述に際し、桜井大造『荒屋敷散楽　牡蛎殻ステップ』の台本を参照した。

2　ポトラッチとクラ貿易をその可能性において考察した論考として、以下を参照。ジョルジュ・バタイユ『呪われた部分――全般経済学試論・蕩尽』酒井健訳、筑摩書房、二〇一八年。

3　このような植民地支配を背景に、故郷を離れて広島に働く場所を求めた人々がいたことについて、以下の論考のとくに第二章を参照。深川宗俊『鎮魂の海峡――消えた朝鮮人徴用工246名』現代史出版会、一九七四年。「韓国の広島」と言われる陜川（ハプチョン）から多くの人々が広島を目指し、被爆に至った経緯を、広島の軍都化、それに伴う労働力の需要、植民地支配の過酷さと関連づけて解明した論考として、以下を参照。市場淳子『ヒロシマを持ちかえった人々――「韓国の広島」はなぜ生まれたのか』凱風社、二〇〇〇年。

4　この点については、広島安野・中国人被害者を追悼し歴史事実を継承する会のウェブサイトの「安野での生活と労働」のページ（https://keishousurukai.com/custom2.html ――二〇二二年二月二十一日最終閲覧）を参照。

5　ここで念頭に置いているのは、「交差性 intersectionality」の概念である。これについては、以下の論考を参照。パトリシア・ヒル・コリンズ、スルマ・ビルゲ『インターセクショナリティ』小池理乃訳、人文書院、二〇二一年。

6　「生に対する権力」の概念については、ミシェル・フーコーの『性の歴史I――知への意志』（渡辺守章訳、新潮社、一九八六年）の第五章「死に対する権利と生に対する権力」を参照。暴力の神話化ということで念頭にあるのは、ヴァルター・ベンヤミンの「暴力批判論」である。日本語訳は、山口裕之編訳『ベンヤミン・アンソロジー』（河出書房新社、二〇一一年）所収。

7　一九五六年の初夏に広島へ巡回した「原子力平和利用博覧会」――言うまでもなく、これは当時のアメリカの「原子力の平和利用 Atoms for Peace」戦略の宣伝を兼ねたものである――の後、一九五八年四月に始まった「広島復興博覧会」でも「原子力の平和利用」の展示が行なわれ、その一部の展示が資料館で続いたことについて、以下の論考を参照。田中利幸、ピーター・カズニック『原発とヒロシマ――「原子力平和利用」の真相』岩波書店、二〇一一年。

8　日本国内の朝鮮学校は、当時の文部科学大臣下村博文が表明した方針にもとづき、二〇一三年以来、授業料無償化の対象から除外されている。朝鮮学校とその生徒の保護者らは、この措置が教育を受ける権利を侵害するものであることを問う訴えを起こしていたが、広島高等裁判所は、生徒の教育を受ける権利をいかに保障するかという問題を審理することなく、在日本朝鮮人総聯合会の一定の影響下にある学校運営は「適切な学校運営」という無償化の条件に抵触するという国側の主張を認める判決を、二〇二〇年十月十六日に下している。これについて、高裁の判決に至る経緯にも言及した翌日付の中國新聞の記事「朝鮮学校訴訟、二審も原告敗訴」を参照。

9　二〇〇七年十月十四日に発生した米兵による集団強姦事件とその後の経緯については、以下の論集を参照。東琢磨編『広島で性暴力を考える――責められるべきは誰なのか?』ひろしま女性学研究所、二〇〇九年。

10　二〇二一年六月二十五日の広島市議会において可決されたこの条例の条文は、広島市議会ウェブサイトの「議員提出第五号議案広島市平和推進基本条例の制定について」(https://www.city.hiroshima.lg.jp/site/gikai/233171.html ――二〇二二年二月二十二日最終閲覧)のページで閲覧できる。ここではその文言を一部引用した。この条例の「平和祈念式」を「厳粛」に実施することを定めた条文に関しては、表現の自由を侵す危険性について懸念の声がある。また、そのために「市民等の理解と協力」を前提としているにもかかわらず、一部の市議会議員が主導して、平和運動に取り組む市民の声をほとんど検討することなく条例が定められた過程に対しても疑問が呈されている。

11　笹岡啓子『PARK CITY』インスクリプト、二〇〇九年、参照。『PARK CITY』は、松田正隆の作と演出による舞台作品として、マレビトの会により山口情報芸術センター(二〇〇九年八月二十八~三十日)と滋賀県芸術劇場びわ湖ホール(同年十月二十四日、二十五日)で上演されている。

12　土門拳『ヒロシマ』研光社、一九五八年、参照。

13　石内都『ひろしま』集英社、二〇〇八年、参照。

14　丹下健三の設計による広島市平和記念資料館（原爆資料館）が二〇〇六年に国の重要文化財に指定されたのに伴い、とくに本館の耐震工事が行なわれた。その際に発掘された被爆瓦や塼類などが、二〇一七年の冬から翌年の春にかけて資料館で展示されている。

15　前章でも触れたように、この点については以下の論考を参照。井上章一『戦時下日本の建築家——アート・キッチュ・ジャパネスク』朝日新聞社、一九九五年、二六六頁以下。

16　笹岡啓子『Remembrance ——三陸、福島2011—2014』写真公園林、二〇二一年、参照。

17　このことを筆者は、二〇二一年四月二十五日に広島県男女共同参画財団エソール広島研修室で開催された連続講座「ジェンダー×植民地主義——交差点としての『ヒロシマ』」の第四回「撮り続ける笹岡啓子——写真集『パーク・シティ』、公園都市広島」において笹岡から直接聞いている。

18　ギュンター・アンデルス『橋の上の男——広島と長崎の日記』篠原正暎訳、朝日新聞社、一九六〇年、七九頁。

19　このような広島県の方針について、二〇二一年六月十八日付の朝日新聞の記事「被爆建物『被服支廠』23年度から耐震工事着手へ」を参照。

20　市街中心の郊外化に関しては、デパートが撤退した後の建物を郊外型の大型電器店とファスト・ファッションのショップが占めていて、そこから宇品方面へ南下すれば、すぐに郊外型の大型ショッピングモールに突き当たることを挙げれば充分だろう。

21　二〇〇八年のヒロシマ・アート・ドキュメントのカタログに寄稿したテクストは、「記憶する身体と時間」の表題で、拙著『パット剝ギトッテシマッタ後の世界へ——ヒロシマを想起する思考』（インパクト出版会、二〇一五年）に収録されている。

22　「自称〝マイノリティ〟たちが、対-マジョリティ、対-国家体制と闘いを国境線の内側のみで展開するかぎり、自由も平和も解放も限定的なものになるだろう。そこを超えていくためには、歴史の交差点で〝マイノリティ〟

たちが出会う——記憶を交換し合う——必要がある」。鄭暎惠「交差するヒロシマ」、『〈民が代〉斉唱——アイデンティティ・国民国家・ジェンダー』岩波書店、二〇〇三年、八四頁以下。

23　ヤン・パトチカ『歴史哲学についての異端的論考』石川達夫訳、みすず書房、二〇〇七年、二〇一頁以下。

24　テオドール・W・アドルノ『否定弁証法』木田元他訳、作品社、一九九六年、三八八頁。原文(Theodor W. Adorno, *Negative Dialektik*, Frankfurt am Main: Suhrkamp, 1966, S. 315)を参照して訳文を一部変更した。

25　J・パトチカ、前掲書、二〇六頁。

付記

本稿は、本書のための書き下ろしである。ただし笹岡啓子の写真を論じた一節の一部は、二〇二一年四月二十五日に広島県男女共同参画財団エソール広島研修室で開催された、広島・ジェンダー・「在日」資料室準備会の主催による連続講座「ジェンダー×植民地主義——交差点としての『ヒロシマ』」連続講座の第四回「撮り続ける笹岡啓子——写真集『パーク・シティ』、公園都市広島」のなかでレクチャーとして話した内容を基にしている。これ以外の回には受講者の一人として参加したが、そこで学んだことも本稿には反響している。

この連続講座は、表題が示すようにジェンダーと植民地主義の交差という視点から、身体的な生におけるいくつもの暴力の交差を、表象や制度などの検討をつうじて掘り下げるものと言える。このようなアプローチが、広島/ヒロシマに、あるいはそこに連なる歴史の積み重なった現在に生きることを照らし出す思考において明示されたことは、これまでなかったのではないだろうか。この点で画期的と思われる「ジェンダー×植民地主義」連続講座については、主催者側で記録集の準備が、二〇二二年内の刊行を目指して進められている。

あとがき

原民喜が西荻窪と吉祥寺のあいだの中央線の線路に身を横たえて自死を遂げたのは、一九五一年三月十三日のことだった。その日は、彼の詩「碑銘」に因んで「花幻忌」と呼ばれている。

遠き日の石に刻み
　　砂に影おち
崩れ墜つ　天地のまなか
一輪の花の幻

この一篇は、広島の原爆ドームの傍らにある詩碑に刻まれていて、そこでは花幻忌に、詩人の言葉の朗読などによる碑前祭が営まれる。七十一回目の花幻忌が巡って来ることを思いながら、「碑銘」を含む、原が最期を前にしたためた詩篇を読み返すと、破滅を透視しながら、それでもなお、救いの閃きを破局のただなかに幻視しようとする祈りが胸を打つ。ただし、「花」が「幻」であることが象徴するように、救いの在り処はもはや此岸にはない。

詩人がみずから命を絶った日、朝鮮半島では戦争が続いていた。この朝鮮戦争のなかで核兵器が使われかねない状況が生じていたことは、原の死に影を落としているとも言われる。そのような危機が、彼のなかに繰り返し回帰する原子爆弾による壊滅の記憶と結びつきながら、詩魂を破滅のヴィジョンへ近づけていたのは間違いないだろう。それから七十一年を経た今、核による世界の崩壊の危機は、朝鮮戦争の頃より現実的なものとして迫っている。ロシアによるウクライナの侵略が続くなか、核施設が攻撃の対象になり、チョルノービリとザポリージャの原子力発電所はロシア軍によって制圧された。その過程で、原子炉が収められている建物へ火器が向けられる場面すらあった。

さらに、ウラジーミル・プーチンは、欧米各国の圧力を前に、「核戦力」に訴えることも辞さない態度を示している。こうして核による破滅の危機が切迫するなか、ウクライナ各地で民間人が避難している場所をも標的とする攻撃が続き、おびただしい犠牲者が出ている。住民虐殺が疑われる事例も報じられている。プーチンが始めた侵略戦争と、その指揮下の軍隊の残忍さは断じて許せない。他方ロシアで、侵略戦争に抵抗する声が圧殺されようとしているのも無視できない。このような状況を前にすると暗澹とさせられる。無力さが歯がゆくもなる。だが、それでもなお、戦争の暴力に晒されている人々の苦境に思いを馳せながら、背景や立場を異にする人々のあいだに言葉を交わし合う回路を探る思考を継続する必要があるはずだ。もう誰も殺すなと呼びかけながら。

その努力は、絶望を深めるだけに見えるかもしれない。しかし、たとえそうだとしても、一人ひとりが他者たちのあいだで生きていたことを、あまりにも苛酷でもあるその歴史的な状況とともに確かめていくなら、差別の非道さを、国家というものの暴力性を、戦争の理不尽さを、そして核の生存そのものに対する脅威を、他者と確かめ合う可能性が言葉によって切り開かれるはずだ。言葉は、それ自体として他者に向けられているのだから。そして、死者を悼みながら語りかけられる言葉が他者に届くならば、ヤン・パトチカが「震撼させられた者たちの連帯」と呼んだ連帯の回路が、世界の亀裂の上に、死者とのあいだにも開かれるのではないだろうか。

さまざまな記憶の物語を綴り合わせ、モザイク状に歴史を構成していくなかに生じるこの連帯こそ、戦争の歴史を、さらには現実の破滅に達しつつある核の歴史を見返し、これらの暴力の歴史がこのまま続くのに抗う足がかりになるはずだ。逆に、俯瞰的な視点からの情報やそれにもとづく言説――例えば、地図で「戦況」を語るような「解説」――だけを聞いて、戦争について何か分かった気になる者は、戦争を遂行する立場に自己を同一化させている。この立場からの暴力が、人間をある自己同一性に閉じこめ、死者を含めて数に還元しながら使い尽くし、世界を破壊しながら人々のあいだを引き裂いている。このことを貫く「計量的発想」を批判したのが、詩人の石原吉郎だった。

数に抗して詩人は、暴力に晒された一人ひとりへ注意を向ける。原民喜は、原爆の熱線を浴びて身体中の皮膚がただれ、誰か識別できないほど膨れ上がった人の姿から、人間そのものへの根底的な問い、「コレガ人間ナノデス」を読み取っていた。このような詩人の言葉に耳を澄ますとき、対話が始まろうとしている。時空を、あるいは幽明の隔たりを、さらには言語の境界をも越えて。その可能性を信じてパウル・ツェランは、「ハンザ自由都市ブレーメン文学賞受賞の際の挨拶」（日本語訳は、飯吉光夫編訳『パウル・ツェラン詩文集』白水社、二〇一二年、所収）のなかで、詩は対話的だと述べたにちがいない。ここで対話的とは、言葉を交わす回路を新たに開くという意味でもあろう。

そのような潜在力は、狭義の詩ばかりでなく、詩的な言葉にも、ないしは他の芸術作品にも含まれているのではないだろうか。本書において探究したことの一つとして、写真を含む芸術作品が、絶えず新たに過去の出来事を甦らせる想起の媒体として立ち現われ、その受け手を揺り動かし、その心に他者への通路を開く可能性がある。こうした芸術の潜在力に着目したのは、この力が、犠牲の歴史が積み重なった今ここを見つめ直し、そこに他者とともに生きていく見通しを切り開く契機になりうるからである。広島という都市は、このような芸術の力が発揮されるなか、背景や立場を異にする人々が出会い、記憶の交換をつうじて結びついていく場に生まれ変わって初めて、軍都の呪縛を振りほどくことができるはずである。

こうした来たるべき都市の姿へ向けて、暴力の交差する場所から革命的に変貌することへの願いを込めて、本書の副題は「記憶の交差路としての広島へ」とした。本書を貫く思考は、ここまで示してきたように、この交差路を開く力として、芸術のそれをとくに重視する美学の立場を示している。ただし芸術は、廣島がヒロシマになってから、根底から変化せざるをえなかった。本質的に生存に反する力が生身の人間に向けられ、その傷が人間そのものに刻まれて後、芸術はみずからのあり方を根本から問わざるをえなかった。このことは原民喜の戦後の詩作の姿が示している。本書の第二部で示したように、それが六十年以上の時を経て、東日本大震災を体験した吉増剛造の詩魂に触れたのだった。

本書では、原爆とは何か、そしてそれ以後の詩とはどのようなものかという問いに向き合う際の原点であり続けている原民喜の詩作とともに、殿敷侃の芸術にも繰り返し論及した。細密な絵画からパフォーマンスとも連動する大規模なインスタレーションに至るまで、絶えず変貌を遂げたその歩みは、被爆の傷を引き受けながら、原爆の記憶に応じうる造形を模索し続ける、厳しい自己批評に貫かれているにちがいない。それが投げかける問いには、視角を変えながら今後も向き合い続けたい。原爆による人間そのものの破壊と向き合うなか、自己のうちに批評を組み込むことをつうじて展開する芸術と、その作品の美的経験の意味を問い続ける思考――「燃エガラからの思考」――は継続していくつもりである。

ちなみに、殿敷の芸術について最初に教えてくださったのは、インディペンデント・キュレーターの伊藤由紀子さんである。本書第四部で触れたように、伊藤さんは毎年、ヒロシマ・アート・ドキュメントという現代美術展を毎年企画されているが、日本銀行旧広島支店、旧陸軍被服支廠倉庫といった被爆建物を会場とする作品の展示から得た刺激は計り知れない。芸術との出会いの機会を作ってくださっている広島の先達として、中山幸雄さんも忘れるわけにはいかない。同じ第四部で言及した演劇作品が上演されたカフェ・テアトロ・アビエルトを広島の上八木で営まれている中山さんは、演劇や舞踊のような舞台芸術をはじめ、音楽、映画、さらには美術の場として、このカフェを開いておられる。

寄せ場の解放へ向けた運動に長く関わってきた中山さんは、アンダルシアの詩人フェデリコ・ガルシア・ロルカに私淑されていて、どのような場でも詩を大事にされる。舞台芸術の上演には、印象的に詩の朗読が差し挟まれることが多い。金時鐘（キム・シジョン）の詩の朗読も忘れがたい。読まれた詩の言葉に、またカフェの空間に出現した作品に触発された議論も、この開かれた場所――ロルカの詩から採られた「アビエルト」の語は、「開かれた」を意味する――に集う醍醐味の一つである。その場で故郷の先輩でもある中山さんから、あるいは中山さんを介して出会った人々から教えられたこともまた計り知れない。ロルカの肖像が掲げられていて、詩人の生誕祭が毎年営まれるこの場所は、真の意味で劇場にしてカフェであると考えている。

もう一人広島の先達として忘れてはならないのは、高雄きくえさんである。性差別の問題、それに起因する性暴力をはじめとする歴史的な問題、社会に構造化された暴力の問題などをジェンダーの視点から解き明かし、これらについての議論を呼び起こす活動を、長く主宰されてきたひろしま女性学研究所を拠点に繰り広げておられる。その軸の一つに出版活動があるが、その一環として拙著『共生を哲学する――他者と共に生きるために』（二〇一〇年）などを出させていただいた。二〇〇七年からおよそ六年にわたり関わったヒロシマ平和映画祭に際しても、高雄さんとその研究所には本当にお世話になった。その過程で高雄さんから、また高雄さんを介して出会った人々から得た刺激もかけがえのないものである。

高雄さんは今、広島駅を見下ろす場所に、広島・ジェンダー・「在日」資料室の開設を準備されている。自身被爆者で、女性史研究を牽引してきた加納実紀代の蔵書や研究資料がすでに集まっていると聞いているが、それに加えて広島の在日朝鮮人の足跡に関する資料も集められるこの資料室が、ジェンダーをめぐる問題と植民地主義の問題を、研究分野のうえでも、問題そのものとしても横断的に研究する場として、広く活用されることを願ってやまない。この資料室の準備の一環として二〇二一年に開催された連続講座「ジェンダー×植民地主義――交差点としての『ヒロシマ』」を受講したが、軍都でもある広島を焦点に、身体における暴力の交差を歴史的に浮き彫りにして論じた点で、画期的な講座だったと思う。

これらの先達の教えがどれほど生かされているかは心許ないところがあるが、本書が、広島の被爆の記憶を、戦争の記憶とともに今に受け継ぐ意味を考えたり、原爆以後に、そして戦争をはじめとする災禍が続いているなかで、芸術が何でありうるかを問うたりする契機になるとすれば幸いである。あるいは、軍都にして被爆地であるという広島の両義性を歴史的に掘り下げ、その潜在力を掘り起こす思考の刺激が本書に含まれているならば、これに勝る幸いはない。むろん本書には、目配りが不充分なところや検討が尽くされていないところが多々あるにちがいない。こうした点について忌憚のない指摘をいただければ幸甚である。何よりも、本書が開かれた議論の呼び水になることを願っている。

「文月に思う広島」で述べたとおり、本書に収録されているのは主に、『パット剝ギトッテシマッタ後の世界へ――ヒロシマを想起する思考』（インパクト出版会）を二〇一五年に上梓した後に書かれた文章である。被爆の記憶を受け継ぐとはどういうことか、また犠牲の歴史が積み重なった世界で、その歴史を他者と分かち合いながら平和に生きるとはどういうことかといった問題については、前著である程度議論を尽くしたと考えているので、本書にはこれと関連する問題を、美学に軸足を置きながら論じた文章を集めた。そのように思考の重心を移すうえでも、二〇一六年から翌年にかけてベルリンに滞在し、芸術の力に触れる経験を重ねたことには、決定的な意味があった。

今にして思えば、ベルリンで執筆した序と第一部の論考には、広島を遠くから見続ける視点の予感も含まれているのかもしれない。広島から福岡へ研究と教育の拠点を移してから一年が経った。二〇二二年四月からは、講義のために毎週広島へ行くこともなくなった。このことも、本書をまとめた動機の一つである。ゲストとして広島の大学で講義する機会はあるし、現在家族は広島に住んでいるので、それなりの頻度で福岡と広島を行き来するものの、九州の歴史を踏まえながらアジアの近代史のなかに広島と長崎を位置づけ、両者の経験を照らし合わせようとするところへ思考の足場を移そうとしているのは確かである。それゆえ本書は、広島の人々への置き手紙としても差し出されることになる。

在外研究のために一年強ドイツに滞在しているので、広島で暮らしたのは十八年弱ということになる。その間、先に挙げた人々をはじめ、実に多くの人々に助けていただいた。とくに広島市立大学国際学部の同僚には、研究活動の面でも、二〇二〇年には「コロナ禍」に直面した教育活動の面でも支えていただいた。同僚の助力なしに、ヴァルター・ベンヤミンの哲学と美学についての研究を、『ベンヤミンの言語哲学——翻訳としての言語、想起からの歴史』(平凡社、二〇一四年)、『ヴァルター・ベンヤミン——闇を歩く批評』(岩波書店、二〇一九年)、そして『断絶からの歴史——ベンヤミンの歴史哲学』(月曜社、二〇二一年)という三冊の著書にまとめることはできなかった。

今後は、これらに結びついた研究を足がかりに、本書で論及した核の普遍史の問題を見据えながら、〈残余からの歴史〉と〈災後のうた〉の可能性を、より踏み込んだかたちで探究したいと考えている。そのような研究の刺激を与えてくれる人々として、本書第二部で触れた中国文芸研究会に集う友人も忘れるわけにはいかない。本書のそこかしこに、魯迅や章炳麟、あるいは竹内好のテクストに取り組んだ研究会での議論が反響している。第三部で挙げた好村冨士彦に師事した小田智敏(おだともはる)さんの研究——その一端は論集『忘却の記憶 広島』(月曜社、二〇一八年)に収められている——からは引き続き学んでいきたい。広島という磁場でこそ出会えたアーティストから得た刺激も、思考の糧にしたいと考えている。

本書をまとめるにあたっては、多くの方にご助力いただいた。まず、各稿の付記などでご紹介した、論考や批評を執筆する機会を作ってくださった方々にあらためて心より感謝申し上げる。本書への転載を快くご許可くださったことにも感謝に堪えない。そして、図版の画像を提供してくださった、またそのために便宜をはかってくださった写真家の笹岡啓子さん、佐々木知子さん、藤岡亜弥さん、広島市現代美術館学芸員の松岡剛さん、詩画人四國五郎のご子息四國光さんに心からの感謝を捧げたい。本書は雲丹紅巽さんに、殿敷侃の《川岸》(作品画像は広島県立美術館提供)をあしらうかたちで装幀していただいた。内容の特徴が伝わるよう美しく表紙を仕上げてくださったことに心より感謝申し上げる。

本書を世に送ることができるのは、ひとえにインパクト出版会の須藤久美子さんのおかげである。複雑な原稿を丁寧に整理して編集してくださったうえ、関係各所との連絡の労を取られながら、構成や造本についても的確なアドヴァイスをしてくださった。須藤さんのご尽力に心からの感謝を捧げる。本書の趣旨を理解して、これが世に出る道を開いてくださったインパクト出版会取締役の川満昭広さんにも心より感謝申し上げる。ここに収録された論考や批評を、先に挙げたベンヤミンについての著書を準備する傍らで書き継ぐことができたのは、妻と娘の理解があってこそである。福岡へ拠点を移した後も広島に留まって、日々の学校生活の面でも、音楽の面でも娘の世話をしている妻にはとくに感謝している。

二〇二二年六月三十日、福岡にて

柿木伸之

［著者略歴］

柿木伸之　かきぎのぶゆき

1970年鹿児島市生まれ。上智大学大学院哲学研究科博士後期課程を満期退学後、上智大学文学部哲学科助手、広島市立大学国際学部教授を経て、現在西南学院大学国際文化学部教授。博士（哲学）。専門は哲学と美学。二十世紀のドイツ語圏の哲学と美学を主要な研究領域とする。芸術評論も手がける。

ウェブサイト：https://nobuyukikakigi.wordpress.com

著書：

『断絶からの歴史——ベンヤミンの歴史哲学』月曜社、2021年。

『ヴァルター・ベンヤミン——闇を歩く批評』岩波新書、2019年。

『パット剝ギトッテシマッタ後の世界へ——ヒロシマを想起する思考』インパクト出版会、2015年。

『ベンヤミンの言語哲学——翻訳としての言語、想起からの歴史』平凡社、2014年。

『共生を哲学する——他者と共に生きるために』ひろしま女性学研究所、2010年。

訳書：

『細川俊夫 音楽を語る——静寂と音響、影と光』アルテスパブリッシング、2016年。

主要共著書：

ハイデガー・フォーラム編『ハイデガー事典』昭和堂、2021年。

加賀野井秀一他監修『メルロ＝ポンティ哲学者事典別巻』白水社、2017年。

野家啓一責任編集『哲学の歴史第10巻——危機の時代の哲学［20世紀Ⅰ］現象学と社会批判』中央公論新社、2008年。

共訳書：

テオドール・W・アドルノ『自律への教育』中央公論新社、2011年。

クリストフ・メンケ『芸術の至高性——アドルノとデリダによる美的経験』御茶の水書房、2010年。

主要論文：

「貧しい時代の詩——ベンヤミンとハイデガーの反転の詩学」、実存思想協会編『実存思想論集』第37巻、2022年6月。

「地を這うものたちの歴史——断絶の記憶から」、京都大学人文科学研究所編『人文学報』第119号、2022年6月。

「アウシュヴィッツとヒロシマ以後の詩の変貌——パウル・ツェランと原民喜の詩を中心に」、原爆文学研究会編『原爆文学研究』第14号、2015年12月。

燃エガラからの思考——記憶の交差路としての広島へ

2022年7月20日　第1刷発行

著　者　柿木 伸之

装　幀　雲丹 紅巽

発行人　川満 昭広

発　行　株式会社 インパクト出版会

東京都文京区本郷 2-5-11　服部ビル 2F

Tel 03-3818-7576　Fax 03-3818-8676

impact@jca.apc.org　http://impact-shuppankai.com/

郵便振替　00110-9-83148

印刷・製本　モリモト印刷